Beat vénération
de Ray Robertson
est le neuf cent soixante-seizième ouvrage
publié chez
VLB ÉDITEUR.

D0094112

VLB ÉDITEUR
Groupe Ville-Marie Littérature inc.
Une société de Québecor Média
1010, rue de La Gauchetière Est
Montréal (Québec) H2L 2N5
Tél.: 514 523-1182
Téléc.: 514 282-7530
Courriel: vml@groupevml.com

Vice-président à l'édition : Martin Balthazar

Éditeur: Stéphane Berthomet
Direction littéraire: Perrine Leblanc
Traduction: David Jasmin-Barrière
Révision de la traduction : Sophie Cardinal-Corriveau
Illustration de la couverture : Jason Cantoro

Catalogage avant publication de Bibliothèque et Archives
nationales du Québec et Bibliothèque et Archives Canada
Robertson, Ray, 1966-
    [What happened later. Français]
    Beat vénération
    (Roman)
    Traduction de : What happened later.
    ISBN 978-2-89649-423-1
    1. Kerouac, Jack, 1922-1969 - Romans, nouvelles, etc. 2. Robertson, Ray,
    1966-   - Romans, nouvelles, etc. I. Jasmin Barrière, David, 1982-   .
    II. Titre. III. Titre : What happened later. Français.
    PS8585.O321W4314 2012   C813'.54   C2012-941563-4
    PS9585.O321W4314 2012

Distributeur:

LES MESSAGERIES ADP*
2315, rue de la Province
Longueuil (Québec) J4G 1G4
Tél.: 514 523-1182
Téléc.: 450 674-6237
*filiale du Groupe Sogides inc.,
 filiale de Québecor Média inc.

Pour en savoir davantage sur nos publications, visitez notre site: editionsvlb.com
Autres sites à visiter: editionshexagone.com • editionstypo.com

Dépôt légal: 3ᵉ trimestre 2012
Bibliothèque et Archives nationales du Québec, 2012
Bibliothèque et Archives Canada
© VLB éditeur et Ray Robertson, 2012
Tous droits réservés pour tous pays
ISBN 978-2-89649-423-1

VLB éditeur bénéficie du soutien de la Société de développement des entreprises culturelles
du Québec (SODEC) pour son programme d'édition.
Gouvernement du Québec – Programme de crédit d'impôt pour l'édition de livres – Gestion
SODEC.
Nous reconnaissons l'aide financière du gouvernement du Canada par l'entremise du Fonds
du livre du Canada pour nos activités d'édition.
Nous remercions le Conseil des Arts du Canada de l'aide accordée à notre programme
de publication.

BEAT VÉNÉRATION

Du même auteur

Home Movies, roman, Toronto, Cormorant Books, 1997.

Heroes, roman, Toronto, Dundurn Press, 2000.

Moody Food, roman, Doubleday, 2002; Santa Fe Writers Project, 2006; Biblioasis, Emeryville, 2009. Traduit en français sous le titre *Les nourritures mélancoliques*, Montréal, VLB éditeur, 2010.

Mental Hygiene : Essays on Writers and Writing, essai, London (Ontario), Insomniac Press, 2003.

Gently Down the Stream, roman, Toronto, Cormorant Books, 2005.

What Happened Later, roman, Markham, Thomas Allen Publishers, 2007.

David, roman, Markham, Thomas Allen Publishers, 2009.

Ray Robertson

BEAT VÉNÉRATION

Traduit de l'anglais (Canada)
par David Jasmin-Barrière

vlb éditeur
Une société de Québecor Média

B. M. H.
1993-2006

J. C. H.
1937-2001

M. A. K.

Voilà, c'était mon cinéma,
à vous maintenant, je vous écoute.

JACK KEROUAC, *Tristessa*

« Bon, v'là que Jack Kerouac est revenu sur la route. »

Jack était bien obligé de la rire, celle-là.

Couché sur le dos et saturé d'alcool, étendu sur les rails du tramway de Northport, il avait dit à son ami Stanley Twardowicz qu'il ne se lèverait pas avant qu'un tramway ou une voiture arrive et le libère enfin de la roue conceptrice de viande frémissante, mort et en sécurité au paradis.

En fait, « Va chier, je me lèverai pas » est ce qu'il avait lancé, mais Stanley avait compris ce qu'il voulait dire.

D'aussi loin que les jours clairs et radieux du New York des années cinquante, quand il claquait des doubles Jack Daniel's à la Cedar Tavern avec Pollock, Kooning, Kline et le reste, Jack avait toujours aimé la compagnie des peintres. Les peintres ont tendance à ne pas parler de choses comme le pour et le contre du point de vue interne et du point de vue omniscient dans un récit narratif à la troisième personne ou du montant que l'agent de je-ne-sais-plus-qui a réussi à obtenir pour la dernière réimpression de son livre ou du prodige révélé cette semaine par le *New York Times* garanti à cent pour cent génial à surveiller. Jack aimait passer ses après-midis au studio de Twardowicz à Northport pendant que Stanley travaillait, il aimait passer le temps tranquillement et siroter sa cannette de Colt 45 ou parfois passer des heures entières à regarder Twardowicz ajouter une nouvelle couleur, une lueur, une ligne.

Le studio était aussi une façon de s'éloigner de sa mère un instant, de même qu'un endroit où se réfugier pour échapper aux adolescents de Long Island qui se pointaient encore à sa porte à la recherche du gars qui avait écrit *Sur la route*. Mémère faisait de son mieux pour les chasser, mais Jack criait après elle en français puis elle criait encore plus fort en français puis l'un des jeunes avait sans doute apporté une caisse de six et bien vite Jack prenait sa bouteille de whisky, mettait son nez de clown et devenait le brillant bouffon que tout le monde voulait qu'il soit. Il se réveillait deux jours plus tard avec une gueule de bois paralysante pour se rendre compte que l'un de ses calepins, quelques premières éditions de ses romans et même certains de ses crayons avaient disparu – des crayons, après tout, qui avaient appartenu et qui avaient été utilisés par Jack Kerouac, le roi des Beat, c'est le *Time Magazine* qui nous le dit.

Et maintenant Jack ne voulait pas se lever.

Pendant presque dix minutes, Stanley avait tout essayé : le raisonner, l'implorer, même le menacer. Une voiture klaxonnante avait déjà été obligée de contourner Jack dans le noir, et le tramway finirait par arriver. Il n'était pas encore arrivé, mais il s'en venait.

Enfin :

«Bon, v'là que Jack Kerouac est revenu sur la route.»

Jack était bien obligé de la rire, celle-là.

Jack a ri, s'est remis sur pied, et lui et Stanley sont allés chez Gunther, le bar de pêcheur où ils aimaient boire. Il a mis son bras autour des épaules de Stanley en traversant la rue.

« Ah, Stash, tu le sais que j'allais pas le faire, tu sais que je suis un bon catholique, tu sais qu'il faut que je prenne la voie la plus longue vers la sortie.

— Qu'est-ce que tu veux dire, "la voie la plus longue ?" »

Jack a levé un index dans l'air salé de la nuit de Long Island.

« Le suicide c'est péché, Stash, tu le sais bien. Viens, on se prend une table, je te paye un boilermaker. »

Avant que Jack Kerouac puisse changer ma vie, il fallait que Jim Morrison la sauve. Chaque tout-puissant a besoin d'un ambassadeur sur terre pour faire son sale travail. Le mien portait des pantalons serrés en cuir brun et gueulait ses couplets de rock and roll comme si ça comptait vraiment.

Tu peux lire *Les formes multiples de l'expérience religieuse* de William James ou tu peux me croire sur parole, mais «marcher sur l'eau» s'est pas construit en un jour, chaque épiphanie a son prix. Jamie Dalzell et moi on s'ennuyait ensemble dans sa chambre un après-midi après l'école quand il a posé les *Greatest Hits* des Doors sur la platine de sa chaîne stéréo, avec la nonchalance de ceux qui ont déjà transformé la vie d'un autre sans le faire exprès. Oubliez les vidéoclips, ça faisait à peine un an que j'avais découvert la radio F.M. Je pensais qu'Elton John était un poète. Je pensais que Kiss, c'était du punk rock. On avait tous des vélos dix vitesses, et les autobus de la ville sillonnaient notre quartier jusqu'à 6 heures du soir cinq jours par semaine, 9 heures les vendredis et samedis, et les banlieues qui nous reliaient donnaient l'impression de s'étendre à l'infini.

Les Doors, c'était Morrison – tu le savais, parce que c'étaient ses pommettes découpées et ses cascades de boucles brunes qui éclipsaient les trois autres visages sur la pochette –, mais c'est la musique qui m'a fait m'asseoir sur le bord du lit de Jamie pour écouter en silence. T'as pas besoin de t'asseoir en silence pour écouter REO Speedwagon. En rentrant chez moi pour le souper, dans la grisaille d'un début de soirée de février, mon sac Adidas rouge rempli de mes affaires d'école dans une main, l'album emprunté bien serré dans l'autre, le son de l'orgue cauchemardesque de «Light My Fire» a bourdonné dans mes oreilles sur un demi-mille de long jusqu'à la maison.

Mes souliers faisaient crisser la neige dans l'obscurité glacée. Aucun être humain de quinze ans et plus digne d'intérêt portait de bottes ou une tuque en hiver, même s'il faisait affreusement froid. Moins t'en portais, plus t'étais cool. Les gars vraiment, vraiment cool en treizième année allaient à l'école en veste de jeans qu'ils laissaient ouverte aux brises glaciales quand ils fumaient dans le stationnement. Ça, et se faire une blonde et marquer des touchés au football et compter des tours du chapeau au hockey, c'était à peu près le mieux dont tu pouvais rêver.

J'avais pas idée. J'ai serré l'album des Doors encore plus fort. Vraiment, j'avais pas idée.

À Lowell, Massachusetts, dans le presbytère de l'église Saint-Louis-de-France, dans Centralville, le ghetto canadien-français de Lowell, en 1922, le 12 mars, à 5 h 30 de l'après-midi, un dimanche.

Puis New York, à l'école et pas à l'école ; puis mariage et divorce à Ozone Park, Michigan ; puis des bateaux de la marine marchande et des océans ; puis la guerre et puis l'asile de fous et puis plus de guerre du tout ; puis New York ; puis encore des bateaux et encore des océans ; puis la rencontre de Cassady et, par conséquent, des pouces tendus qui démangent sur l'autoroute ou, quand personne n'arrête, affalement sur le siège arrière d'un Greyhound, les routes de l'Amérique les veines de l'Amérique, du haut au bas de ses artères de goudron éreintées à écouter les palpitations de son cœur fatigué mais pas encore éteint ; puis New York ; puis San Francisco ; puis Mexico ; puis New York ; puis San Francisco ; puis New York ; puis la Caroline du Nord ; puis Mexico ; puis Berkeley, Californie ; puis Desolation Peak, dans l'État de Washington ; puis San Francisco ; puis New York ; puis Tanger ; puis Berkeley ; puis Orlando, Floride ; puis Northport, Long Island ; puis Big Sur, Californie ; puis Mexico ; puis

Orlando, Floride ; puis New York ; puis Northport ;
puis St. Petersburg, Floride ; puis Paris et l'Italie ;
puis Hyannis, Cape Cod ; et puis, finalement, retour
à Lowell.

Après ça, encore une année plus ou moins,
juste assez de temps pour gaspiller des chèques de
voyage en Europe (Lisbonne, Madrid, Genève,
Munich, Stuttgart), un pèlerinage de trois jours à
Rivière-du-Loup, Québec, pour retrouver la ferme de
patates de son grand-père paternel, et puis St. Petersburg, une dernière fois.

La Floride, c'était pour sa mère, pour sa santé,
après son attaque. Mais la dernière fois, Mémère a
dit qu'elle ne voulait pas retourner vivre dans l'Est,
elle ne voulait pas retourner à Lowell – ils avaient
essayé l'année précédente, pour Jack, mais Mémère
disait qu'elle avait toujours froid, qu'elle ne pouvait
jamais se tenir au chaud, et maintenant, après
son attaque, elle avait besoin de se tenir au chaud –
Jack avait dit O.K., ils allaient passer l'hiver à
St. Petersburg, et ils reviendraient au printemps,
il avait dit à sa femme : « Qui dit qu'on pourra pas
rentrer chez nous, un jour ? »

Quelques semaines plus tard, incapable de dormir – encore furieux contre le voisin d'à côté qui
avait coupé l'imposant pin de Géorgie du parterre
avant à travers les branches duquel Jack aimait
écouter le vent lui parler, la nuit – et après s'être
étendu dehors dans la cour arrière sur son lit de
camp pour regarder le ciel collant du Sud se hérisser
d'étoiles glaciales ; le matin, tôt le matin, après avoir
mangé du thon directement de la boîte de conserve
au-dessus de l'évier de la cuisine puis s'être écrasé devant
The Galloping Gourmet en sourdine à la télévision,

les rideaux du salon bien tirés devant le stupide soleil éternel de la Floride ; un calepin ouvert sur les cuisses à esquisser son nouveau roman à propos de la vieille imprimerie de son père à Lowell quand il était enfant :

Sa femme a entendu un bruit dans la salle de bain.

À genoux (priant, peut-être), vomissant du sang dans le bol de toilette (sûrement pas en train de prier), il a dit : « J'fais une hémorragie. Une hémorragie, Stella. »

Trois jours plus tard, il avait ce qu'il voulait, il était de retour à Lowell pour de bon, une explosion à un cercueil ouvert dans le salon funéraire Archambault de la rue Pawtucket suivie d'un service funèbre le lendemain matin à l'église catholique Saint-Jean-Baptiste, Jack tout bien habillé avec sa veste sport à carreaux et son nœud papillon rouge et son début de calvitie et nul autre endroit où aller que là où tout le monde va.

Qui dit qu'on pourra pas rentrer chez nous, un jour ?

Avant que le centre d'achat apparaisse pour moderniser Chatham, comme partout ailleurs, tu devais aller dans plusieurs magasins pour acheter les choses que tu voulais ou dont tu avais besoin. T'allais chez Lewis' Variety, avenue St. Clair, quand tu voulais un magazine qu'ils avaient pas au supermarché, près de la caisse. Mon père achetait son *Hockey News* là-bas. Lewis' avait le *Detroit Free Press* et le *Detroit News* et même le *New York Times* de la veille, mais j'avais jamais vu personne les acheter. J'aimais Lewis' parce qu'il y avait deux rangées entières de magazines sportifs en papier glacé.

Le jour où je me suis fait enlever les dents de sagesse, en revenant de l'hôpital, on s'est arrêtés chez Lewis' pour acheter un magazine de hockey qui m'aiderait à passer le temps en attendant que l'anesthésie s'estompe. J'avais pas mal, mais ma bouche était encore gelée à cause de l'opération et je devais garder une poignée de serviettes de papier sur ma lèvre inférieure parce que je sentais pas le sang jaillir de temps en temps et couler sur mon menton. Mon père a vu quelqu'un qu'il connaissait à la caisse, en train d'acheter des billets de loterie. On aurait dit que partout où on allait, mon père connaissait quelqu'un, soit de l'Ontario Steel, où il travaillait, soit de l'époque où il jouait au hockey, soit de l'est de la ville, où il avait grandi.

« Prends une couple de magazines, mais passes-y pas la journée. » Normalement j'avais le droit à un seul magazine quand on allait chez Lewis'. Mais ce jour-là il devait se sentir mal parce que j'étais allé à l'hôpital ; c'était sûrement tous ces Kleenex pleins de sang.

Je me suis jamais rendu jusqu'à la section des magazines. Ici et là, dans le magasin, il y avait des présentoirs à livre de poche pivotants en métal noir remplis de ce qu'on trouvait habituellement dans les magasins où il y avait aussi des livres : des biographies non autorisées de célébrités, des romans d'amour et des romans d'espionnage, des livres pour perdre du poids, des livres sur les soucoupes volantes et l'abominable homme des neiges et les requins mangeurs d'hommes. Et *Personne ne sortira d'ici vivant*, la biographie de Jim Morrison.

Les *Greatest Hits* des Doors avaient pas quitté ma table tournante depuis que je l'avais rapporté de chez Jamie Dalzell, quelques semaines auparavant, mais tout ce que je savais de Jim Morrison c'était ce que Jamie m'avait dit quand il m'avait prêté le disque : qu'il était mort, qu'il était mort jeune, qu'il était enterré quelque part à Paris. J'ai pris le livre de poche avec le visage songeur et le torse nu de Morrison sur la couverture et je l'ai apporté à la caisse où mon père était encore en train de parler à son ami.

« On y va ? »

J'ai hoché la tête, posé la biographie sur le comptoir. C'était difficile de me faire comprendre avec la bouche gelée. Mon père a regardé le livre.

«Je pensais que t'allais prendre un magazine.»

Je m'y attendais. «C'est pas beaucoup plus cher que deux magazines», que j'ai dit, aussi clairement que j'ai pu. Je nasillais comme un croisement entre un parrain de la mafia et M. Howell de *Gilligan's Island*.

Il a demandé : «C'est combien ?

— Seulement 4,95 $.

— Combien ?

— Seulement 4,95 $.

— Mon Dieu. T'aimerais pas mieux prendre un magazine de hockey, deux ou trois magazines ?

— C'est ça que je veux», j'ai dit.

Il a jeté un autre coup d'œil à l'homme maigrichon, torse nu et cheveux frisés jusqu'aux épaules, sur la couverture du livre de poche. Il a peut-être pensé que les antidouleurs qu'ils m'avaient donnés commençaient à faire effet. Il a mis la main dans sa poche droite et sorti une mince liasse de billets, a pris un dix dollars.

«O.K., donne-le à la madame, qu'elle le passe à la caisse. Ta mère va se demander où est-ce qu'on est rendus.»

Quand on est rentrés à la maison, je suis allé dans ma chambre, je me suis étendu sur mon lit, j'ai placé deux oreillers sous ma tête et j'ai ouvert le livre. Ma mère m'avait échangé ma poignée de serviettes de papier croûtées contre une débarbouillette chaude, et je tenais la guenille contre ma bouche avec une main en tournant les pages du livre avec l'autre.

L'infirmière avait dit que les calmants pouvaient me donner envie de dormir, et deux ou trois fois, pendant que j'étais en train de lire, je me suis réveillé pour constater que je m'étais assoupi, la bouche pleine de sang salé comme une mare gluante, le livre gisant à côté de moi sur le couvre-pied. Et de temps en temps il fallait que je me lève pour aller aux toilettes faire pipi ou rincer le linge froid plein de sang pour le rendre propre et chaud à nouveau. Mais quand ma bouche a été dégelée, quand j'ai pu passer ma langue sur les trous où il y avait eu des dents, j'avais fini de lire le livre, chacune de ses trois cent soixante-dix-neuf pages.

J'ai appris que, quand il était jeune – à mon âge à peu près –, Jim était à la fois un drogué de parking, un premier de classe et un de ces *nerds* du club d'échecs, le tout servi par une dégaine genre rien-à-foutre à la James Dean et une moue dédaigneuse à la Elvis. Jim Morrison était pas quart-arrière, mais il sortait quand même avec toutes les filles qu'il voulait. Jim Morrison donnait l'impression qu'être un outsider était la seule façon honorable de se faire sa place.

J'ai aussi appris que Jim avait tout fait, était allé partout, avait touché tout le monde, et avait bu et s'était drogué jusqu'à une mort précoce. Enfin, un modèle que je trouvais inspirant.

Et puis – surprise – j'ai appris que Jim Morrison lisait des livres. Beaucoup, beaucoup de livres. *Personne ne sortira d'ici vivant* répertoriait tous ceux qui l'avaient le plus influencé, ceux qui avaient fait de Jim, Jim : un philosophe allemand nommé Nietzsche, un poète français qui s'appelait Rimbaud, et une bande d'écrivains américains qui s'étaient baptisés les Beatniks. Le Beatnik que Jim aimait le plus s'appelait Jack Kerouac. Jim avait lu le roman de Kerouac, *Sur la route*, quand il avait quinze ans, un an après sa publication, et le jour après l'avoir fini, il l'avait rouvert et l'avait recommencé.

Dès que j'allais lire *Sur la route*, Jack Kerouac deviendrait mon écrivain préféré.

Il revenait toujours. Peu importe où il habitait, il revenait toujours. Une semaine, deux ou trois jours, parfois juste une nuit. Mais il revenait toujours.

Les amis d'antan, les amis d'enfance, les amis qui crachaient par terre, appuyés contre les devantures du centre-ville – G. J., Scotty, le clan Sampas –, et le coup de téléphone surexcité de la gare d'autobus de Lowell :

« Je suis revenu. »

Quand personne n'était devenu quelqu'un, quand tout le monde était celui qu'il allait être, c'était bien, c'était super. « Viens, Jack est revenu, on y va. »

Une caisse de six Ballantine Ale partagée au souper dans la cuisine de quelqu'un, peut-être des œufs et des toasts et du bacon si la mère ou la jeune épouse de quelqu'un les préparait, et parfois, dans le rétroviseur du temps, comme un instantané, un bonjour au lent et long adieu du passé : l'école Saint-Louis-de-France et l'école paroissiale Saint-Joseph et Lowell High (surtout le terrain de football de Lowell High) et le chemin de Croix et tous les terrains de baseball bondés et toutes ces usines fumantes, puantes, et la maison rue Beaulieu où Gerard, le frère aîné de Jack, était mort d'une fièvre rhumatismale à l'âge de huit ans et le square Kearney et l'horloge de l'hôtel de ville et le trottoir d'asphalte raviné de la rue Moody et le Textile Lunch et le Sportsmen's Athletic Club et le Liggett's Drugstore et le Paige's Drugstore et le bar laitier Number One et les arrêts de tramway et le cinéma B. F. Keith et les églises catholiques et l'unique restaurant chinois et les chutes Pawtucket et le pont de la rue Moody et l'incessante, l'immuable rivière Merrimack.

Plus tard, des années plus tard, quand Jacky était devenu Jack Kerouac, quand Zag était le roi des Beatniks, il revenait encore.

Sauf que, maintenant, le coup de téléphone arrivait toujours au milieu de la nuit et il était toujours soûl, soûl au whisky. Et on aurait dit qu'il neigeait tout le temps.

Les gens avaient des choses à faire maintenant, ils avaient du travail, des enfants qui dormaient, d'autres personnes qu'eux-mêmes à qui penser.

«Pour l'amour de Dieu, Zag, faut que je me lève et que j'en vende, des assurances, demain matin.»

Une fois, G. J. a dû le mettre à la porte. Jack avait été bruyant, avait monologué, parlé à tort et à travers et presque crié, il avait fait peur à la femme de G. J. et à ses deux jeunes enfants. Puis, il avait essayé de se lever et de danser sur le piano du salon.

«Faut que tu t'en ailles, Zag, faut que tu t'en ailles tout de suite.»

Avec ses espadrilles et son t-shirt blanc et un imperméable gris sale, il finissait toujours au Sportsmen's Athletic Club parce que c'était l'ancien Hi-Ball, où tout le monde traînait quand tout le monde était jeune, avant la guerre. Il beuglait des discours

25

que personne ne demandait à entendre sur Shake-speare et Wolfe et Céline et Spengler, beuglait encore plus fort des strophes de Sinatra ou de Nat King Cole, disant à qui voulait bien l'écouter combien d'argent il pourrait gagner à écrire pour les magazines s'il en avait envie, s'il était ce genre d'écrivain. Il buvait des whiskys-sodas jusqu'à pisser dans ses culottes et perdre connaissance sur sa chaise.

Et tous ses nouveaux amis qui n'avaient jamais lu ses livres mais qui savaient qui il était riaient avec lui et lui donnaient des tapes dans le dos et lui faisaient signer des serviettes de papier qu'ils rangeaient dans leurs albums parce que qui sait ? Peut-être que ça vaudrait quelque chose un jour.

Quand il rentrait chez lui, c'est-à-dire là où lui et Mémère vivaient à ce moment-là, il écrivait des lettres d'excuse dégrisées à tous ses vieux amis qu'il avait offensés.

Ça disait : « Qu'est-ce qui m'est arrivé ? »

«Faut faire le tour», j'ai dit.

Un dimanche après-midi d'août, quand j'avais six ans, une Buick Skylark 1969 en marche avec des fenêtres électriques mais pas de climatisation, un train qui s'étendait à l'infini, aussi long que le temps que Noël mettait à arriver et que les vacances, qui finiraient jamais.

«On peut pas faire le tour, a dit mon père.

— Pourquoi?»

J'avais chaud et j'avais soif et je m'ennuyais et il y avait des boissons froides à la maison dans le bas du frigidaire du sous-sol. Un vendredi sur deux, j'avais le droit de monter sur le siège avant et d'aller avec mon père au magasin de bière où il donnait sa caisse de vingt-quatre vide à l'homme au comptoir qui lui rendait l'argent de ses consignes puis on attendait que sa caisse de Labatt Bleue flambant neuve descende sur le tapis roulant. Ensuite on allait jusqu'au Pop Shoppe pour retourner ma caisse de plastique rouge pleine de bouteilles vides et j'avais le droit de choisir ce que je voulais : racinette et orange et crème soda, mais aussi cerise noire, citron-lime et Sparkle Up, aussi bon que le 7UP, mais moins cher, c'est ce que mon père disait donc ça devait être vrai.

Pas besoin de demander à mon père ou à ma mère si je pouvais prendre un soda dans le frigidaire quand j'en voulais un. Les autres enfants, quand ils venaient jouer, arrivaient pas à le croire. Les autres enfants aimaient toujours venir jouer chez moi. J'avais un manchon thermos sur lequel était écrit *LA BLEUE SOURIT AVEC VOUS*, exactement comme mon père.

«Parce qu'ils vont te mettre dans une boîte et t'enterrer et qu'ils vont pas te laisser sortir.»

J'ai pensé à ce qu'il disait. Ç'avait aucun sens. J'ai dit la seule chose sensée que j'ai pu trouver.

«Mais toi, tu me ferais sortir.»

Mon père s'est penché sur le volant et a tourné la tête à gauche pour regarder le plus loin qu'il pouvait le long du chemin de fer. De la sueur lui coulait sur la nuque. Il a regardé dans le rétroviseur pour s'assurer qu'il y avait personne derrière nous ; il a mis la voiture en marche arrière puis tiré brusquement sur le volant, vers la droite. L'attente était terminée. Enfin, on avançait. Il a regardé dans le miroir à nouveau, les yeux sur moi cette fois, sur le siège arrière :

«Je veux pas te voir faire le fou quand y a un train qui arrive.

— Je ferai pas le fou.

— Soit tu restes en arrière et tu attends qu'il passe, soit tu fais le tour pour passer ailleurs, tu m'entends ?

— Je sais.

— Quoi ?

— J'ai compris, je vais attendre ou faire le tour.»

Ma mère a tété une dernière bouffée de sa Player's Light et sorti le cendrier du tableau de bord, a écrasé sa cigarette sur le rebord de métal. C'était plein de mégots de cigarettes écrasés et couronnés de baisers rouges.

« Parce que quand ils te mettent dans une boîte, sous terre, mon gars, ça y est, personne peut t'aider, même pas moi.

— Mais, je voulais dire, mais…»

Mais j'ai rien dit. Et j'ai attendu, mais mon père, il a rien ajouté non plus.

«Si tu veux sérieusement y aller, tu sais que je suis game. Quand est-ce que tu penses partir?

— Game? a dit Jack. Game, Joe? Tu veux une game, je vais t'en donner une, game, v'là un petit jeu pour toi: dis-moi ce que ça veut dire, "Kerouac".

— Jack, je sais même pas ce que "Chaput" veut dire.

— Très drôle, très drôle. Le sage est sage parce qu'il sait qu'il n'est pas sage.

— Socrate?

— Non, W. C. Fields.»

Ils étaient chez Nicky's, le bar de Nick Sampas, le beau-frère de Jack. Depuis leur retour à Lowell, quelques mois auparavant, Stella, la femme de Jack, essayait de le faire boire à la maison le plus souvent possible. Mais s'il avait à sortir, c'était mieux qu'il aille chez Nicky, là où son frère pouvait au moins garder un œil sur lui. Stella en avait déjà assez à faire avec Mémère qui se remettait lentement de son attaque, elle n'avait pas besoin des coups de fil du poste de police à trois heures du matin, Jack encore dans la cellule des ivrognes, une nuisance publique, ou pissant dans la rue, pire encore. Elle n'avait surtout pas besoin de recevoir des appels de l'hôpital, une fois pour des côtes fêlées, la fois d'avant pour un nez cassé, la fois d'avant encore une commotion cérébrale causée par une queue de billard derrière la tête. Pour essayer de le garder à la maison, Stella cachait parfois ses souliers. Le jour suivant quelqu'un disait à quelqu'un d'autre : « Tu vas pas me croire, mais j'ai vu Jack sur Moody Street en pieds de bas. »

« O.K., a dit Jack, comme tu le sais pas, il faut que je te le dise, il faut que tu me demandes ce que ça veut dire, "Kerouac".

— O.K. Hey, Jack, qu'est-ce que ça veut dire, "Kerouac"?

— Je suis content que tu me demandes ça, Joe, je suis très content que tu me le demandes, laisse-moi te raconter ça. » Jack a vidé son verre de Johnnie Walker. Il a reconnu le « I Can't Get Started » de Bunny Berigan qui jouait dans le juke-box, juste à temps pour mimer comme un expert la partie de trompette de la chanson, *po po po popo-pouââp*. Joe regardait les deux belles rangées de bouteilles d'alcool derrière le bar, hochait la tête en écoutant la musique. Le solo terminé, Jack s'est retourné vers Joe.

« Kerouac, c'est le plus vieux nom irlandais de la terre, je gage que tu savais pas ça, hein, Joe ? Je gage que tu savais pas non plus qu'Iseut était une Kerouac – c'est ça, c'est bien ce que j'ai dit –, une Kerouac kidnappée par Tristan, un affreux Cornouaillais comme le sont tous les Cornouaillais. Je gage que tu savais pas non plus qu'après avoir immigré en Bretagne on est devenus les Lebris de Kerouac, dont un – écoute-moi bien, là, Joe, il va y avoir un examen à la fin du semestre – dont un, le baron François Louis Alexandre Lebris de Kerouac, s'est rendu à

Québec pour aider Montcalm à chasser Wolfe de la vallée du Saint-Laurent, après quoi, après que les Français ont perdu cette malencontreuse guerre, comme tu le sais, Joe, on lui a concédé cent milles de terre dans le bout de Rivière-du-Loup pour son courage exceptionnel et les services rendus au roi de France, puis il a rencontré et marié une princesse iroquoise qui a enfanté six fils qui lui ont donné six petits-fils – dis ça rapidement six fois, Joe –, puis ces familles, ces familles-là ont été surnommées "*les tocsons**"*.

— Les durs à cuire.

— Les durs à cuire. »

Jack a cherché Nick des yeux, il a fait un *peace* avec ses doigts, ce qui voulait dire deux autres verres. Le juke-box était muet, le bar tranquille maintenant que Jack avait arrêté de parler. Il a fermé les yeux puis fait rouler un solo de percussion sur le rebord du comptoir de bois. Les autres clients laissaient faire, le laissaient faire. Qu'est-ce que tu pouvais dire ? Ce clown-là était le beau-frère de Nicky.

Joe était le seul diplômé universitaire chez Nicky le soir où il a reconnu l'homme assis au bar comme étant l'auteur de *Sur la route*. Veuf depuis peu avec un enfant en fugue, Joe était heureux de ne pas être chez lui plus qu'il ne le fallait ; son goût pour le scotch et les bons livres, et pas seulement ceux de Jack, a presque immédiatement lié les deux hommes d'amitié. Même Mémère l'aimait, Stella aussi. Contrairement à la plupart des loques humaines que Jack avait l'habitude de ramener des

---

* En français dans le texte (NdT).

bars à 3 heures du matin pour éviter de se coucher et donc de se réveiller et d'être lui-même de nouveau, Joe était français par ses deux parents, poli envers les aînés et un admirateur sincère de toute l'œuvre de Jack. Tout le monde aimait Joe. Si tu t'entendais pas avec Joe, tu t'entendais avec personne.

« Hey, Joe, tu sais pas ce que le professeur Johnson a dit ?

— Le professeur Johnson a dit beaucoup de choses, Jack.

— Hey, Joe, tu sais pas ce que le professeur Johnson a dit ?

— Non, Jack, qu'est-ce que le professeur Johnson a dit ?

— Le professeur Johnson a dit – je le cite : "Le patriotisme est le dernier refuge du vaurien."

— Il a dit ça, hein ? »

Les verres sont apparus sur le comptoir, devant eux. Jack a tout de suite pris le sien et enlevé la serviette de table humide collée en dessous ; il a porté le scotch à ses lèvres.

« Crois-moi qu'il l'a dit, Joe. »

J'ai appris que j'étais canadien le 28 septembre 1972.

J'avais seulement six ans, mais j'ai compris que ça allait au-delà du hockey quand ils ont apporté plusieurs télévisions dans le gymnase de l'école et qu'ils nous ont laissé regarder la huitième partie, la partie décisive, de la série du siècle Canada-Russie, celle où Paul Henderson a compté le but victorieux avec moins d'une minute à jouer et que tout s'est finalement bien terminé, on a gagné, on a gagné. Sur le coup je comprenais pas vraiment – je criais et j'applaudissais comme tout le monde, mais de pas avoir à être en classe et de pouvoir m'asseoir à côté de Jeff Jones et de Phil Jackson et de leur parler était déjà extraordinaire – et c'est pas avant le soir même, quand mon père est rentré du travail, que je l'ai su.

Les pères à la télé se rasaient et se douchaient et s'habillaient avant de partir au travail, mais mon père faisait sa toilette à la fin de la journée, après être rentré de l'usine. Parfois, c'était quand je dormais, quand il était de «l'équipe de minuit», comme ils l'appelaient, ma mère et lui, de 4 heures de l'après-midi à minuit. D'autres fois, c'était le matin, quand je me préparais pour aller à l'école, alors qu'il travaillait pendant ce qu'ils appelaient simplement les «nuits». Si ç'avait été juste de lui et de ma mère et de moi, il aurait toujours travaillé «de jour», serait parti le matin et revenu avant la nuit. Mais même si mon grand-père et trois des frères de mon père avaient travaillé à la Ontario Steel, tout le monde alternait et changeait de quart jusqu'à ce qu'il ait assez d'ancienneté pour demander à être de jour. Chaque fois que je demandais à mon père dans combien de temps il aurait son ancienneté et pourrait s'asseoir et souper avec nous tous les soirs au lieu de le faire aux trois semaines, il disait la même chose : «Dans pas longtemps.»

La fois où Henderson a compté son but – c'était en Russie, et ça devait être le soir, là-bas –, mon père travaillait de jour. Les hommes avaient traîné leurs téléviseurs de la maison jusqu'à l'usine. Les transistors se répondaient partout sur le plancher, Foster Hewitt commentait le jeu et essayait de se faire entendre par-dessus les bings et les bangs des presses à pare-chocs et des riveteuses. Mon grand-père s'était soûlé à la maison devant sa télé puis s'était rendu à l'usine en bicyclette pour dire à mon père que le Canada avait gagné. Les superviseurs prenaient leurs bières dans les mêmes caisses que les gars qui les avaient apportées, les gars qui travaillaient aux machines.

S'il travaillait de jour, mon père avait l'habitude de prendre un bain avant le souper. Parfois je m'assoyais sur le siège de toilette et lui parlais pendant qu'il se décrottait les oreilles et délogeait la graisse incrustée sous ses ongles. Je lui ai dit qu'on avait vu la partie à l'école et que les professeurs s'étaient serré la main après la partie et que les enseignantes s'étaient prises dans leurs bras devant tout le monde dans le gym. Puis, j'ai dit, on a tous chanté le « Ô Canada ».

« Est-ce que tu connais toutes les paroles par cœur ? a demandé mon père.

— On le chante tous les matins.

— Alors tu le connais au complet ?

— Euh, oui.

— Alors chante-le pour moi.

— Pourquoi ?

— Si tu veux pas, t'es pas obligé.

— Je veux. »

Je me suis levé du siège de toilette et j'ai tenu mes bras bien droits de chaque côté pendant que je chantais, exactement comme Mme Jackson nous le demandait tous les matins à 9 h 05, le dos droit, sans gigoter. Mon père s'était pas rendu plus loin que la huitième année à l'école, il avait décroché pour aller laver des voitures dans une station de taxis et faire des courses pour Morris Auto Supply. Ma mère était allée un peu plus loin, elle s'était presque rendue jusqu'au Noël de sa neuvième année avant de prendre un boulot que ma tante Yvonne lui avait trouvé à la cafétéria de l'hôpital Chatham General, où elle travaillait. Chaque fois que j'avais pas envie de sortir du lit pour aller à l'école ou que je revenais à la maison avec un mauvais bulletin, ma mère disait : « Fais des études si tu veux pas finir à travailler dans une usine sale, comme ton père. »

J'ai chanté le « Ô Canada » alors que mon père était allongé dans la baignoire, les yeux fermés. Il aimait ses bains chauds quand il revenait de l'usine ; la vapeur montait de l'eau comme dans le film que j'avais vu le samedi après-midi précédent, à l'émission d'horreur de Sir Graves Ghastly, *Creature from the Black Lagoon*. Quand j'ai eu fini de chanter, ses yeux sont restés fermés. J'ai pensé qu'il s'était peut-être endormi. Il a fini par les rouvrir.

« Bravo, mon gars. »

Je suis resté là, debout, prêt à chanter encore s'il me le demandait. J'avais la chair de poule sur les bras et la nuque. « On a gagné, hein, papa ?

— Oui, monsieur. » Il s'est assis dans la baignoire. L'eau du bain s'est un peu agitée ; a failli, seulement failli, déborder.

« Maintenant, donne-moi la serviette. Ta mère va nous appeler pour souper d'une minute à l'autre. »

Joe conduisait, Jack buvait une bouteille de Rémy Martin.

Le cognac, c'était en l'honneur du retour de Jack au Canada, à ses racines québécoises. Le père de son père avait été fermier dans un petit village en périphérie de Rivière-du-Loup, et c'est là qu'ils se dirigeaient, hier une destination attrayante, alors qu'aujourd'hui et demain n'étaient que des jours blêmes et des nuits vides. Joe était au volant parce que Jack n'avait pas de permis de conduire, n'en avait jamais eu. L'auteur de *Sur la route* ne conduisait pas.

Tout juste après Lowell, ils ont fait monter un auto-stoppeur. Le jeune a couru pour rattraper la voiture, lancé son sac à dos à l'arrière, grimpé à bord.

« Merci, man.

— Pas de problème », a dit Joe.

C'était Joe qui avait eu l'idée d'arrêter. Depuis qu'on l'avait embarqué près du square Kearney pour avoir une bouteille de bière ouverte à la main et qu'il avait attrapé un mal de gorge plus tard cette nuit-là dans sa cellule, Jack était très méfiant envers les policiers. Pas qu'il blâmait la police. C'étaient tous ces maudits militants pour les droits civiques et contre la guerre et leurs manifestations débiles qui rendaient les policiers si dangereusement nerveux. Ginsberg avec sa barbe messianique et toute sa bande de copains communistes amoureux de Castro.

« Où est-ce que tu vas ? » a demandé Joe.

Le jeune a eu besoin de ses dix doigts pour dégager ses longs cheveux gras de son front et de ses yeux. « J'ai des amis dans le coin de Haverhill.

— Ben, nous, on va un peu plus au nord que ça, mais tu peux rester avec nous aussi le temps que tu veux.

— Cool, man, c'est cool. » Le jeune s'est installé sur le siège, les mains jointes derrière la tête, pour regarder la campagne du Massachusetts défiler rapidement par la fenêtre. « Je suis pas pressé d'arriver nulle part, man, je fais juste rouler, j'aime la vie sur la route. »

Joe a mis son clignotant et emprunté la voie de gauche, il a lancé un regard à Jack qui souriait à sa bouteille. Jack a pris une gorgée. Joe a jeté un œil au jeune dans le rétroviseur.

« Hey, a fait Joe, as-tu déjà lu le livre de Kerouac, comment ça s'appelle déjà… *Sur la route* ? »

Le jeune s'est avancé. « Oh, man, t'es sérieux ? J'ai lu ça quand j'étais jeune, quand j'avais, comme, seize ou dix-sept ans, ça m'a jeté à terre, j'étais complètement à terre. Le gars a tout fait, man, y est allé partout, y a tout vu. Je pense que j'ai lu qu'y est né quelque part par ici, en fait.

— Penses-tu que c'est un bon écrivain ? » Joe a pris la bouteille de Jack, puis une gorgée.

« Oh oui. »

Joe a fait un clin d'œil à Jack, lui a redonné le cognac.

« Mais je suis pas sûr qu'il est encore vivant, a dit le jeune. Un de mes amis dit qu'y a lu quelque part qu'y est devenu fou et qu'y est entré dans la John Birch Society ou quelque chose. Man, imagine ça. Wow, méchant trip. »

Jack aurait pu rire. Aurait pu. Aurait probablement dû. Le Jack d'il y a quinze ans, le paumé, le mangeur de vache enragée, le Jack parasite de sa mère qui s'est fait exploiter dans une usine de chaussures pendant des années pour lui permettre de boire et de se droguer et de rêver et de vadrouiller et d'écrire, écrire, écrire, ce Jack-là aurait ri. Le même gars – celui qui avait tellement aimé l'idée bouddhiste du néant parce que c'était, entre autres choses, un baume spirituel sur les maux du monde, tels que son ami John Clellon Holmes qui empochait une avance de vingt mille dollars pour une médiocrité joliment manucurée comme son roman *Go* pendant que lui voyait la demi-douzaine de ses propres romans et ses deux livres de poésie et ses deux gros traités d'éveil bouddhiste être refusés, re-refusés et re-re-refusés ou carrément ignorés – ce Jack-là aussi aurait ri du découpage cosmique qui fait que tout prend toujours exactement la tournure qu'on n'aurait jamais pu imaginer. Il aurait été incapable de ne pas rire.

Mais le sens de l'humour, c'est du 20/20. Et pour rester en bonne santé mentale, tu ne devrais pas être capable de voir trop bien, juste assez pour circuler sans te perdre. Ou au moins de pas trop te perdre.

« T'as raison, il est mort, a dit Jack, parlant pour la première fois.

— Ah oui ?

— Oui. Je l'ai tué moi-même jeudi soir dernier. Il avait oublié de réciter son rosaire alors je l'ai poignardé dans le cœur avec ma Smith Corona. »

Les célébrités dans les couloirs étaient les joueurs de hockey. Officiellement ils formaient l'équipe AAA, mais tout le monde les appelait du nom qui leur revenait vraiment, les All-Stars. C'était pas une coïncidence si aucun d'entre eux avait les cheveux plats et secs comme moi ou portait des chaussures North Star comme ceux que ma mère m'achetait chaque mois d'août au Zellers. Leurs cheveux étaient gonflés et séparés au milieu, le dégradé parfait, et ils portaient rien d'autre que des Nike ou des Converse – habituellement des high-tops, le plus souvent en cuir – quand ils étaient pas en patins.

La plupart d'entre nous jouaient dans ce qui s'appelait une ligue locale – une partie par semaine, un entraînement chaque deux semaines, un banquet à la fin de l'année et c'est pas grave de gagner ou de perdre, les gars, l'important c'est de s'amuser –, mais l'équipe All-Stars était réservée aux meilleurs de Chatham. Les All-Stars jouaient la moitié de leurs parties à Chatham, et l'autre moitié sur la route dans les arénas des villes voisines qui avaient leurs propres équipes All-Stars : Dresden, Wallaceburg, Blenheim, Sarnia. Quand ils jouaient à domicile, ils jouaient à l'aréna Memorial, où jouait le club junior B, les Maroons de Chatham, capacité de mille sept cents places, tribune de presse et cantine et horloge commanditée par Coca-Cola suspendue en haut du cercle de mises au jeu. L'aréna Memorial avait été construit dans les années quarante et nommé en l'honneur des vétérans de la Deuxième Guerre mondiale. L'aréna Northside, où jouaient les équipes de la ligue locale, avait été construit au début des années soixante-dix et s'appelait comme ça parce qu'il était dans le nord de la ville.

Chaque école avait son lot d'All-Stars, et l'école publique Indian Creek Road y échappait pas. On avait Miles O'Neil et Gary Bechard et les deux Jeff, Jeff Stone et Jeff Dunford. On a eu Jamie, aussi, mais pendant un an seulement, en huitième année, quand son père, le révérend Dalzell, a changé d'église et déménagé toute sa famille de l'autre côté de la ville et que Jamie et son frère Gordon sont arrivés à Indian Creek. Même si tu connaissais rien au hockey, tu savais qui étaient les All-Stars.

Si t'étais un All-Star, t'avais l'honneur de porter un manteau d'hiver bourgogne avec des manches de cuir blanc et CHATHAM écrit dans le dos et ton prénom cousu à droite sur la poitrine. Les résultats des parties des All-Stars étaient écrits dans la section sport de l'édition du lundi du *Chatham's Daily News* – « Une paire de buts pour Jones. Les Pee Wee écrasent Sarnia » – comme pour une vraie partie de la LNH. Les All-Stars mangeaient ensemble et se tenaient ensemble pendant les pauses et marchaient ensemble dans les couloirs pour aller aux cours. Leurs parents les reconduisaient à tour de rôle, à quatre ou cinq par voiture, quand il y avait des parties à l'extérieur de la ville les fins de semaine, et ils finissaient par devenir meilleurs amis eux aussi, le père de Jeff Jones et le père de Jeff Dunford et M. O'Neil jouaient toujours au golf ensemble, parfois ils emmenaient Jeff et Jeff et Mike avec eux pour qu'ils fassent un neuf trous en trio. La plupart des mères s'assoyaient ensemble dans les estrades glacées des arénas, se partageant des couvertures bourgogne étendues sur leurs genoux grelottants et, faisant sonner les cloches à vache, elles encourageraient leurs fils en scandant : « Let's go, Chatham, let's go ! Let's go, Chatham, let's go ! »

Mais Jamie était pas juste un All-Star, pas à cette époque, pas comme Jeff et Jeff et Miles l'étaient. On faisait des sketchs de Monty Python pendant les pauses, lui et moi, on les refaisait tellement souvent qu'on sonnait plus vrai que les vrais. On avait un cahier d'exercices intitulé *Cahier d'exercices** pour les verbes français qu'on s'était appropriés et qu'on avait renommé le *Petit Ja Ra*, un catalogue numéroté des blagues préférées de Jamie et de Ray, des citations des Monty Python et de Steve Martin, des surnoms qu'on avait donnés aux enseignants et aux autres étudiants, et des expressions et des mots qu'on trouvait juste hilarants.

Vers la fin de la huitième année, quelqu'un de la commission scolaire est venu dans nos classes titulaires pour nous parler des nouvelles écoles qu'on allait fréquenter en neuvième. John McGregor, Chatham Kent Secondary School, Tecumseh, St. Ursuline, Chatham Collegiate Institute – c'était à nous de choisir, affirmait l'homme, mais faites attention quand vous prendrez votre décision, discutez-en avec vos parents, considérez toutes vos options. Jamie a même pas pris le temps de rapporter le formulaire à la maison comme l'homme l'avait suggéré, il l'a rempli dès qu'on le lui a donné avec son nom et son adresse et son numéro de téléphone et, sous la rubrique «école secondaire (premier choix)», Chatham Collegiate Institute. J'ai écrit la même chose que Jamie.

Jamie était le seul All-Star à s'inscrire au Chatham Collegiate Institute. Le CCI, c'était pour les bollés, ceux qui prévoyaient d'aller à l'université et dont les parents y étaient allés, une génération plus tôt. Le père de Jamie avait étudié la théologie à Yale, et il s'attendait à ce que Jamie suive ses pas soit à l'Université de Toronto, soit à Queen's, ou, dans le pire des cas, à Western. Moi, j'étais pas censé me retrouver au CCI.

Après l'école, en marchant vers les supports à vélo, Jeff Dunford m'a demandé où j'avais l'intention d'aller. On vivait dans le même quartier. Même si je jouais juste dans la ligue locale, il me parlait de temps en temps parce que je l'avais battu deux années de suite au cent mètres de la journée sportive.

«CCI.» Une heure avant, j'en avais jamais entendu parler. Maintenant c'était mon école.

«CCI, c'est pour les tapettes», a dit Jeff. Jeff était petit mais musclé, aussi rapide sur ses patins qu'il l'était sur ses pieds, un centre de deuxième trio, une peste particulièrement douée pour le jeu en désavantage numérique qui dérangeait les meilleurs joueurs de l'équipe adverse. Il avait des cheveux blonds sculptés comme Leif Garrett et c'était le premier gars que je connaissais à avoir une blonde, Karen Fenton.

«Jamie s'en va à CCI.»

Jeff s'est accroupi pour ouvrir son cadenas à vélo et il a soufflé sur un cheveu pris dans le coin de sa bouche. «C'est quand même pour les tapettes», il a dit.

J'ai fait comme si je l'avais pas entendu, j'ai enfourché mon vélo et me suis mis à pédaler. Je me fichais de ce qu'il pensait.

L'Université Columbia voulait l'avoir, mais seulement après une année préparatoire à Horace Mann, un an à se faire purger de Lowell – il avait beau être un demi rapide et agile, son profil ne répondait pas exactement aux exigences académiques de la Ivy League en chimie, en math et même en français (« *Parlez-vous français** ? » Le français n'avait rien à voir avec le *joual** remâché de Mémère). Mais Columbia voulait l'avoir. Les recruteurs de Lou Little lui proposaient non seulement une bourse d'études complète, mais ils laissaient entendre aussi que leur toute-puissante association de diplômés pourrait enfin effacer l'encre sur les doigts de son père et le sortir des ornières de l'imprimerie. Mais le père de Jack n'avait aucune confiance en cette offre, en Little non plus, ce petit Italo m'as-tu-vu ; le vieux voulait que Jack accepte l'offre du Boston College. L'atelier où Leo travaillait, Sullivan Printers, avait tous les comptes d'impression de BC, et ils laissaient entendre, de leur côté, que Leo aurait presque assurément une promotion si son fils décidait d'étudier à l'université du coin, peut-être son quatre pour cent advenant le contraire.

Mais Jack voulait aller à Columbia. Quiconque ayant passé ses samedis après-midis au cinéma savait que New York, c'était l'endroit où aller. Mémère voulait qu'il aille là, elle aussi. Columbia, disait-elle à tout le monde, son mari inclus, c'était le meilleur endroit où Ti-Jean puisse apprendre à devenir un vrai bon vendeur d'assurances. Elle lui avait acheté un nouveau veston sport, une chemise et une cravate, avec ses économies de l'usine à souliers, pour que Jacky n'ait pas de problèmes à se fondre dans la classe des gens distingués qu'il rencontrerait là-bas.

Mémère s'était arrangée pour que Jack habite chez sa grand-mère paternelle à Brooklyn pendant ses deux sessions à Horace Mann. L'aller-retour en métro prenait deux heures et demie, et après une journée entière de cours suivie d'une ou deux heures d'entraînements de football, il avait le temps pour rien d'autre que manger, dormir et se lever pour retourner à l'école. Il faisait la plupart de ses devoirs dans le métro et ratait si souvent ses cours que Times Square était devenu sa matière préférée.

Les cinémas Apollo et Paramount ; les putes et les pushers et les quêteux ; la Bickford's Cafeteria et la New York Public Library et les gars sur le trottoir qui vendaient des montres sous le manteau ; les nègres et les Italiens et les Asiatiques et la dizaine de milliers d'autres « autres » qui n'avaient absolument rien de mieux à faire le mardi après-midi que de se promener en tant qu'eux-mêmes, acteurs de soutien du nouveau film génial de la toute nouvelle vie de Jean-Louis Kerouac, mettant en vedette le seul et unique Jean-Louis Kerouac de Lowell, Massachusetts, É.-U. d'A.

Le premier mois, Scotty et G. J. sont venus le visiter. Zag les avait emmenés partout, leur avait fait faire la tournée des campus de Horace Mann et de Columbia, s'était assuré qu'ils puissent se vanter de s'être tenus devant le Madison Square Garden et d'avoir pris l'ascenseur de l'Empire State Building, puis il leur a fait descendre Broadway un samedi soir torride pour qu'ils puissent ramener à la maison un bronzage de néons rouges et un torticolis à force de fixer les gratte-ciel à la conquête du ciel.

Ils ont terminé la soirée dans un restaurant à nappes blanches et maîtres d'hôtel et avec une carte des vins de deux pages. Ils sont allés jusqu'au bout, ils ont commandé un repas à sept services et pris tout leur temps pour le manger. Quand le garçon a vu Jack prendre son couteau à beurre pour couper la ficelle qui retenait son poulet de Cornouailles, il s'est approché et lui a tapoté l'épaule.

«Excusez-moi, monsieur, mais peut-être auriez-vous plus de succès avec votre autre couteau.»

Jack a simplement continué de scier. «C'est correct, Mac, il a dit. J'ai un bon bras.»

L'école, comme la jeunesse, c'est fait pour être enduré.

L'école secondaire s'avérait pas très différente, finalement, de l'école primaire. Pour les sports, c'était bien, pour rencontrer des filles aussi, ou du moins les regarder dans les corridors ou pendant la pause du midi, du côté sûr de la cafétéria, le côté des gars, mais la tonne de devoirs plus difficiles et tous ces jeunes qui levaient la main en classe rétablissaient l'équilibre. La lueur d'espoir, à l'école secondaire, par contre, c'était qu'à partir de la onzième année, tout le monde avait une période libre dans son horaire, cinquante minutes pour faire ce que tu voulais. Et Jamie disait que quand tu étais en treizième année, t'avais pas besoin d'avoir un mot de tes parents si t'étais en retard à l'école et même si tu manquais une journée entière, tu pouvais écrire ton propre mot. Donc il y avait cette lueur d'espoir.

Mais tout ça c'était PJ (Pré-Jim), avant que je sache que j'avais des choses à apprendre si je voulais devenir un poète rock, moi aussi, et conquérir le monde pour ensuite l'abandonner à l'âge de vingt-sept ans dans des circonstances mystérieuses, immergé dans une baignoire d'eau tiède, à l'aube, à Paris. Des choses que j'avais besoin de savoir et que je pouvais apprendre qu'en me fermant la gueule, en gardant le silence et en laissant des hommes et des femmes que je connaissais pas me parler à travers les enveloppes d'eux-mêmes qu'ils avaient laissées derrière pour nous, leurs livres. Jim, à dix-sept ans, me disait sa biographie, faisait pas partie d'une équipe sportive, parlait pas à sa blonde toute la nuit au téléphone, était même pas dans un groupe de rock. Jim, à dix-sept ans, aimait aller à la bibliothèque. La *bibliothèque*. Fréquenter les morts, qui lui apprenaient à vivre. De toute évidence, j'avais besoin de meilleurs amis. J'ai pas fait de liste, mais si j'en avais fait une, il y aurait pu y avoir qu'un seul livre en tête, le préféré de Jim, *Sur la route*.

Il y avait deux librairies à Chatham : le Coles du centre-ville et un autre Coles, dans le Woolco près de l'autoroute 40, où tu pouvais aller en demandant une correspondance au chauffeur au terminus et en descendant au dernier quartier de la ville, puis en prenant un autre bus qui te déposait devant le centre commercial. J'ai essayé la librairie du centre-ville en premier, j'y suis allé après l'école, j'ai cherché la lettre *K* dans la section *Fiction*, mais *Sur la route* était pas là.

J'étais la seule personne dans le magasin, à part la femme qui travaillait là, mais elle m'avait pas regardé depuis que j'étais entré, elle était trop occupée à mettre des calendriers de bureaux et des agendas sur une table recouverte d'une nappe blanche près de la caisse. J'ai pensé lui demander de m'aider à trouver le livre, mais elle avait l'air d'être fâchée contre quelque chose. Je me suis dit que ça valait pas la peine. Je savais pas comment prononcer Jack je-sais-pas-qui de toute façon.

Le succès instantané est venu après sept ans seulement.

Sept années insolvables (par choix, mais ça ne change rien à la réalité des choses) après la publication de son premier roman, *The Town and the City*[1], les mêmes sept années au cours desquelles son roman suivant, *Sur la route*, a été rejeté par toutes les sensibilités littéraires si merveilleusement perspicaces et hyper affûtées qui l'avaient lu (Harcourt Brace, Ace Books, Criterion, Bobbs-Merrill, Scribner's, Ballantine, Little Brown, Dutton, Knopf, Dodd Mead) jusqu'à ce qu'un jeune allumé du département de marketing chez Viking se dise : Hey, il me semble qu'on pourrait tirer quelque chose de ça, y a moyen de mettre sa photo dans le *Vogue*, il est assez beau pour que je le fasse passer à la télé, si on s'y met tous ensemble, je suis sûr que ça marcherait. La nouvelle musique dont tous les jeunes parlent, ces affaires de rock and roll ; et Marlon Brando et James Dean et tous les articles sur la délinquance juvénile qu'on voit dans les journaux et les magazines ces jours-ci. Je te le dis, ça pourrait décoller,

1. *Avant la route*, trad. Daniel Poliquin, Montréal, Table ronde/ Québec Amérique, 1990 (NdE).

avec le bon type de promotion, avec le bon angle, ça pourrait devenir un phénomène, ça pourrait devenir la bible d'une génération entière.

Sur la route a été sur la liste des meilleurs vendeurs du *New York Times* pendant cinq semaines en 1957, réimprimé trois fois le premier mois de sa publication.

Ne jamais sous-estimer les gens qui ont une agrafe à la place d'une âme. Ce qui est mal, c'est ce qui est bien, et ils n'ont même pas à se mentir à eux-mêmes pour en convaincre les autres. Des gens comme ceux qui croient que le magazine *LIFE*, c'est la vie. Des gens comme l'homme en costume Brooks Brothers qu'on a tous à l'intérieur de soi. Des gens comme Jack. Oui, oui – comme Jack. Car il n'a jamais dit ce qu'il aurait dû dire dès les tout débuts de la Beat Génération Beat Dégradation Beat Vénération Beat Lamentation, merci pour la une et tout ce bel argent, les gars, mais essayez de comprendre, c'était juste moi et une bande de gars que je connaissais et on essayait de se désennuyer.

Donc :

Dans les bars, les hommes le provoquaient, quelle joie que de pouvoir dire que t'avais fait résonner le roi des Beats. Une fois, Jack et Gregory Corso s'étaient fait sauter dessus en revenant du Kettle of Fish puis le gars avait jeté Jack par terre puis arrêtait pas de cogner sa tête sur le trottoir, *bang bang bang*. Jack n'a pas mis les pieds à New York pendant presque un an.

Son agent n'avait plus de problème à placer le moindre de ses manuscrits encore inédits, mais quelques éditeurs dans les plus grosses maisons se demandaient si, peut-être, avec un petit coup de soie dentaire grammaticale, on pouvait prendre certaines phrases, disons… plus difficiles et les rendre, disons… plus accessibles. Ils géraient, après tout, une entreprise. Ils faisaient, après tout, un investissement financier important pour le succès continu de la jeune carrière littéraire de Jack.

Et en peu de temps, avant même que son livre suivant, *Les clochards célestes*, n'atterrisse chez les libraires : Euh, oui, à propos de cette histoire de carrière… Tu te rappelles comment la semaine dernière t'étais un poète à la prose spontanée, un étrange barde du bop, un visionnaire lyrique célébrant la face cachée de l'Amérique et ses hipsters jusque-là méconnus ? Ouais, bien, maintenant t'es une création médiatique chaotique, indisciplinée, complaisante, encline au sentimentalisme, à l'immoralité et au sensationnalisme patent. Suivant, *next* !

Et puis il y a eu l'alcool. Oui, l'alcool.

Mais qu'est-ce qui vient en premier, l'alcoolo ou la poule ? Jack buvait depuis toujours, mais maintenant il buvait vraiment, vraiment beaucoup. Avant, c'était à cause de blabla ; là, c'était à cause de etc. Donne sa dose à un accro et il te donnera une raison. La chimie fera son œuvre.

L'une de ses anciennes blondes est tombée sur Jack, soûl mort au milieu d'un groupe d'étrangers bruyants au Cellar Door, dans le Village, et lui a demandé ce que ça faisait d'être connu.

« C'est comme des vieux journaux qui volent au vent sur Bleecker Street », il a répondu.

La première maison de riche que j'ai visitée – riche pour Chatham, en tout cas –, c'était celle de Larry Franklin. Son père était un spécialiste des oreilles, des yeux, du nez et de la gorge, et tout le monde dans notre classe de dixième année était invité à la grande maison des Franklin à la campagne pour l'anniversaire de Larry. On nous avait dit d'apporter notre maillot de bain. Quelqu'un disait que Larry avait une piscine intérieure. Quelqu'un d'autre disait qu'il avait un sauna.

Larry était un enfant dodu aux cheveux carotte avec qui j'étais allé à l'école publique, et il était correct, il avait aimé les dinosaures en quatrième année comme moi, et ses blagues cochonnes étaient assez bonnes. Et contrairement à tous les autres dont les parents travaillaient pas dans les voitures ou à la cafétéria comme les miens, il était pas très bon à l'école. C'est quelque chose que j'aimais chez lui.

Larry se tenait avec tout le monde mais surtout avec Mike Rankin et Craig Wellington et Mark Shillington, un fils d'avocat, un fils de dentiste et le fils d'un architecte. À leur défense, ils parlaient jamais du fait qu'ils étaient mieux nantis que tout le monde, mais pas besoin, t'avais juste à les regarder.

C'étaient eux qui revenaient des vacances de Noël avec un bronzage étincelant des Bermudes. C'étaient eux dont les mères mettaient des King Dons et des Twinkies et des Hostess Fruit Pies dans les boîtes à lunch au lieu des biscuits à l'érable en forme de feuille d'érable et des gaufrettes rose fluo longues comme le doigt que nos mères emballaient à la main dans du papier ciré. Plus tard, au secondaire, c'étaient eux qui lançaient toutes les nouvelles modes à l'école : les pantalons blancs, les souliers bateau en cuir, les polos de couleurs vives avec des petits alligators cousus à gauche, sur la poitrine.

Un jour, en dixième année, les collets de leurs polos étaient tous relevés, soudainement. Au début je pensais que c'était une erreur, que quelqu'un savait pas que son collet était mal placé, mais ensuite j'ai constaté qu'ils les portaient tous ainsi. J'ai demandé à Jamie ce qui se passait. Jamie était brillant, pas parce que ses parents étaient riches, mais parce que son père, qui avait des livres du plancher jusqu'au plafond dans son bureau à l'église, le faisait beaucoup étudier.

« Qu'est-ce que c'est censé vouloir dire ?
— Ça veut dire qu'ils sont riches.
— Je comprends pas.
— T'es pas censé comprendre, t'es pas riche. »

J'avais presque décidé de pas aller à la fête. Il y avait une fille dont je pensais qu'elle m'aimait, mais qui en fin de compte m'aimait pas, ce que j'ai compris seulement après avoir approché quelqu'un qui lui demanderait si elle m'aimait, signe indéniable que moi, je l'aimais. Ç'avait été délicat, un certain temps, mais la blessure, après tout, était pas fatale, j'allais m'en sortir. C'était encore à vif, par contre, et je pouvais absolument pas risquer de la voir à la fête de Larry.

J'étais en train d'aider mon père à couper le gazon. À l'occasion, j'avais le droit de pousser la tondeuse pour quelques tours d'apprenti sur la pelouse, mais j'étais surtout responsable d'aider mon père à vider les débris du sac à tondeuse. Mon vieux a fermé le moteur. Ferme toujours le moteur quand tu vides le sac à tondeuse.

«Tu devrais probablement aller te laver pour ton party», il a dit. On était tous les deux torses nus et en sueur, nos t-shirts accrochés sur la rambarde du balcon qu'il avait construit cet été-là avec M. Deboir, notre voisin. On portait tous deux ce qu'on portait toujours en été, des shorts de gym Adidas, les miens bleus avec des rayures blanches sur les côtés, les siens rouges avec des rayures blanches.

«J'y vais pas.»

Il a détaché le sac de toile de la tondeuse. J'ai ouvert le sac de poubelle, je l'ai mis en place.

«Pourquoi pas?

— Je sais pas. J'ai pas envie.

— T'es malade?

— Non. J'ai juste pas envie d'y aller.»

Il a soulevé le sac à tondeuse et l'a placé dans le sac de poubelle, l'a brassé, remué jusqu'à ce qu'il soit vide. Le sac s'alourdissait entre mes mains. Ça me surprenait toujours de voir à quel point un sac plein de brins d'herbe pouvait être lourd.

«Le Dr Franklin a une piscine intérieure là-bas, il a un sauna aussi, j'ai entendu dire.

— Je sais.» Bien sûr que je le savais. C'était moi qui le lui avais dit.

Il a dit : « Va prendre ta douche d'abord. Je vais avoir terminé le temps que tu finisses, je vais aller te conduire. »

J'ai haussé les épaules.

Mon père a sorti une attache de sac de poubelle verte de sa poche arrière. C'était important de pas trop remplir les sacs sinon ils étaient trop lourds et quand tu les mettais sur le bord du trottoir, l'éboueur pouvait les laisser là.

« Tu fais ce que tu veux, mais si tu vas pas au party comme t'as dit que tu le ferais, tu vas rester ici et tu vas m'aider à tailler la haie. »

Il a fait tournoyer le sac dans les airs en le tenant par le haut puis il a bien entortillé l'attache.

« Je pense que je vais aller prendre une douche.

— Quand t'es prêt, j'suis prêt. »

Tout le monde était là, tout le monde, apparemment, sauf Jennifer Hastings. Quelqu'un a fini par me dire que ses parents étaient des témoins de Jéhovah et qu'elle avait pas le droit d'aller à des partys ou à des danses ou de le faire avant qu'elle soit mariée à un autre témoin de Jéhovah. J'ai commencé à me sentir mieux à l'idée qu'elle m'aime pas. Qui est-ce qui voulait d'une blonde qui pouvait pas le faire avant de se marier ?

La maison de Larry était grosse, environ quatre ou cinq fois plus grosse que notre maison, mais à part l'énorme terrain avant et la piscine creusée et le sauna, c'était pas très différent, c'était bourré des mêmes cochonneries que nous mais de meilleures marques. Les parents de Larry nous laissaient à peu près tranquilles, à part pour les rondes que faisait Dr Franklin chaque demi-heure ou presque, probablement pour s'assurer que personne soit en train de se peloter sur le tapis du salon. Il était habillé comme s'il s'en allait à la plage, mais avec un cardigan blanc attaché autour du cou. J'avais jamais vu un homme avec un chandail attaché autour du cou. Chaque fois qu'il apparaissait, il tenait dans sa main droite un verre à cocktail trop grand rempli de glaçons tintant et d'une sorte de liquide foncé, presque noir ou mauve.

On buvait des sodas et on mangeait du gâteau et on écoutait les disques que Larry mettait et enlevait – Queen, ELO, Styx – jusqu'à ce que quelqu'un fasse une bombe dans la piscine et que tous les autres se dépêchent de mettre leur maillot de bain et sautent et que tout le monde soit dans la piscine. Toutes les filles portaient des maillots de bain une pièce et aucune d'entre elles était aussi belle sans ses vêtements qu'on aurait pu l'imaginer. Chaque fois que le Dr Franklin revenait pour nous surveiller, ses paupières étaient un peu plus tombantes, et les coins de sa bouche s'étaient relevés un peu plus haut. Le verre mauve qui tintait était toujours dans sa main droite. Le cardigan blanc toujours autour de son cou.

Quand mon père est revenu me chercher, il a regardé la pelouse des Franklin longuement avant de démarrer la voiture. Ça devait faire au moins trois terrains de football, facile.

« Sans un bon tracteur de jardin, ça te prendrait toute une journée pour couper ça », il a dit. Il l'a dit comme si ç'avait été une bonne chose.

En revenant, j'ai changé le poste de radio pour le mettre sur le FM, de CFCO, la station AM de Chatham de ma mère, à WRIF, la station de rock de

Detroit que tout le monde écoutait à l'école. « Don't Stop Believin'» de Journey. Je l'ai laissée. Il y avait rien d'autre à écouter.

« Oui, monsieur, a dit mon père, un bras pendant hors de la fenêtre, en conduisant. C'est pour ça que t'as besoin d'étudier, mon gars. Souviens-toi de ce que t'as vu ce soir, oublie-le pas. Regarde le Dr Franklin. Il a utilisé sa tête, il a utilisé son cerveau. Regarde-le, aujourd'hui. »

Un bar du Maine un bar de Lowell un bar ordinaire un bar de luxe en velours rouge – où que ce soit, quoi ce soit, c'est toujours le même monde faisant les mêmes choses qu'il pourrait faire au quart du prix mais à la maison, et seul. Alors tout le monde est là, au Mercury Lounge, à Smithfield, Maine, tout le monde tout seul avec tout le monde qui ne veut pas rentrer chez lui ce soir, qui ne veut pas être tout seul non plus.

Ça ne prend pas beaucoup de temps à Jack pour devenir le centre d'attention. Les camionneurs assis au bar et les locaux éparpillés et avachis aux tables et les serveuses ennuyées et le barman à moitié chauve qui regarde le combat à la télé laissent le gars qui se tient devant le juke-box hurler par-dessus son épaule à personne et à tout le monde : « De la musique de cow-boy, hein ? L'âme peut pas communier avec la musique de cow-boy. Où est-ce que c'est écrit que la selle est le siège naturel de l'homme ? » Tout comme presque personne ne sourit quand Jack dit à Marie, la serveuse (après qu'elle a eu apporté leurs verres à lui et à Joe, et qu'il a eu échoué à la persuader gentiment de répondre autrement que par « oui » ou « non » et « merci, messieurs », ce qu'elle répète à tous ses clients) : « La beauté persuade elle-même les yeux des hommes sans avoir besoin d'un orateur », parce que Marie n'est pas belle et que de la poésie c'est bizarre dans la bouche d'un adulte et que les yeux du gars assis à côté du gars qui gueule disent : « C'est correct, les gars, il est inoffensif, ayez pas peur, il veut juste se faire des amis. »

D'ailleurs, de toute façon, c'est samedi soir, personne ne veut de problèmes, un étranger c'est juste un ami qu'on ne connaît pas encore. Et celui qui a une chemise à carreaux rouge de bûcheron, celui qui est bruyant, il donne des bons pourboires, ça met Marie dans une humeur de bonne serveuse qui épouse le rythme des gorgées et apporte leurs prochains whiskys-sodas avant qu'un des deux n'aie à le demander, et bien vite Jack et Joe ne diffèrent presque plus des chansons de Faron Young et de Hank Snow qui s'élèvent du juke-box rutilant et qui flottent dans la salle.

« Mon peuple buvait du sang de caribou. »

Jack l'a dit comme un défi. Un défi que Joe ne relèverait pas. Ce qui était une autre raison pour laquelle Jack aimait Joe.

« Le premier Kerouac nord-américain était le baron Alexandre Louis Lebris de Kerouac de Cornouailles, en Bretagne.

— Tu me l'as déjà dit.

— Je te l'ai dit ?

— Oui. »

Jack a pris une longue gorgée. « Bien, je viens de le redire. »

Joe savait que s'il ne changeait pas les idées de Jack rapidement, les choses pourraient se compliquer. Les pourboires généreux et constants étaient loin d'être suffisants face à la menace des gestes et des mots d'un homme qui avait tété une bouteille de brandy toute la journée et pris assez de speeds pour tenir le monde entier réveillé.

« Qu'est-ce que tu lis, ces jours-ci, Jack ? »

Joe savait. Jack savait que Joe savait. Donc :

« Parle-moi donc de Jacques Maritain, a dit Jack. Impressionne-moi. C'est le nouveau chevalier blanc des professeurs d'université, c'est ça ?

— Tu pourrais être surpris, Joe a dit. On sait jamais, tu pourrais l'aimer. Il en a beaucoup à dire à propos de ton ami Pascal.

— Mon ami Pascal, à qui tu fais allusion comme ça mine de rien, si vulgaire, a besoin de personne pour parler de lui, encore moins d'une veste en tweed qui fume sa pipe en rêvant à sa titularisation plutôt qu'aux anges ensanglantés. Blaise Pascal a dit tout ce qu'il y avait à dire en ce qui concerne la condition humaine il y a trois cent et quelques années, tout ça dans une prose sacrée et délicieuse qui ne sera pas et ne peut pas être améliorée malgré les meilleurs efforts de tous tes B. F. Skinner et Marshall McLuhan et tous les autres imbéciles défaitistes qui utilisent leurs calculatrices de poche pour comprendre la bonne grâce salvatrice et toute-puissante de Dieu. »

C'était le Jack que Joe aimait. Ce soir, qu'il se disait en finissant son verre, tout va bien se passer. Marie est apparue à leur table, a déposé devant eux leurs whiskys-soda pétillants. Jack – gros, les yeux comme des feux rouges, les cheveux en pétard – a pris la main de Marie.

« Je proteste devant tant de beauté. »

Marie a gloussé. « T'es pas d'ici, toi, hein ? »

Jack s'est levé, a fait une courbette.

«Laissez-moi commencer par le commencement. Le premier Kerouac nord-américain était le baron Alexandre Louis Lebris de Kerouac de Cornouailles, en Bretagne. C'était un soldat, voyez-vous, loyal envers le roi de France…»

J'aimais mieux grand-m'man et grand-p'pa Robert-son. J'aimais mieux aller chez eux que chez grand-m'man et grand-p'pa Authier, en tout cas. La maison des parents de mon père, c'était une vraie maison de grands-parents. Il y avait des bonbons dans un bol en verre dans le salon qui avaient fondu et s'étaient attachés ensemble de façon permanente au fond du bol. Grand-p'pa Robertson portait toujours un feutre quand il sortait dehors et il m'appelait *lad*, comme son père, un immigrant écossais, avait appelé mon père quand il était garçon. Le sous-sol sentait les boules à mites, et grand-m'man était toujours contente de me voir quand j'y allais, elle me gardait les surprises de ses boîtes de céréales, oubliait jamais mon anniversaire et à Noël elle me donnait habituellement un jouet que j'avais demandé. Les stores étaient à demi tirés en été pour garder la fraîcheur, et le thermostat roulait à petit feu tout l'hiver. Quand on revenait de notre visite, ma mère se plaignait, dans la voiture, elle disait: «J'ai pensé que j'allais mourir de froid. Je jure que j'ai jamais rencontré un homme aussi avare de toute ma vie.»

Ça me dérangeait pas. J'aimais ça, en fait. Le froid me donnait une impression de propreté. Ça me faisait penser à l'image que je me faisais de l'Écosse.

Mon père et ses sept frères et sœurs avaient grandi dans une maison victorienne pourrie de trois étages dans l'est de Chatham qui, y avait pas si long-temps, faisait partie d'un des quartiers privilégiés de la ville, mais qui, au milieu des années cinquante, était devenu l'exil non choisi de la classe ouvrière entassée et de la plupart des Noirs de la ville. Quand est venu le temps que mon père parte de la maison, grand-m'man et grand-p'pa Robertson s'étaient réfugiés dans l'une des premières banlieues relui-santes de Chatham, pleine de gentils voisins blancs, avec un jardin de roses en avant et un plafond qui coulait pas. On avait vécu dans l'Est, nous aussi, à côté d'où mon père avait grandi, jusqu'à ce que j'aie six ans et que mes parents aient économisé assez d'argent pour qu'on évolue vers une toute nouvelle banlieue qui douze mois auparavant était encore le champ de soya d'un fermier. Grand-m'man et grand-p'pa Authier, eux, vivaient encore dans l'Est, dans une minuscule maison de plain-pied, noire de papier goudronné, à juste un lot du chemin de fer, de l'autre côté du cimetière.

Grand-m'man Authier était grosse, elle portait des robes fleuries en coton de la taille de ma mini tente, toujours avec un tablier blanc, et quand elle marchait, ce qui était rare – de sa chaise à la table de cuisine, disons, jusqu'à son fauteuil en face du poste de télévision dans le salon –, c'était comme si God-zilla se mettait en marche, ballottant légèrement de gauche à droite en se déplaçant lourdement, et il valait mieux faire attention en dessous si tu vou-lais pas te faire écraser. Grand-m'man portait des pantoufles roses tricotées à la main par-dessus ses collants, et elle m'a déjà marché sur la main tandis que je jouais avec mes voitures Hot Wheels sur le plancher. «Oh Raymond, elle avait dit en riant, fais attention, grand-m'man t'avait pas vu là.» Grand-m'man et grand-p'pa Authier étaient toujours en train de rire, on aurait dit, surtout grand-m'man. Elle me faisait penser à une grosse femme au cirque dont le travail consistait seulement à s'asseoir et à être juste ça, grosse et hilare.

Grand-m'man et grand-p'pa Authier étaient tous deux nés au Québec et m'appelaient Raymond. Mon père appelait mon grand-père Mike, mais ma grand-mère l'appelait Mede. Maman appelait grand-m'man Mem. Quand grand-m'man et grand-p'pa voulaient pas que les autres comprennent ce qu'ils disaient, ils parlaient en français, mais ça ressemblait pas au français (*Pitou!-Pitou!-Où-est-le-poulet ?**) que j'apprenais à l'école. Ma mère comprenait l'essentiel – les sacres, ça c'est sûr –, mais elle me disait jamais ce que ça signifiait. Quand elle était plus jeune, elle comprenait mieux, mais à quinze ans, elle était allée vivre chez tante Yvonne avec son nouveau mari pour plus avoir à entendre sacrer en français.

Quand j'ai été assez grand pour me traîner par terre avec mes Hot Wheels, grand-m'man buvait plus du tout et grand-p'pa buvait pas plus que les autres, mais quand j'ai été un peu plus vieux, mon père m'a raconté des histoires sur l'enfance de ma mère. Se lever le lundi matin pour aller à l'école et trouver les armoires vides, tout l'argent que grand-p'pa avait gagné la semaine d'avant en coupant les haies déjà dépensé. Chanter, hurler, pleurer – la maudite trinité de l'ivrognerie constante au Canadian Club. Mon père qui vient chercher ma mère pour sortir avec elle et grand-p'pa qui lui demande d'aller le reconduire chez le contrebandier, plus d'essence dans sa voiture et trop soûl pour y aller tout seul même s'il en avait eu.

Il paraît que ma mère aurait dit à ses parents qu'ils seraient pas invités à son mariage s'ils arrêtaient pas de boire, et à partir de ce jour, grand-m'man a plus touché à l'alcool. J'ai toujours connu grand-m'man Authier en train de boire du café, plein de crème et surtout de sucre, peu importe le temps qu'il faisait. Au lieu d'aller dans le salon, tous les adultes s'assoyaient autour de la table de cuisine en formica couverte de marques de cigarette et buvaient et fumaient et parlaient pendant que du country et du western sortaient du huit pistes de grand-p'pa, dans la pièce du fond. Grand-p'pa fumait ses propres cigarettes faites avec une machine à rouler qui avait une grosse manivelle d'argent, il les gardait dans un récipient de plastique blanc qui gonflait la poche de sa chemise. Il y avait une bouteille de Coke tiède sur le comptoir de la cuisine pour faire des mélanges et mon père m'en versait un verre quand on arrivait, mais j'étais habitué à la RootBeer ou au Black Cherry ou au C-Plus, à tout sauf au Coke. Au début de la soirée, il me trouvait un ou deux glaçons, mais à mesure que la soirée avançait, c'était du Coke température pièce ou rien.

Je m'assoyais sur le tapis shag orange du salon et je regardais la télé, les bulles de mon verre de Coke me piquaient le nez en explosant. Grand-p'pa et grand-m'man Authier avaient pas d'antenne sur leur toit comme nous, et au mieux les images étaient floues, troubles, comme si je regardais *Happy Days* à travers un bocal à poisson. Il y avait un coucou sur le mur, et un oiseau hurleur sortait de sa cabane à toutes les heures. Les divans et les chaises étaient recouverts d'un plastique dur et transparent, et si tu t'assoyais, t'avais froid aux jambes et au dos. Il y avait pas de conduits d'aération sur le plancher d'où l'air chaud sortait comme chez nous ou chez grand-p'pa et grand-m'man Robertson, mais plutôt un gros appareil de chauffage à gaz sur le mur du salon qui te réchauffait trop et te donnait la nausée si tu te tenais là trop longtemps.

La plupart du temps j'étais le seul enfant là-bas, avec mon cousin Bradley. Le père de Bradley était le frère de ma mère, sa mère la sœur de mon père, mais il vivait avec grand-m'man et grand-p'pa Authier depuis le divorce de ses parents, survenu peu de temps après sa naissance. Bradley dormait sur la couchette du bas d'un lit à deux étages dans la seule autre chambre à coucher que celle de grand-m'man et grand-p'pa –, celle du haut quand son père, un couvreur, travaillait en ville. Bradley et moi, on se ressemblait, mais il était potelé et avait l'air plus vieux que les deux ans qui nous séparaient, il travaillait avec grand-p'pa, à se tacher de graisse dans le garage, les fins de semaine, buvait du café avec grand-m'man à la table de cuisine, et savait quand rire aux blagues qui circulaient chez les adultes et que je comprenais jamais.

Noël chez grand-m'man et grand-p'pa Authier était jamais très plaisant parce tout ce que je recevais, c'était ce que grand-m'man m'avait tricoté – des mitaines que j'allais pas porter parce que personne portait des mitaines, seulement des gants, et des chandails et des foulards et, une année, une tuque que jamais personne à l'école me verrait porter. Une année, ma mère avait demandé à grand-m'man de m'acheter un des jouets que j'avais demandés pour éviter que je passe la moitié de la veille de Noël à bouder autour de la table de cuisine dans mon nouveau chandail piquant à demander quand est-ce qu'on allait retourner à la maison. En route, ma mère avait dit que j'allais sans doute être surpris de voir ce qu'il y avait sous l'arbre, cette année.

D'habitude, le cadeau de grand-m'man et grand-p'pa Authier était mou et spongieux ; cette fois-ci, ce qui était sous le papier d'emballage était dur et carré. C'était bon signe. Les foulards et les mitaines tricotés à la main venaient pas emballés dans des boîtes en carton. J'ai déchiré le papier et je pouvais pas en croire mes yeux. Non seulement grand-m'man avait enfin compris et m'avait donné un «vrai» cadeau pour faire changement, un G. I. Joe pour mon armée grandissante d'hommes de combat, d'Action Jackson et de Johnny West, mais c'était le tout dernier G. I. Joe, celui avec la plaque d'identité qu'on pouvait tirer pour l'entendre dire une des six phrases enregistrées. «Merci grand-m'man, merci grand-p'pa, j'ai dit, en libérant Joe de sa boîte.

— De rien, Raymond », a répondu grand-m'man. Grand-p'pa était dans l'autre pièce, en train de changer la musique sur son huit pistes.

J'ai tiré sur la plaque d'identité de Joe et j'ai attendu sa première phrase en regardant la ficelle se rembobiner à l'intérieur de sa gorge.

« Je suis prêt à aller*. »

J'ai pas compris. J'ai tiré sur la plaque d'identité encore une fois.

« *La mission est accomplie**. »

Quelque chose clochait. J'ai repris la boîte ouverte, je l'ai étudiée pour comprendre. Bon Dieu, elle m'avait acheté un G. I. Joe français. Elle m'avait acheté un maudit G. I. Joe français.

J'ai rapporté Joe et sa boîte déchirée à la table. « Écoute », ai-je ordonné, debout à côté de ma mère. J'ai tiré la corde à nouveau.

« *La nuit tombe, nous devons faire le camp**. »

J'ai dévisagé ma mère et mon père. « Il est français. »

Tout le monde a ri, grand-m'man plus que tout le monde. « Grand-m'man pensait qu'elle te donnait ce que tu voulais, Raymond », elle a dit. Tout le monde a continué de rire.

Je me suis retourné vers ma mère. « On va voir si on peut l'échanger », elle a dit, la main sur ma tête.

Mais grand-m'man avait pas gardé la facture et j'étais pris avec *Joe de G. I.* Mes amis et moi on faisait du mieux qu'on pouvait. Le G. I. Joe de grand-m'man était devenu le prisonnier solitaire de toutes les autres figurines. On l'appelait *The Foreigner*. On s'assurait qu'il soit toujours sous haute surveillance armée.

Le fond de la gorge comme une toilette bouchée, il s'est retourné en roulant sur le côté, a laissé venir le contenu de son début de grippe, de son mal de gorge encore persistant, et de toute autre preuve écœurante des dégâts qu'il s'était infligés en vingt-quatre heures, pour regrouper le gluant dans ses joues ; il a ouvert les yeux, repéré un verre d'eau vide sur le plancher du motel, et il s'est penché sur le côté du lit pour cracher. Si seulement ç'avait été du crachat, ç'aurait probablement fait l'affaire. Mais non : une longue ficelle verte de flegme, un bout attaché à sa lèvre inférieure et à son menton, l'autre bout descendant petit à petit sur le côté du matelas, un cordon ombilical du lendemain, façon de dire, pour la veille au soir, qu'elle n'était pas tout à fait prête à devenir aujourd'hui.

Mais c'était aujourd'hui, il fallait que ce le soit, sans doute, c'était la seule chose qui n'avait jamais fait l'ombre d'un doute. Et même ça – le temps *tic-tac* et tous ces produits matérialistes monothéistes mécanistes qu'on se vend habilement à soi-même pour se rêver une belle grosse et douillette hallucination de vraiment exister ontologiquement et se maintenir occupé dans le grand Vide, désert et sacré

– *pah!* Écrire ou ne pas écrire, boire ou ne pas boire, avoir la gueule de bois jusqu'à la moelle ou non, tout ça – *tout ça* –, simplement les deux faces de la même médaille qui jamais-ne-cesse-de-tourner, qui monte, qui monte, très haut dans le Nirvana de notre esprit, lequel, bien sûr, n'est pas notre esprit du tout mais seulement un délire de plus pour nous tenir profondément endormis et nous empêcher de reconnaître les Quatre Nobles Vérités, de suivre les Huit Nobles Voix.

Le bouddhisme était un bon anesthésique. Ce n'était pas le deuxième de trois jours d'ivresse ou la table rase mentale résultant du baiser argenté d'une dose de douce, douce morphine, mais une sagesse des mots qui ne vous donne pas le delirium tremens ou qui ne vous transforme pas en junkie aux yeux morts. Jack a découvert *A Buddhist Bible* de Dwight Goddard à la bibliothèque de San Jose, en 1954, en visite chez Cassady et sa famille, dans l'Ouest. Jack essayait d'étouffer son ego depuis des années, presque depuis qu'il avait découvert qu'il en avait un – quand il jouait aux dés tout seul des heures entières dans sa chambre, écrivant et illustrant et incarnant ses propres bandes dessinées *Dr Sax*, couché sur la pelouse dans la cour de ses parents, contemplant les étoiles dans le ciel froid de l'Atlantique, se sentant si libre, se sentant si petit, un grain sur un autre grain à la dérive à travers un univers infini de grains. Être *et* ne pas être – c'était la réponse à la question, la seule question.

Il s'est essuyé le menton avec le devant de sa chemise et s'est appuyé sur les coudes. Joe dans l'autre lit était encore endormi – qu'il dorme, s'est dit Jack –, Joe enfoui sous les draps dans son pyjama deux pièces, Joe et ses dents nettoyées et son réveil de courtoisie consciencieusement demandé avant qu'ils ne s'écroulent tous deux dans l'inconscience. Jack portait encore ses vêtements de la veille, chaussures incluses, ceux qu'il avait enfilés à Lowell, avant de partir. Il s'est allongé de nouveau par-dessus les couvertures, la tête au milieu de l'oreiller.

Il a pris une grande respiration et, fixant le plafond, s'est dit qu'il n'y avait pas de soi, qu'il n'y avait pas de moi, qu'il n'y avait pas de Jean-Louis Kerouac. Il a forcé son esprit à penser à l'impensable, l'infini de l'espace et du temps, les kotis des chiliocosmes et des kalpas. Il s'est rappelé son truisme bouddhiste préféré : le repos au-delà du destin ; que le vrai Tathagata ne vient jamais de nulle part et ne va nulle part ; que depuis le début rien n'a jamais été. Il a pris une autre respiration, encore plus profonde, s'est senti comme si son crâne allait fendre en deux. Il a pris la bouteille sur la table et a tété le fond de cognac qui restait.

Assis sur le bord du lit, la bouteille vide dans la main, il a fait : « Joe », doucement, autant pour son bien que pour celui de Joe.

Jack a regardé l'autre lit. Joe dormait avec l'un de ses oreillers sur la tête. « Joe », a-t-il répété plus fort.

De sous son oreiller, sans bouger, Joe a dit : « Je suis debout. » Jack a compté jusqu'à trente mais s'est rendu jusqu'à dix-huit, il ne pouvait pas attendre plus longtemps.

« Il faut y aller, Joe. »

Joe a soulevé doucement son oreiller. Depuis la mort de sa femme, c'était la seule façon qu'il avait trouvée pour dormir. Vaut mieux ouvrir les yeux sur rien que sur elle qui n'est pas là. Il a rejeté les draps et mis ses pantoufles, frôlé Jack en chemin vers les toilettes. « Je vais être prêt dans une minute. »

Jack a hoché la tête, le front baissé. Une minute, une éternité, qu'est-ce qu'une éternité de plus ?

Jack a placé la bouteille sur le tapis. Et où était sa montre ? Pas une autre montre de perdue. Il savait qu'il la portait la nuit dernière…

La philosophie est une note en bas de page, comparée à un beigne fourré à la confiture.

« Attends qu'on arrive à la maison, a dit mon père.

— Pourquoi pas maintenant ?

— Parce que tu vas en mettre partout.

— Non, je vais pas en mettre partout.

— Attends qu'on arrive à la maison, après tu peux le prendre avec un verre de lait. C'est comme ça qu'on mange un beigne. »

Être assez vieux, neuf ans, pour pouvoir tenir le sac de papier rempli d'une demi-douzaine de beignes debout sur mes cuisses en revenant de la boulangerie Wiersma semblait plus si important. Un samedi après-midi de courses chez Canadian Tire et dans des magasins de boissons gazeuses et de bière finalement terminé, la boulangerie Wiersma était notre dernier arrêt. On prenait de plus en plus nos beignes au Tim Hortons qui venait juste d'ouvrir. Ils avaient nature et chocolat et confettis et fourré à la confiture tout comme chez Wiersma, mais aussi des dutchies et des éclairs et des beignets, des choses que j'avais vues seulement dans les annonces télévisées de Dunkin' Donuts qu'on avait pas au Canada, plus toute une section juste pour les Timbits. Je pensais que même Dunkin' Donuts avait pas de Timbits. C'est sûr que Wiersma en avait pas.

On avait deux beignes chacun – nature pour maman qui aimait les tremper dans son thé après le souper, chocolat pour mon père, pour sa boîte à lunch au travail, et fourré à la confiture pour moi – et les deux miens étaient sur le dessus. C'était le mois d'août, donc les fenêtres de la voiture étaient grandes ouvertes, mais tout ce que je sentais, c'était l'odeur des beignes. Mon esprit pouvait y goûter – la pâte tendre, sucrée, jusqu'au premier jaillissement de confiture à la fraise –, mais c'était pas assez, mon estomac le croyait pas, il voulait des preuves bien tangibles.

« Je ferais attention. »

Mon père a pas répondu, ce qui voulait au moins dire qu'il y pensait. CFCO jouait sur le transistor de l'auto, le bulletin sportif de midi et quart, et le présentateur a dit quelque chose à propos des Red Wings et la main de mon père a volé vers le bouton du volume puis il a levé son index dans les airs pour demander le silence. Des nouvelles de hockey en été – des Red Wings, en plus, l'équipe préférée de mon père –, c'était comme se réveiller par un matin chaud et fondant en hiver. Quand le présentateur a commencé à parler du match de baseball qui se déroulerait en soirée, les Tigers contre les Indians, j'ai demandé : « Est-ce que Thommie Bergman est le frère de Gary Bergman ? »

Même si je m'endormais habituellement avant la troisième période chaque fois qu'ils jouaient à la télé, j'avais hérité des Red Wings comme équipe préférée, et j'aimais l'idée qu'on ait des frères coéquipiers. Les Canadiens avaient Frank et Pete Mahovlich et ils avaient gagné la coupe Stanley, l'année dernière. Les Red Wings avaient même pas fait les séries.

« Non, c'est juste un nouveau, ils lui ont donné un contrat pour qu'il vienne de la Suède. Ils disent qu'il va pouvoir les aider avec leur jeu de puissance. Il a été le défenseur de l'année, là-bas.

— Ils jouent au hockey en Suède ? » Je pensais qu'il y avait seulement les Russes et nous qui jouions au hockey.

« Quelques-uns, oui », il a dit. Mon père a mis le clignotant. « Si t'es pour le manger maintenant, mange-le au-dessus de tes cuisses. Et tiens tes jambes serrées. Je veux pas que t'en mettes sur le siège. »

J'ai attendu un instant pour montrer que j'étais sérieux, que j'allais pas faire de dégâts. J'ai pris le beigne du dessus dans le sac et je l'ai lentement porté à ma bouche. J'ai pris une petite bouchée, je gardais mes cuisses et mes genoux serrés ensemble. Mon père a commencé à fredonner une chanson qu'il fredonnait toujours quand il était heureux. J'ai pris une autre bouchée, cette fois un peu plus grosse. J'avais pas encore touché à la confiture, mais ça faisait partie de la joie de manger un beigne fourré, d'avancer vers le milieu, vers ce que tu savais qui s'en venait.

« Hhm hhm hhmhmm, hhm hhm hhmhmm, hhm hhm hhmmhhmmmm. »

Si t'étais trop pressé d'arriver à la confiture, si tu croquais comme t'attaques une côtelette de porc ou un hamburger, tu risquais qu'une partie du milieu rate ta bouche et sorte d'un côté ou de l'autre et coule sur tes mains ou pire. Même si j'étais maintenant assez près de la confiture pour être capable d'étendre ma langue et de ramener un début de confiture sur le bout, je savais que le vrai test, c'était d'y aller lentement et de faire attention et de pas être glouton.

« Hhm hhm hhmhmm, hhm hhm hhmhmm, hhm hhm hhmmhhmmmm. »

C'est ce que j'ai fait. Et c'est ce que j'ai pas été, glouton. Mais ç'a rien changé. Une petite goutte de confiture a giclé hors de mon beigne et passé par-dessus ma main pour atterrir, ploc, sur le siège avant, entre mon père et moi. Mon père a arrêté de fredonner.

« Jésus-Christ, qu'est-ce que je t'avais dit ? Je t'avais dit de faire attention, non ?

— Je… Je faisais… »

Il a regardé la tache de confiture sur le siège. On aurait dit une montagne de confiture, qu'un virage à droite trop sec aurait fait tomber de mon côté pour m'enterrer.

Les yeux de nouveau sur la route, les deux mains sur le volant, même s'il conduisait d'habitude avec une seule, l'autre bras pendant à la fenêtre, il a fait : « Est-ce que t'essaies de me faire fâcher ? Est-ce que tu veux que je sois fâché contre toi ? »

Je voulais pas regarder la confiture et j'avais peur de le regarder – je voulais même pas regarder dans la même direction que lui – alors j'ai baissé les yeux sur le beigne toujours dans ma main gauche, sur le sac de papier contenant les cinq autres, intacts, dans ma main droite.

« Non.

— Alors fais ce que je te dis quand je te le demande.

— Je… (je me suis arrêté avant de dire que c'est ce que j'avais fait). D'accord », j'ai dit.

Mon père a plus rien dit du reste du trajet, et moi non plus. Quand cette chanson qui avait joué tout l'été est passée à la radio, « My name is Michael, I've got a nickel », mon père l'a fermée d'un coup sec et ç'a été le silence jusqu'à la maison.

Si seulement la radio avait pas été allumée, j'ai pensé. Si seulement mon père avait pas su que les Red Wings engageraient un Suédois qui était pas le frère de Gary Bergman et avait pas été assez de bonne humeur pour changer d'idée et dire que je pouvais manger le beigne dans la voiture quand il avait déjà dit que je pouvais pas, il y aurait pas eu de confiture sur le siège de la voiture et maintenant il serait pas fâché contre moi et tout irait bien, comme avant tout ça.

La simplicité de la chose m'a foudroyé. Une avalanche de « si » m'a enterré.

On a tourné dans l'entrée de garage.

Avant même que la voiture se soit arrêtée : « Je veux que tu apportes les beignes dans la maison et que tu les donnes à ta mère, a dit mon père, et que tu lui demandes une guenille propre et le seau bleu à moitié rempli avec de l'eau chaude et de mettre trois bonnes giclées de savon à vaisselle, pis je veux que tu m'apportes ça sans en renverser. Est-ce que tu peux faire ça ?

— Oui.

— Alors reste pas assis là, vas-y. »

En regardant ma mère paniquer dans la cuisine – linge à vaisselle, seau, eau chaude, savon ; faisant tout ce qu'elle pouvait et le plus rapidement qu'elle le pouvait pour aider à sauver le siège avant de la Buick de l'affront de mon attentat à la confiture –, j'ai pensé : « Si, si, si. »

Si.

« Où est-ce qu'il est censé le trouver ? Où, Joe, cet homme hypothétique, cet homme malheureux – on s'entend pour dire qu'être malheureux est la condition naturelle de l'homme –, est-il censé le trouver ? Sur le plan matériel, je veux dire, où, sur le plan matériel ?

» Si – si, là, je dis bien si – si ça pouvait se trouver sur le plan matériel, où est-ce que l'homme malheureux en question irait le chercher dans ces États-Unis d'Amnésie, en l'an de grâce mille neuf cent soixante-sept, un pays de fous – de fous, Joe, de fooouuus – qui avance vers nulle part aussi vite qu'il le peut, horreurmobiles et meurtrecyclettes et chauffards de taxi et plus personne qui marche nulle part maintenant sauf peut-être à travers un terrain de stationnement ou peut-être une autoroute à deux voies comme un pauvre écureuil mal pris qui essaye de pas devenir un écureuil écrasé. Aristote – Aristote, il y a deux mille cinq cents ans, Joe, deux mille cinq cents ans avant les décapotables rouge bonbon – Aristote a dit : Tout ce qui est imparfait doit se mouvoir. Les Grecs, mon Dieu, les Grecs, Joe ! Les Grecs le savaient – ils savaient cette chose, ils connaissaient le propre de la chose –, ils le savaient et ils l'ont écrit et sont allés à leur rendez-vous avec la poussière et ça continue, ça continue. »

Jack a porté la bouteille de Rémy Martin à ses lèvres, a bu.

« Et la télévision c'est pareil, la télévision c'est pas différent, y en a une dans le garage, l'autre dans le salon, c'est quoi la raison d'être de l'une ou de l'autre si c'est pas d'échapper à la raison d'être, Joe, la raison d'être. Chacun des postes, l'un après l'autre, à t'assurer calmement que non, t'es pas juste un grand sac de chair pendante avec une extrémité pour souffler de doux bisous et une autre extrémité pour chier. Tout ça, tout ça – faire crisser les pneus sur l'asphalte à soixante milles à l'heure dans ta nouvelle Buick pour impressionner la paire de boules dans le siège du passager ou rester à la maison à regarder *Le fugitif* ou être le vice-président des États-Unis ou téter une bouteille de Thunderbird avec ton ventre sur Bowery ou gagner au croquet ou connaître tous les noms de la faune et de la flore et des minéraux ou tomber en amour ou échouer en amour ou gager aux courses ou se battre pour la liberté ou s'améliorer aux échecs ou monter au sommet de l'Empire State Building ou s'envoler vers la Chine ou parler au téléphone ou frapper un coup de circuit ou ne pas rire en lisant les comics dans le journal ou aller sur la lune ou décider de rester en dedans et regarder la pluie tomber –, tout ça, Joe, tout ça, argh : diversions, diversions, diversions.

— Pascal », a dit Joe.

Jack n'a pas répondu. Il a pris un autre coup de cognac, regardé par la fenêtre de la voiture, plissant les yeux au-delà de sa réflexion dans la vitre.

Les fils téléphoniques pendants dans le clair de lune auraient pu être les fils téléphoniques pendants d'il y a quarante ans, quand Jack et sa sœur sur le siège arrière de la voiture d'un des amis de leur père avaient été envoyés d'urgence chez leur tante Buckley au New Hampshire parce que la fièvre rhumatismale de leur frère Gerard ne s'améliorait pas – empirait, en fait – et que Mémère avait décidé que c'était mieux pour ses enfants de rester chez sa sœur au New Hampshire jusqu'à... que c'était mieux pour eux de rester chez sa sœur Buckley.

Parfois, quand Ti-Jean était dans la voiture de ses parents, entre Gerard et Nin, sur le siège arrière, il s'imaginait qu'il tenait la plus grosse, la plus puissante faux du monde, qu'il utilisait pour trancher les collines et les arbres et n'importe quoi d'autre qu'il voulait couper, toujours soigneux de la lever hors du chemin à la dernière minute quand un immeuble ou un pont ou n'importe quelle autre chose indestructible se mettait en travers. Parfois il s'imaginait qu'il y avait un cheval fantôme courant à côté de la voiture, galopant dans la pluie ou la neige et bondissant par-dessus tous les obstacles qu'il devait éviter pendant tout le trajet, ne s'arrêtant qu'en même temps qu'eux.

Ti-Jean et son frère aîné avaient toujours partagé leur chambre, même quand Gerard est revenu malade de l'école pour la dernière fois. À l'autre bout de la chambre, Ti-Jean entendait Gerard lutter pour respirer, étranglé par sa propre respiration, gémissant au milieu de la nuit, demandant à Dieu : « Pourquoi est-ce que j'ai aussi mal ? Je me suis confessé comme il le fallait. »

Et toujours, Mémère, dans son épaisse robe de chambre brune, se précipitait dans leur chambre et s'assoyait sur le lit de Gerard sans ouvrir la lumière

et, tenant son aîné contre elle, «shhh», elle le ren-
dormait. Quand les pleurs sont devenus des hurlements et que les docteurs venaient à la maison si
souvent qu'ils semblaient y vivre, Mémère a fait les
valises de Jack et de sa sœur pour les envoyer chez
leur tante Buckley. Le cheval qui les avait accompa-
gnés pendant tout le trajet était un bon cheval, il ne
les quittait jamais. Jack en parlerait à Gerard quand
ils reviendraient à la maison.

«La compassion, peut-être, a dit Jack, en levant
sa bouteille de cognac.

— Pardon?» Joe essayait d'allumer la cigarette
qu'il avait dans la bouche avec le briquet du tableau
de bord et de garder l'œil sur la route en même
temps.

Jack regardait toujours les fils téléphoniques.

«Désolé, Jack, j'ai pas compris.

— J'ai dit: ça pourrait pas aller plus vite?»

Avant que la télévision et les hormones m'apprennent la honte, maman et moi, on prenait l'autobus ensemble chaque vendredi pour aller déposer le chèque de paye de mon père à la banque et ça me dérangeait même pas que quelqu'un que je connaisse nous voie assis ensemble. Le restaurant Jupiter était toujours notre dernier arrêt. Pas seulement parce que c'était près de la station d'autobus, mais aussi parce qu'il y avait un comptoir avec des tabourets en vinyle blanc que tu pouvais faire pivoter sur eux-mêmes et une machine avec un récipient en verre transparent plein de soda mauve pétillant. Après les courses, on s'assoyait au comptoir et je commandais un hamburger sans relish avec un soda au raisin, toujours la même chose pour maman aussi, une frite sauce avec un Coke. Peu importe le soda que tu prenais, il venait dans un gobelet de papier blanc en forme de cornet de crème glacée placé à l'intérieur d'un gobelet de métal argenté de la même forme. C'était juste du soda, mais on aurait dit que c'était meilleur. Et ma mère mangeait jamais toutes ses frites, elle me laissait toujours les finir, des canots de patates frites dans un lac de sauce tiède.

Les seuls livres que ma mère ait jamais lus étaient ceux qu'elle me lisait. Quelqu'un avait dû lui dire que c'était une bonne idée de lire à voix haute à son enfant, même s'il comprenait pas tout ce qu'on lui racontait, donc elle me lisait tout le temps quelque chose, surtout quand mon père travaillait la nuit et qu'on était juste nous deux. Mon préféré était le gros livre rouge, celui où il y avait l'histoire de «La petite poule rouge». Je savais toujours ce qui allait arriver, je savais quelle phrase allait venir après, mais je voulais toujours entendre l'histoire de la petite poule rouge, encore et encore. «Il y a d'autres histoires là-dedans», elle disait, tournant les pages avec son pouce, mais je hochais la tête et disais «non», en pointant le gros livre rouge, je voulais entendre «La petite poule rouge». Quand j'ai été plus vieux, maman m'a dit qu'elle en était venue à détester «La petite poule rouge», que rien l'avait autant écœurée, mais c'était tout ce que je voulais qu'elle me lise, donc c'était ce qu'elle me lisait toujours.

À six ans, j'ai décidé de m'enfuir. J'ai même laissé un mot à ma mère sur sa planche à repasser pour dire clairement que tout était de sa faute. *JE T'HAÏS*, qu'il était écrit. Je suis allé dans ma chambre faire mes valises pour le voyage, mais j'ai été distrait par mes G. I. Joe qui avaient besoin de moi pour explorer les dangereux nids à chauves-souris géants sous mon lit. Une heure plus tard, mission accomplie, mon sac de gym était toujours pas fait, et voilà que j'avais faim. Le mot que j'avais laissé sur la planche à repasser me semblait plus une bonne idée.

J'ai marché sur la pointe des pieds dans le corridor et j'ai jeté un œil dans la cuisine en espérant que le mot soit encore là, mais il avait disparu, la planche à repasser aussi. Sur la table de la cuisine, par contre, il y avait un sandwich au fromage Kraft, avec du Miracle Whip et de la laitue, entouré de chaque côté de l'assiette par deux ou trois poignées de Fritos. C'était mon sandwich préféré au monde. Et j'avais pas toujours des Fritos avec, même quand j'en demandais, même quand je me souvenais de dire s'il vous plaît, même quand j'avais fait quelque chose de bien.

Peut-être qu'elle avait pas lu le mot, je me suis dit. Mais c'était impossible, elle a dû le voir quand elle a rangé la planche à repasser. Je me suis assis. J'ai pris une bouchée de sandwich. « Pourquoi est-ce que quelqu'un serait gentil avec quelqu'un qui lui a fait du mal ? » que je me suis demandé. J'ai croqué un Fritos. C'était pas logique.

Ils se sont arrêtés pour la nuit près de l'autoroute, quelque part dans le nord du Maine. Si le temps se maintenait, demain ils arriveraient à Rivière-du-Loup.

Le temps que Joe prenne une douche et change de vêtements, Jack avait fini la bouteille de cognac et avalé deux ou trois speeds, prêt à tout recommencer, il était redevenu le meilleur centre-arrière de la ville d'il-était-une-fois, tapant des pieds en attendant le jeu et le ballon à protéger pour y aller fermement et foncer fort dans la brèche tête première vers le champ libre.

Les amphétamines étaient jadis un outil, une arme, une façon de l'aider à écrire ses livres : *Sur la route* en trois semaines, *Les clochards célestes* en une semaine, *Les souterrains* en trois nuits. Vieil ange de minuit et les petites pilules blanches à cent mots la minute première idée meilleure idée, une fois sur le métier, et que ça saute et que ça sorte avant que l'esprit ne s'en mêle comme seul l'esprit en est capable.

«Ne sois pas aussi sombre, Joe, on est en vacances, on devrait se détendre avec de la viande et de l'alcool.

— Pourquoi pas, Jack.»

Joe aurait voulu allumer la télé, attraper *Le fugitif* ou *The Honeymooners*, avec un peu de chance, et se coucher tôt pour repartir du bon pied, mais il savait que Jack ne dormirait pas beaucoup cette nuit-là et que ce ne serait pas digne d'un ami que de le laisser faire la tournée des bars du coin tout seul, ce ne serait pas faire ce qu'il était venu faire.

Il avait déjà appelé Mme Johnson, la voisine d'à côté qui ramassait son courrier et gardait un œil sur sa maison pendant qu'il n'était pas là mais dont le vrai travail était de lui laisser savoir si Billy, son fils de quinze ans qui avait fait une fugue cinq semaines plus tôt, était revenu. Il ne l'était pas. La seule chose dont Joe était reconnaissant, c'était que sa femme n'était plus là pour se faire du souci et se demander où son fils était passé. Si le cancer ne l'avait pas tuée, l'inquiétude au sujet de Billy l'aurait probablement fait.

Joe a sorti son coupe-vent London Fog de sa valise. On était au mois d'août, mais à chaque mille qu'ils mettaient entre eux et Lowell, il semblait faire plus froid. Stella avait mis une veste dans les valises de Jack, aussi, avec des vêtements et des sous-vêtements et des bas pour plusieurs jours, mais il attendait déjà à l'extérieur de la chambre de motel, des moustiques et d'autres minuscules bestioles noires volant en cercles au-dessus de sa tête, avides de la chaleur de l'ampoule nue à l'extérieur de leur chambre. Joe a pris la clef de chambre sur le petit bureau.

« T'as toutes tes affaires, Jack ?

— Toutes, toutes, toudle-doo, Joey Joe. »

Jack sifflait quelque chose que Joe ne reconnaissait pas – c'était peut-être du Dizzy, peut-être du Zoot Sims – et Joe a barré la porte, chassant un moustique insistant sur sa nuque. Un soir, après la fermeture du Peppermint Lounge, ils étaient revenus chez Jack, dans son studio au grenier pour continuer à boire et écouter du Bird sur son magnétophone, et Jack lui avait raconté qu'après le succès de *Sur la route*, trois maisons de disques lui avaient couru après pour qu'il fasse un album et il avait choisi Hanover, parce que même si c'était la plus petite, ils lui avaient laissé le choix des musiciens, Zoot et Al Cohn, des idoles de longue date pour Jack, pour quiconque connaissait le jazz.

«Ils te respectaient, avait dit Joe.

— Quand ç'a été terminé, quand on a tout fini et que j'avais emballé mes poèmes, ils sont partis les deux sans rien dire, pas un mot, même pas au revoir. Se sont même pas donné la peine de rester pour une première écoute.

— C'est des musiciens, Jack. Pour eux, c'était probablement juste un autre contrat. Je suis sûr que c'était rien de personnel. J'ai déjà écouté le disque et c'était bon. Vraiment. Tu devrais être fier.»

Ils avaient bu à la lueur de la lampe de chevet de Jack. Stella et Mémère dormaient en bas. Joe regardait la longue ombre du bras de Jack monter, descendre, avec son verre. À côté du bureau de Jack, il y avait la lampe éteinte *GÉNIE AU TRAVAIL* que Mémère lui avait achetée chez Woolworth.

«Ils ont même pas dit au revoir, Joe.

— Jack...

— Ils ont même pas dit au revoir.»

J'achetais tous les disques dès que je le pouvais – j'avais une job à temps partiel dans le rayon des sports chez Sears, alors ç'a pas pris de temps; en plus, les Doors ont seulement fait six albums pendant leurs cinq années ensemble. Aucun érudit talmudique connaissait ses âneries sacrées aussi bien que moi.

Dans le cours d'anglais de M. Rose, on était censé mémoriser dix vers de n'importe quelle pièce de Shakespeare qu'on avait lue, cinq pour cent de la note finale. J'ai plutôt écrit les vingt premiers vers de «Celebration of the Lizard». Sous la grande boucle du zéro à l'encre rouge sur ma feuille, il a écrit: «Très intéressant, mais ce n'est pas ce qui était demandé.» Ça m'a pas dérangé. Je l'ai vu comme un compliment. J'ai rapporté ma feuille à la maison et je l'ai contre-vérifiée avec les paroles imprimées dans l'album *Waiting for the Sun*. J'avais fait aucune faute, j'avais reproduit chaque passage à la ligne et chaque pause de ponctuation aussi.

Dans les partys, j'apportais toujours un mix des Doors que j'avais mis sur une cassette pour la glisser dans la chaîne stéréo après minuit, quand tout le monde était soûl et que personne s'en rendait compte. Quelqu'un finissait toujours par s'en rendre compte. Finissait par l'éjecter et remettre Journey ou Billy Squier ou Asia. C'était pas grave. Pendant cinq, dix, parfois quinze minutes, la voix de Morrison avait résonné dans les haut-parleurs placés de chaque côté du patio de cèdre des parents de quelqu'un, ses mots et la musique du groupe inondant la cour obscure et noyant presque tout le blabla, les voyons-donc, les récapitulations de matchs de football du vendredi soir, la merde ordinaire, trop ordinaire. Au moins pour un moment.

En plus de samedi toute la journée, je travaillais chez Sears un soir par semaine, après l'école. Je rentrais à la maison, mangeais quelque chose, prenais une douche, enfilais un veston, une cravate et un pantalon propre, et je m'étendais sur mon lit en écoutant les Doors, à attendre que ma mère cogne à la porte de ma chambre et crie par-dessus la musique : « Tu vas manquer ton autobus si tu y vas pas tout de suite !

— O.K. », je répondais, en regardant le radio-réveil. J'avais encore cinq minutes, facile, avant de vraiment devoir me lever. Si je l'avais écoutée, j'aurais été debout à l'arrêt de bus sous la pluie quinze minutes en avance. Ma mère était fière de moi – le veston et la cravate que je portais pour travailler, mon badge plastifié, le fait que mon patron, M. Rock, leur avait dit, à elle et à mon père, que j'étais travaillant – et elle voulait pas que je m'arrange pour compromettre ce que j'avais chez Sears. Elle me disait qu'à entendre parler H. Rock, elle serait pas surprise que je finisse avec sa job un jour.

Ma mère cognait encore à la porte de ma chambre et me disait que j'allais être en retard au

travail si j'y allais pas tout de suite, et «The End»
tirait à sa fin, venait la partie où le narrateur des-
cend dans l'entrée et tue son père et baise sa mère et
Morrison commence à hurler et à gémir et presque
à sangloter et le guitariste essaye d'étrangler sa guitare et l'organiste assaille son orgue et le batteur
frappe tout ce qu'il y a à frapper jusqu'à ce que tout
se calme, que revienne le couplet d'ouverture, celui
qui dit que c'est la fin, mon ami, que c'est la fin. C'est
l'histoire d'Œdipe, vous voyez, Œdipe le mythe grec.
Je le savais parce que je l'avais lu dans *Personne ne
sortira d'ici vivant*, la biographie de Morrison.

Je me levais et éteignais ma chaîne stéréo et
remettais l'album dans sa pochette. Je sortais mon
badge de la poche de mon veston et le jetais sur ma
commode en chemin vers la porte. Si quelqu'un me
posait la question, je disais que je l'avais oublié à la
maison.

Deuxième match, premier jeu, Jack avait retourné le coup d'envoi en courant quatre-vingt-dix verges, ratant de justesse la ligne des buts. Quand il a touché au ballon une deuxième fois, en retournant un botté, il a senti quelque chose craquer dans son genou et s'est écroulé sur le gazon comme si on lui avait tiré dessus. Les soigneurs lui avaient dit que ce n'était qu'une entorse et de continuer de courir, d'endurer, de retourner sur le terrain et d'être un homme et de jouer malgré la douleur. Ce qu'il a fait – en plus de boiter toute une semaine d'entraînement, conscient en maudit que ce n'était pas une maudite entorse, l'entraîneur Little sur son dos parce qu'il ne donnait pas son cent pour cent, parce qu'il laissait tomber ses coéquipiers en traînant de la patte pendant les exercices – jusqu'à ce qu'il convainque l'un des soigneurs de le laisser passer aux rayons X.

Bien sûr que c'était cassé – en fin de compte il s'était fracturé le tibia droit – et, quand Jack a écrit à ses parents pour leur dire ce qui était arrivé, Leo était furieux, mais pas surpris. «Ce bâtard d'Italo de Little traiterait jamais un de ses joueurs italiens comme ça, il a écrit. Pis au match d'ouverture contre Rutgers, il t'a mis de côté quand c'était évident que

94

t'étais la meilleure recrue du camp d'entraînement. C'est ton vieux qui te le dit, c'est pas ce que tu connais, c'est qui tu connais, ton vieux il le sait, il l'a appris à la dure. » Mémère a envoyé un billet de cinq dollars et en bas de la page elle lui disait de ne pas oublier de porter le beau gilet bleu qu'elle lui avait pris chez McQuade-Lowell. *Les hivers de New York sont humides,* écrivait-elle. *Prends bien soin de toi, Jacky, fais-le pour moi O.K.*

Chaque soir Jack s'assoyait devant le foyer au Lion's Den avec son plâtre juché sur un oreiller et une chaise, et il mangeait un steak suivi d'un sundae au chocolat qu'il mettait sur le compte de l'équipe de football de Columbia et lisait Thomas Wolfe. Il avait commencé avec quelques pages d'*Ange exilé, une histoire de la vie ensevelie,* glissées entre les lectures obligatoires qu'il avait négligées à cause du football, mais bientôt il n'essayait plus de faire croire qu'après juste un autre chapitre, il retournerait à la table périodique à l'endos de son manuel de chimie – ça n'avait pas pris de temps pour que *tout* ce qu'il lise soit Wolfe, *tout* de Wolfe. Lire Wolfe décrivant l'Amérique non seulement comme un endroit où grandir, où suer, où mourir, mais comme un long poème tragique aussi digne d'exaltation lyrique que le Paris de Balzac ou le Londres de Dickens ou le Saint-Pétersbourg de Dostoïevski.

L'os de sa jambe s'est ressoudé, il a guéri et Jack est retourné à Lowell pour l'été avec un seul échec, en chimie, et avec une promesse de l'entraîneur Little qu'il aurait l'occasion autant que les autres d'être le défenseur latéral en titre. Le gars de l'université était de retour à la maison, il lisait dans sa chambre et allait nager et jouait au baseball et buvait de la bière avec les gars. Sa mère et son père étaient fiers de lui, de ce qu'il avait accompli, de ce qu'il allait faire.

Mais les choses avaient changé. G. J. et Billy Chandler étaient partis tous les deux, dans l'armée, et Sammy parlait de s'enrôler, quand ils ne se lisaient pas de longs passages de Wolfe à voix haute, lui et Jack. Les États-Unis n'étaient pas en guerre, mais l'Angleterre l'était, et tout le monde pensait que ce n'était qu'une question de temps. Leo avait finalement trouvé un autre boulot à temps plein après que Sullivan Printers l'a renvoyé parce que Jack avait décidé de ne pas aller au Boston College, mais c'était à New Haven, Connecticut, et avant que Jack ne retourne à Columbia à l'automne, Leo et Mémère avaient rangé le passé de Jack dans des boîtes en carton et dit au revoir à tous leurs vieux amis. Quand Jack rentrerait chez lui, ce ne serait plus chez lui.

La première semaine de septembre 1941, Jack était en deuxième année d'université, étudiant la trigonométrie et *Hamlet* et se préparant pour le match d'ouverture contre Princeton. Le 11 septembre 1941, FDR déclarait une guerre navale contre l'Allemagne et Jack faisait sa valise et montait à bord d'un Greyhound qui n'allait ni vers la guerre ni vers chez lui mais qui allait au moins quelque part. Il avait dix-neuf ans. Si le monde allait exploser, il ne voulait pas manquer les feux d'artifice.

Pendant les treize mois suivants : se cacher dans une petite chambre dans une ville quelconque du Sud qu'il ne connaissait pas et où personne ne le connaissait, se sentir héroïque se sentir seul, essayer d'écrire comme Wolfe ou au moins comme Saroyan et Hemingway; vivre avec ses parents et sa sœur déçus à New Haven (« Est-ce que tu sais les sacrifices que ta mère et moi on a faits pour toi et ton avenir ? Est-ce que tu penses que tu peux faire tout ce qui te tente pour le reste de ta vie ? ») et trouver une job dans une usine de caoutchouc et démissionner à midi le premier jour ; travailler comme mécanicien à Hartford et commencer un roman et l'abandonner et recommencer du début ; recevoir une lettre de ses parents l'informant qu'ils revenaient à Lowell (son père s'était querellé avec son nouvel employeur, c'est tout ce que sa mère voulait dire, son père était encore trop fâché pour en parler) et bientôt les suivre, obtenant un poste de journaliste sportif pour le *Lowell Sun* et écrivant à propos de tous les matchs quand il n'y avait pas si longtemps c'était lui qui jouait ; rencontrer G. J. à Washington et passer le temps entre la spatule à burger et le distributeur de boissons gazeuses et la paperasse de fonctionnaire au Pentagone ; obtenir ses papiers de la garde côtière maintenant que son pays était officiellement en guerre et naviguer avec la marine marchande à bord du *S. S. Dorchester*, tout le monde sachant qu'en moyenne deux navires de la National Maritime Union disparaissaient chaque jour dans l'Atlantique, et se tenir debout sur le pont un soir à minuit à fixer la mer à travers le brouillard sans être capable de réfuter la torpille de la logique qui disait que tout ça – le navire, la mer, le brouillard, lui-même – pourrait aussi bien ne pas être – mon Dieu, il *était* Thomas Wolfe, tout ce dont il avait besoin, c'était son propre roman sans fin pour le prouver.

Quand le *Dorchester* a terminé sa mission au Groenland, qu'il s'est amarré un mois et demi plus tard à Boston, un télégramme l'attendait à la nouvelle adresse de ses parents, à Lowell. L'entraîneur Little lui disait : *Tu es le bienvenu dans l'équipe si tu es prêt à prendre le taureau par les cornes.* Little avait dû marcher sur son orgueil, mais avait-il le choix ? La guerre faisait des ravages dans les formations de football collégial. Jack savait bien qu'il avait dû marcher sur son orgueil, et c'était l'une des raisons qui faisaient pencher la balance.

Il y est retourné. S'est entraîné avec l'équipe une semaine et s'est tenu sur les lignes de côté pendant tout le match contre l'armée (Little disait qu'il avait perdu trop de poids en mer), et, assis à son bureau dans sa chambre un jeudi après-midi à regarder la neige tomber par la fenêtre, il s'est rendu compte qu'il était temps d'aller à son entraînement.

« Dum dum dum dummmmmm. »

Beethoven, la *Cinquième*, à la radio.

S'est rendu compte qu'il ne voulait pas aller à son entraînement de football, qu'il ne voulait pas être dehors dans la neige, dans le froid, à frapper, à se faire frapper.

« Dum dum dum dummmmmm. »

S'est rendu compte qu'il n'allait plus être un joueur de football. S'est rendu compte qu'il allait être écrivain.

Le football était ma deuxième chance, une façon d'être quelque chose de plus que juste moi-même, une fois établi que j'étais tout simplement pas taillé pour être un All-Star au hockey, que j'allais jamais être un espoir prometteur, même tardif, de la Ligue nationale de hockey. L'été avant le secondaire, j'ai commencé à me préparer, à courir des sprints rapides comme le vent, dans la cour, autour de balises improvisées avec des frisbees et des gants de baseball et des fléchettes géantes rouges ou jaunes ; je perfectionnais mes dégagements dans ma désormais ancienne cour d'école, récupérant mes propres bottés maladroits pour les renvoyer de l'autre côté ; je gardais la biographie de Terry Bradshaw et *Assassin: The Life and Times of Jack Tatum* et *Playing Football the Joe Theismann way* en pile à côté de mon lit, l'exemplaire du *Hockey News* qui arrivait chaque semaine par la poste pour mon père et moi étant le plus souvent mis de côté au profit de ma curiosité pour les vrais joueurs de la NFL qui l'avaient, eux, l'affaire.

Il s'est avéré que j'avais pas le bras d'un quart-arrière ou le physique d'un secondeur mais que j'étais rapide et que j'avais de bonnes mains et que j'étais assez costaud pour plaquer les receveurs en milieu de terrain, donc j'ai commencé le premier match de la saison à gauche comme demi-défensif, l'un de quatre joueurs titulaires de la neuvième année. J'étais meilleur au football qu'au hockey, j'aurais fait l'équipe des étoiles s'il y en avait eu une, mais même quand j'ai fait une interception cruciale au troisième quart de notre match éliminatoire contre Tecumseh High School en neuvième année, c'était pas comme ce que je m'étais imaginé que ce serait. Sauf une fois.

Le jour où on a appris qui faisait l'équipe et qu'on nous a donné nos casques, on nous a demandé de les garder dans nos casiers jusqu'à ce que le vestiaire soit rénové, mais j'ai caché le mien dans mon sac de gym et l'ai rapporté chez moi. Sur le chemin du retour en autobus, j'ai dézippé mon sac Adidas deux ou trois fois pour m'assurer que le casque était toujours là. Ça sentait bizarre dans la maison quand j'ai ouvert la porte, toxique ; mes parents étaient dans le salon et peinturaient les murs, ma mère tenant l'escabeau avec ses deux mains pendant que mon père sur la quatrième marche s'efforçait à ce que le blanc rejoigne le blanc là où le mur rejoint le plafond.

« Salut.

— Allô, mon gars », ma mère a dit, me regardant en tenant l'échelle. Mon père a rien dit, concentré à faire une ligne droite avec son pinceau. Ils pouvaient pas savoir ce qu'il y avait dans mon sac, mais j'étais déçu qu'ils soient pas aussi excités que moi. Le radio-réveil sur le dessus du frigo, comme d'habitude, était sur CFCO, The Great Voice of the Great Southwest, la seule station de radio de Chatham,

«Breaking Up Is Hard to Do», de Neil Sedaka. J'avais honte de connaître toutes les paroles par cœur.

Je suis allé dans ma chambre, j'ai sorti mon casque de football, puis je me suis caché dans la salle de bain et j'ai barré la porte. J'ai lentement mis le casque sur ma tête et j'ai fixé la courroie. J'avais l'air d'un joueur de football. J'ai défait la courroie de plastique blanche et je l'ai fait pendre sur mon col. J'avais l'air d'un joueur de football sur les lignes de côté ou sortant du terrain. Je me suis regardé sous tous les angles, le casque dans des positions légèrement différentes, et chaque fois, j'avais toujours l'air d'un joueur de football. Même si la porte de la salle de bain était fermée, j'ai entendu la musique à la radio s'arrêter et la voix d'un présentateur que je reconnaissais pas a rapporté que le président Reagan s'était fait tirer dessus et qu'on l'avait emmené à l'hôpital, on sait rien de son état pour le moment.

J'ai tiré mon casque par la grille pour mettre mon visage à découvert, j'écoutais ce qui était maintenant un tas de voix différentes à la radio, en train de discuter de la fusillade. J'ai entendu mon père dire «Passe-moi le ruban adhésif», et ma mère répondre «Tu le veux où?» et mon père dire «Passe-le-moi, je vais le faire moi-même.»

Il y a plus eu de musique; les voix à la radio continuaient de parler, la plupart en même temps, chacune très rapidement. J'ai remis mon casque et rattaché la courroie sur mon menton. J'avais l'air de Jack Lambert, je me suis dit, le secondeur au centre All-Pro des Steelers de Pittsburgh. J'avais l'air d'un vrai joueur de la NFL. J'avais l'air d'un joueur de football.

Un déjeuner de speeds noirs qu'il fait descendre avec du mauvais café de halte routière fortifié d'un doigt boudiné de brandy médiocre et Jack est prêt à reprendre la route – l'air d'un patient ébouriffé se faisant escorter vers l'institution d'où il avait réussi à s'échapper, mais droit et alerte dans le siège du passager, à regarder partout en parlant à Joe. Se parlant à lui-même. Se parlant à lui-même en parlant à Joe.

«Oui», que Joe a acquiescé, mais acquiescé à quoi, il n'en était pas sûr, car il essayait de regarder la route tout en lisant la carte étalée sur le volant. Hier, il n'aurait pas hésité à demander à Jack de prendre la carte et de trouver leur raccourci. Il semblait impossible qu'hier puisse vraiment être hier. Chaque heure avec Jack était comme une semaine avec n'importe qui d'autre. Ce qui évidemment était une chose merveilleuse – la raison pour laquelle être avec Jack Kerouac c'était comme être avec personne d'autre. C'était aussi pourquoi Joe semblait avoir pris dix ans dans les dernières vingt-quatre heures. Mais ça ne faisait pas une décennie, seulement une journée. Sinon, Billy serait peut-être déjà revenu.

«Et je veux envoyer ça (Jack a brandi la carte postale qu'il avait achetée à la halte routière) dès que possible. » Il n'arrêtait pas de s'éventer avec, comme pour se rafraîchir, mais la matinée était merveilleusement claire et éclatante et plaisamment fraîche. Être lendemain de veille par une matinée pareille était péché, se disait Joe. Il a pris une Chesterfield du paquet dans la poche de sa chemise et l'a mise de côté dans sa bouche sans prendre la peine de l'allumer.

« Bien sûr. »

Après qu'ils ont trouvé un magasin où acheter de l'alcool puis s'être assis sur une banquette près de la fenêtre à la halte routière et que Joe a commandé pour les deux – des œufs brouillés et du bacon et des patates maison pour lui ; un café, noir, avec des toasts de blé entier sans beurre pour Jack –, Jack était allé à la toilette des hommes après avoir réussi à ingurgiter et à garder sa tasse inaugurale de repas liquide du matin. En revenant à la table, les cheveux fraîchement mouillés, soigneusement et sévèrement séparés à droite, il tenait la carte postale à la main.

« Pour Mémère », avait-il dit, la tenant dans les airs et s'assoyant. Il avait pris une autre gorgée de café, pris le stylo de sa poche, écrit.

Parfois les gens demandaient à Joe – pas les gens de Lowell, mais les gens avec qui il avait été à l'université, disons – comment était Jack Kerouac. « C'est une gang de gars à lui tout seul », voilà ce qu'il répondait toujours.

Combien d'hommes de quarante-six ans pensent à écrire à leur mère deux jours après être partis, même après un réveil en delirium tremens ? Jack était un bon fils. Combien de journalistes vampires rôdant autour de Lowell pour trouver ce qui se cache vraiment derrière le roi des Beats ont écrit là-dessus ?

« En as-tu pris une pour Stella ? » a dit Joe.

Jack a levé l'index et a continué à écrire. Il avait une gale sur le poing. « Attends. »

Joe s'est permis de lire ce qu'il pouvait. *Le Maine c'est beau, Ma, vous aimeriez ça.*

« O.K., a dit Jack, retournant la carte postale, remettant le stylo dans la poche droite où il gardait toujours son petit carnet rouge à spirale.

— Est-ce que t'en as une pour Stella aussi ? Elle aimerait probablement ça que tu lui dises allô. »

La carte postale de Mémère était sur la table, entre eux. Un énorme homard en maillot de bain jaune vif avec des lunettes de soleil noires se tenait sur une belle plage ensoleillée en agitant l'une de ses pinces. En haut, c'était écrit : *WELCOME TO MAINE !* Jack a médité un instant en regardant le homard souriant ; il a retourné la carte, repris son crayon.

Sous *Affectueusement, Jacky XXX*, il a écrit : *Hey Stella, Joe fait dire allô !*

La plupart du temps, c'était juste ma mère et moi, pendant que mon père était au travail ou s'occupait de la maison quand il travaillait pas, coupant le gazon ou lavant la voiture ou réparant tout ce qui avait besoin d'être réparé. Parfois il était à la maison, mais c'était quand même juste nous deux : « Oublie pas de faire attention, ton père dort, il faut qu'il aille travailler ce soir. » Donc : monte pas le son de la télé, ramène pas d'amis pour jouer après l'école, ma mère courant toujours pour décrocher le téléphone qui sonnait jamais plus qu'un coup et demi.

Être l'homme de la maison avait ses avantages. Si mon père travaillait en après-midi, le shift de quatre à minuit, je pouvais parfois choisir ce que j'avais envie de manger pour souper – des saucisses Pillsbury trempées dans la moutarde, des bâtonnets de poisson et des frites, des sandwichs au saumon avec plein de cornichons tranchés mélangés avec du Miracle Whip – et j'avais toujours le droit de m'asseoir devant la télévision, tant que j'utilisais une table d'appoint. On avait un ensemble de quatre, chacune de couleur différente et avec quelque chose d'écrit dessus. Sur l'orange c'était *GROOVY*, la mauve *FAR OUT*, la jaune *WOW*, la bleue *YEAH*.

Je prenais toujours le plateau mauve. Ma mère, qui regardait la télé avec moi pendant qu'elle mangeait son souper, avait pas de table préférée.

Ma mère me laissait regarder ce que je voulais. On mangeait notre souper en regardant *Gilligan's Island, Hogan's Heroes, Green Acres, The Partridge Family, The Brady Bunch*. Peu importe l'émission qu'on regardait, on riait jamais, tout comme tu ris jamais quand tu lis les comics dans le *Windsor Star* du samedi, mais c'était mieux que de regarder ta nourriture en la mangeant. Toutes les chaînes de télé étaient américaines et parfois c'était frustrant. J'avais déjà goûté aux barres de chocolat Snickers et aux Mars et aux Milky Way, mais la publicité à la télé disait que la Hershey était la Grande Barre de chocolat américaine et j'en avais jamais vu une, encore moins essayé pour voir si c'était vrai.

« M'man, pourquoi on peut pas avoir de Hershey ?

— C'est américain.

— Mais il y a en plein d'autres qui sont américaines et on peut les avoir.

— Les Hershey, tu peux seulement les trouver aux États-Unis », qu'elle disait, et c'était tout, je pourrais jamais savoir ce que la Grande Barre de chocolat américaine pouvait goûter.

J'ai trempé une frite dans la masse informe de ketchup dans mon assiette en regardant Gilligan tomber d'un cocotier sur le Capitaine et je regrettais qu'on vive pas aux États-Unis où toutes les bonnes choses se trouvaient.

Ces enfants n'étaient pas les siens – il n'avait pas réarrangé l'alphabet et transfusé son âme pour engendrer ça, une génération de cyniques fiers et pleins d'esprit, et de braillards moralisateurs et politicailleurs, d'intellectuels méprisants pressés de critiquer les étoiles en déclin et les couchers de soleil ardents et tous les autres petits miracles de l'ordinaire. À se racler la gorge, à remonter leurs lunettes en écaille sur leurs nez, à trouver extrêmement curieux qu'un homme mature puisse vouloir vivre avec sa vieille mère. Ginsberg, par exemple, Ginsberg qui avait lancé sa propre mère aux chiens de l'éternité, la laissant mourir dans un asile de fous parce qu'il ne voulait pas l'aimer suffisamment. Ou les hippies et les yippies et les décrocheurs et les fugueurs. Les fugueurs comme le propre fils de Joe, seulement quinze ans et déjà – allez, dis-le, *dis-le* – sur la route.

Est-ce que ces gens-là lisaient au moins ses livres, avaient-ils compris quoi que ce soit dans tout ce qu'il avait dit ? Eh bien, non. Et regarde dans le miroir, sois pas aussi stupide, comment tu peux être aussi crissement naïf ? Le magazine *Mademoiselle* ne consacre pas trois pages aux poètes de la

Renaissance de San Francisco simplement parce que les filles de la rédaction trouvent que les tirets cadratins que Jack et les gars ont placés d'une main experte swingent vraiment ou parce que leur utilistion collective du vers projectif d'Olson est carrément géniale. Le détergent à vaisselle Dove, l'un des bons, très bons commanditaires des nouvelles du soir de CBS, veut des discussions animées sur l'actualité et/ou les tendances culturelles, pas du jaspinage de malade vomi en ondes pendant la cruciale diffusion nationale de l'heure du souper.

« Je suis avec Jack Kerouac, auteur du best-seller controversé *Sur la route*. Jack, pourriez-vous expliquer à nos téléspectateurs ce que vous voulez dire exactement quand vous écrivez que quelqu'un est un Beat ? Est-ce qu'il y a, par exemple, un âge limite pour être un Beat ? Ou, par exemple, est-ce qu'une personne peut être identifiée comme étant un Beat seulement par son style vestimentaire ?

— "Beat" signifie béatifique, être dans un état de béatitude. Ça veut dire accepter – aimer – tout de la vie, être sincère, généreux, cultiver la joie du cœur.

— Dites-moi, Jack : conduisez-vous une moto-cyclette ? »

Sa mère comprenait.

Sa mère qui ne s'était rendue qu'à la page 34 de *Sur la route* et à qui Jack ne laissait pas lire *Les souterrains* parce qu'il savait qu'elle n'approuverait pas la liaison du narrateur avec une négresse. Sa mère qui ne laissait pas Ginsberg et Orlovsky entrer chez elle quand ils venaient visiter Jack à Northport parce qu'ils étaient des mauvais garçons qui voulaient attirer des ennuis à son bon garçon Jacky : « Retournez chez vous mauvais garçons et restez loin de mon bon garçon.» Sa mère qui se méfiait des juifs et de tous les autres sales étrangers autant que des Noirs, des communistes et des gens qui portaient des barbes. Sa mère qui, après que son mari est mort du cancer de la rate quand Jack avait vingt et un ans (demandant une seule chose à son fils sur son lit de mort: «Prends soin de ta mère, s'il te plaît»), mettait son réveil à 6 h 15 six matins par semaine et prenait le métro pendant trente minutes pour aller travailler à l'usine de chaussures tandis que Jack dormait jusqu'à midi après avoir travaillé la moitié de la nuit sur son premier roman, trouvant toujours au réveil son bol de céréales préféré et son verre de jus d'orange posé sur la table de la cuisine tout juste à côté du *Times* du jour déroulé et d'une boîte de Corn Flakes.

Vingt ans et quatorze livres plus tard, après l'attaque de Mémère qui ne pouvait plus prendre soin d'elle et encore moins de Ti-Jean, Jack avait téléphoné à Stella Sampas, à Lowell. Ils étaient sortis ensemble quelques semaines quand ils étaient adolescents, et c'était la sœur de Sammy, son meilleur ami d'enfance. Jack avait l'habitude de dire à ses amis de New York qu'il y avait une gentille fille grecque qui l'attendait à Lowell, pour ses vieux jours, quand il serait temps de se fixer. Il avait juste quarante-quatre ans, mais le temps était venu.

Stella portait des lunettes épaisses en plastique noir et était un peu enveloppée et n'avait jamais vécu ailleurs qu'à Lowell, mais elle avait un bon cœur. Soûl, Jack avait appelé John Clellon Holmes, interurbain, lors de la réception du mariage, et le lui avait dit.

Dans le bruit, par-dessus la musique grecque bruyante, il avait dit : « Je viens de marier une fille au cœur d'or, John. Tu vas voir, tu vas l'aimer, Stella. Je te le dis, John, elle a vraiment un bon cœur, elle va vraiment bien prendre soin de ma mère. »

J'allais plus au centre d'achat les vendredis soirs avec mes parents aussi souvent qu'avant, mais j'étais avec eux cette fois-là. Le gars à la caisse chez Coles était vieux, mais pas aussi vieux que la femme au magasin du centre-ville. Il avait les cheveux jusqu'au collet, des favoris et une moustache tombante, et semblait tout droit sorti de *Saturday Night Live*.

J'ai demandé : « Est-ce que vous avez le livre *Sur la route* ? » J'espérais qu'il y ait pas un autre livre qui s'appelle *Sur la route*.

« Je pense pas, mais laisse-moi regarder. »

Je l'ai suivi jusqu'à une petite étagère de livres sous l'enseigne *Littérature*.

« En effet, on l'a pas, désolé.

— Ça serait pas dans *Fiction* si vous l'aviez ? C'est un roman.

— Non, je sais quel livre tu cherches, si j'avais quelque chose de Kerouac, ce serait ici. »

Quai-roue-wack. Quai-roue-wack. Quai-roue-wack. Quai-roue-wack.

« O.K. »

Le gars a pris un livre de poche sur l'étagère. « On a *Le festin nu*, de William Burroughs. Lui et Kerouac étaient amis, ça pourrait t'intéresser. »

J'ai regardé le livre dans ses mains. «Merci, mais je veux *Sur la route.*

— Tu pourrais regarder à la bibliothèque.

— O.K. Merci.»

Il a dit: «Bonne chance», et je suis sorti du magasin pour aller rejoindre mes parents à l'autre bout du centre d'achat, au Woolco. Ma mère était probablement en train de faire le tour des vêtements pour femme, mon père dans le rayon automobile, en train de parler avec quelqu'un qu'il connaissait.

J'avais déjà dix-sept ans, deux ans de plus que Morrison quand il avait lu *Sur la route.*

Quai-roue-wack. Quai-roue-wack. Quai-roue-wack. Quai-roue-wack.

Ça commençait à être urgent.

Il y avait deux façons de voir les choses.

Soit : un soleil réchauffeur d'âme et une brise douce et apaisante, et, vite, oublie pas de ralentir et de regarder par la fenêtre tout ce que Dieu nous a donné pour nous réconforter, nous calmer, nous rappeler pourquoi on est ici.

Ou : une étoile mourante stupide qui ne sait rien faire d'autre que de nous griller vivants pendant que le vent porte la puanteur de l'Ouest comme de l'Est comme de toutes les autres directions. Et Dieu est une proposition conceptuelle formulée par une nécessité psychologique. Et surtout, refais pas le calcul, tu risques de comprendre que tu t'es pas trompé.

Il y avait deux façons de voir toute chose, tout le monde savait ça. Dedans égale dehors. Tu vois ce que tu ressens. Chimie couleurs perception. Et la chimie de Jack n'était pas si bonne. Pas seulement aujourd'hui, sur le siège passager de la Chrysler Newport de Joe, à moins d'une demi-heure, enfin, de la frontière canadienne/québécoise, mais tous les jours. Après un certain temps passé devant la télé à boire des boilermakers de Johnnie Walker Red Label et de Schiltz malt liquor, le simple fait d'être de bonne humeur devient un acte physique extrêmement improbable. Penche-toi sur Emerson et l'autosuffisance ou le Bouddha et l'autoannihilation ou Whitman et la célébration de son beau petit soi jusqu'à ce que tes yeux deviennent rouge vin, mais si le corps est malade, il y a des chances pour que l'esprit le soit aussi. Jack, plus que quiconque – un joueur étoile dans trois sports à l'école secondaire –, aurait dû comprendre ça. Comprenait ça, en fait. Ne voulait rien d'autre que ça.

Voulait: des matins enthousiastes; des sommeils profonds; des muscles fatigués; de la sueur méritée; une fatigue heureuse; des joies faciles; une santé d'animal; d'honnêtes béatitudes; de petits émois; un désir paisible; une confiance tranquille; des pensées claires. Des pensées claires, oui.

Des pensées comme celles qu'il avait eues en rentrant chez lui, le soir, de la bibliothèque publique de Lowell (le bibliothécaire avait eu à lui demander non pas une, pas deux, mais trois fois de bien vouloir apporter les ouvrages qu'il voulait au comptoir de prêt parce que la bibliothèque allait fermer), des pensées si claires, si vraies, si indéniablement, manifestement *présentes* qu'il semblait presque inutile de les écrire tellement elles semblaient vraies, aussi vraies que le froid des flocons de neige qui s'écrasaient sur son visage, que le son des semelles de ses souliers claquant sur le trottoir glacé, que la sensation du poids des livres empruntés coincés sous son bras.

Il fallait qu'il les écrive, par contre, car qu'est-ce qui se passerait s'il en oubliait ne serait-ce qu'une, quand il irait rejoindre Sammy un peu plus tard pour leur sundae au fudge chaud quotidien ou pour quelques verres de bière mousseuse à dix cents? Une pensée impensée n'existe pas. L'amour, par exemple, a besoin d'amoureux pour vivre ; Dieu, de croyants pour respirer. Dix-huit ans et la tragédie d'une idée qui n'est pas venue au monde ; pire, une idée avortée. Dix-huit ans et un mardi après-midi nuageux de février, c'est tragique.

Jack passait l'été à la maison après son année à Horace Mann, se couchait tard et buvait des bières avec les gars et lisait Jack London et Thomas Hardy toute la nuit – bien emmitouflé sous la courtepointe cousue par Mémère en mangeant du beurre d'arachide et des biscuits Ritz, en attendant l'appel de Columbia pour la rentrée en première année d'études et que son avenir prometteur commence enfin comme promis – quand, sous sa fenêtre qui donnait sur Gershom Avenue : « Jack-yyyy, Jack-yyyy. »

Sammy était le genre de gars qui n'allait pas directement à la section des sports du journal, qui avait envie de savoir ce qui s'était passé hier à l'autre bout du monde dans un pays dont personne n'avait jamais entendu parler. Le genre à se lever dans un restaurant pour réciter du Shelley et du Byron de mémoire. Le genre à marcher dans Lowell avec la bande les samedis soirs vêtu du pardessus noir trop long de son père et à utiliser un fume-cigarette pour ses Chesterfield. Le genre à dire à Jack dès leur première rencontre qu'il prévoyait d'aller au Emerson College et étudier l'art dramatique et écrire ses propres pièces de théâtre et un jour y jouer le rôle principal et être metteur en scène et devenir un grand auteur de Hollywood. Le genre que le père de Jack appelait Sampas, la petite femmelette grecque, que les autres gars enduraient parce qu'il était l'ami de

Jack mais qui pouvait vraiment être emmerdant, maudit Sampas.

« Jack-yyyy, Jack-yyyy. »

Quand on est chanceux, on rencontre les amis qu'on a besoin de rencontrer, au moment où on a besoin de les rencontrer. Jack était chanceux. Quelques années plus tôt, au Bartlett Junior High, il avait empêché des plus vieux de donner une volée à Sammy dans la cour de récréation, et Sammy s'en souvenait, avait entendu dire que Jack était un lecteur, lui aussi, maintenant, qu'il écrivait de longues lettres à ses copines, que c'était comme de bons grands poèmes.

« Ben oui, je sais qui t'es », a dit Jack, appuyé sur les coudes, appuyé sur le rebord de la fenêtre. Les Français à Lowell avaient tendance à se tenir avec les Français, mais tout le monde connaissait les Sampas ; les frères Sampas étaient tous de bons athlètes, avaient tous les mêmes cheveux noirs frisés et souriaient tout le temps. Tout le monde aimait les frères Sampas.

« Qu'est-ce que tu lis ? a demandé Sammy.

— Hardy. London. Whitman. Thoreau. Dickinson. » Jack se surprenait lui-même, impressionné par sa liste de présence.

« Pas pire, pas pire. »

Ce fou de Grec, il est fou, s'est dit Jack. Qui est-ce qui se tient sur le trottoir en criant à quelqu'un quatre étages plus haut pour lui demander ce qu'il est en train de lire ?

« As-tu lu Saroyan ?

— Jamais entendu parler.

— Oh boy, tu sais pas ce qui t'attend, je vais te le prêter, *L'audacieux jeune homme au trapèze volant*,

116

je vais te prêter le mien. Je vais te dire une chose, Jack, je t'envie, je t'envie vraiment, tu sais pas ce qui t'attend.»

Quand Sammy serait allé au Emerson College comme il avait dit qu'il le ferait – avant de s'enrôler dans le corps médical de l'armée deux ans plus tard et de mourir de la gangrène dans un hôpital à Tanger après s'être fait tirer dessus par les Allemands sur une plage à Anzio, et après que Jack a épousé sa sœur, Stella, vingt-quatre ans plus tard –, Jack dirait à sa femme qu'il se souvenait de deux choses à propos de son frère.

Premièrement, qu'il chantait « Begin the Beguine » sans aucune raison, ce qui est toujours la meilleure raison pour faire quoi que ce soit. Assis au restaurant, debout dans un cadre de porte, en traversant un pont, en disant bonne nuit dans la rue… N'importe quand, et sans aucune raison.

Deuxièmement, il ne se rappelait aucune réplique, aucun vers, de toutes les pièces de théâtre ou des poèmes que Sammy lui avait montrés, mais il se rappelait encore comme il s'était senti courageux quand il les avait entendus, qu'ils lui avaient donné l'envie de penser et de dire et de faire des choses courageuses. Il avait lu beaucoup de livres depuis ce soir d'été 1938, quand Sammy s'était tenu sous sa fenêtre en criant son nom – beaucoup écrit, aussi – mais ça faisait longtemps, très longtemps qu'il n'avait eu envie d'être courageux.

« C'est quoi ça? a fait Joe. Je la connais, cette chanson-là.»

Jack a arrêté de fredonner, s'est affalé encore plus profondément dans son siège. «J'ai oublié, a dit Jack.

— Non, je le sais, je sais que je le sais. C'est "Begin the Beguine"? Wow, j'ai pas entendu cette chanson-là depuis des années.

— Je te l'ai dit, a répété Jack, j'ai oublié.»

Mon meilleur ami, c'était Sean. J'avais six ans et il était noir et c'était pas important. Je me souviens pas de ce que j'aimais chez lui ou de comment il était devenu mon meilleur ami, mais c'était mon meilleur ami.

Jusqu'à ce que j'aie sept ans et qu'on déménage en banlieue, on habitait sur la rue Park, dans l'Est, la partie pauvre de la ville, où la majorité des Noirs de Chatham vivaient, et même si mes parents ni personne dans la cour d'école le disaient, les Noirs, c'était pas bon signe, il fallait les éviter, c'étaient toujours eux qui recevaient la strap à l'école ou qui s'insultaient entre eux sur le chemin du retour ou qui se tenaient ensemble devant le Sterling Variety en été après la tombée du jour. Quand je regardais par la fenêtre arrière de notre voiture en chemin vers n'importe où, je les voyais se tenir, là, et personne avait besoin de me dire quoi que ce soit, je *savais* qu'ils étaient mauvais.

Sean et moi, on jouait toujours chez moi. J'avais un jeu de hockey sur table et toutes les sortes de ballons de sport imaginables et ma mère nous donnait des biscuits et du lait et parfois des Wagon Wheels et des sodas à l'orange, mais même si elle m'aurait laissé y aller, Sean m'invitait jamais chez lui. En fait, c'est ma mère qui m'a appris que Sean avait pas de papa, que sa mère était toute seule pour s'occuper de Sean et de ses frères et sœurs.

« Il est où, son papa ?

— Il est parti.

— Est-ce qu'il est mort ?

— Non, elle a dit. Il est juste parti. »

J'avais d'autres amis – Hector, qui vivait de l'autre côté de la rue ; Bill, qui était dans la même classe que moi et dont le papa avait joué au hockey avec mon papa – mais c'est Sean que ma mère aimait le plus. C'était mon meilleur ami, donc j'étais content, mais parfois j'étais pas certain. Chaque fois qu'elle nous servait nos collations, Sean disait : « Merci, madame Robertson », et moi je me servais et je commençais à manger et il fallait toujours que ma mère dise : « Qu'est-ce qu'on dit, Ray ? »

Moi, je disais : « Merci », en mastiquant.

Et la façon dont il le disait – « Merciiiiiiii, madame Robertson ! » – et dont ses yeux grossissaient, devenaient plus ronds, plus blancs, quand il voyait ce qu'elle nous avait apporté. Voyons donc, je me disais, c'est juste des biscuits à l'avoine et du lait, pas du gâteau au chocolat avec de la crème glacée ou de la tarte à la citrouille avec du Dream Whip ou, mon préféré depuis toujours, du gâteau au fromage et aux cerises Sara Lee, que j'avais toujours à mon anniversaire et que ma mère servait toujours un peu congelé parce que c'est comme ça que je l'aimais.

« Il a pas toutes les choses que tu as, a dit ma mère une fois.

— Comment ça ?

— Parce que sa mère les achète pas pour lui.

— Comment ça?» C'était pas comme si elle avait à les faire, elle avait juste à aller à l'épicerie.

«Parce qu'ils peuvent pas se le permettre.

— Comment ça?

— C'est comme ça. Et tu devrais être plus reconnaissant, comme lui.»

Une année, pour la fête des Mères, notre maîtresse d'école Mme Jackson nous avait fait faire des cartes de fête des Mères qu'on pouvait rapporter à la maison pour nos mamans. On avait coupé le papier de bricolage nous-mêmes après avoir choisi la couleur qu'on voulait et on avait collé des macaronis secs et des étoiles argentées et des soleils et des lunes partout dessus. Après la décoration, on était censé écrire dedans, avec des crayons-feutres de toutes les couleurs, pourquoi on aimait nos mamans. J'avais pas d'idées, donc j'ai juste écrit *JE T'AIME RAY*. Mais en gros, j'étais assez satisfait du résultat final. Il y avait des macaronis tout autour en bordure de la carte, et des lignes de soleils, d'étoiles, de lunes séparant le *BONNE* de *FÊTE* de *DES MÈRES*.

Sean et moi, on a marché ensemble de l'école puis on s'est arrêtés chez moi pour jouer au hockey sur table. J'avais non seulement les joueurs de Toronto et de Montréal qui venaient avec le jeu, mais aussi les joueurs de toutes les autres équipes reçus à part à Noël, l'année précédente, incluant Vancouver et Buffalo, les deux nouvelles équipes de la LNH. Après avoir sorti le jeu de sous lit, j'ai donné ma carte à ma mère.

«Hon, si c'est pas beau, elle a dit, en la lisant puis la refermant pour regarder le dessus encore une fois. Merci beaucoup, Ray.»

J'ai saisi l'occasion : « Est-ce qu'on peut avoir des biscuits ?

— Oh, je pense bien que oui. Laisse-moi juste la mettre sur le frigo pour que ton père la voie quand il va revenir du travail ce soir.

— J'en ai fait une moi aussi, a dit Sean.

— Tiens, laisse-moi voir », a dit ma mère.

Sean a sorti sa carte de la poche de sa veste. Il avait pas de boîte à lunch comme moi pour transporter son matériel scolaire et son lunch.

Ma mère a pris le temps d'admirer la carte de Sean même si elle était deux fois moins belle que la mienne, juste un tas de macaronis et d'étoiles et de lunes et de soleils plantés n'importe comment. Puis, elle a ouvert la carte et lu ce qu'il y avait à l'intérieur, prenant plus de temps qu'on aurait cru que ça prenne pour la lire.

Enfin, ma mère la lui a remise en disant : « T'es un très bon fils, Sean. Ta mère doit être très, très fière de toi. Je vais aller te chercher un sac de plastique pour mettre la carte dedans comme ça quand elle va la voir, elle va être exactement comme tu l'as faite. »

Sean s'est assis les jambes croisées à côté de moi et a commencé à m'aider à enlever les joueurs de Detroit que mon père avait pris la dernière fois qu'on avait joué. On allait jouer Vancouver contre Buffalo. Les gardiens de but des Canucks et des Sabres étaient cool. Contrairement aux autres gardiens de but, ils portaient tous deux des masques en plastique blanc.

J'ai dit : « Laisse-moi voir ta carte. » Il me l'a donnée sans lever les yeux, tout en arrachant les joueurs de Detroit.

Je t'aime maman parce que tu me fais des grilled cheese, qu'il avait écrit.

Des grilled cheese, je me suis dit. C'est con. Tout le monde s'en fout, des maudits grilled cheese !

Il pouvait être bon. Il voulait être bon. Il savait comment être seul.

Il n'y a pas si longtemps, après tout, puisqu'il se souvenait encore de ce Jack Kerouac en particulier, un «saint muet de l'esprit», si discipliné celui-là, étranglé par l'avidité d'un jeune homme qui veut tout voir toucher goûter comprendre, les indicibles visions individuelles déclamées comme dégueulées dans d'innombrables petits calepins rouges de joies secrètes griffonnées, des tics visionnaires à faire frissonner la poitrine de quiconque resterait assis assez longtemps pour se confesser sa propre vie afin que l'univers vide tout entier entende. Un monde sans fin à l'intérieur du mot : stylo, papier, silence.

Ou Symphony Sid à la radio passé minuit après une bonne journée de travail ; une chandelle, un demi-joint, et laisse Dizzy ou Bird ou Lester prendre le volant un moment, laisse l'un d'eux faire en sorte que la vie vaille la peine d'être vécue ; ou bien, en cas de fatigue existentielle, de gros chœurs de Bach ou d'éclatantes symphonies de Ludwig B. ou une percutante *Passion selon saint Matthieu* rugissant des haut-parleurs hi-fi dans laquelle disparaître, dans laquelle errer et de laquelle jaillir quand tout a été chanté, ressuscité et prêt à être vivant, vraiment, réellement vivant.

Pas besoin de jouer les artistes qui pètent plus haut que le trou, non plus – sors dans la cour arrière à 3 heures du matin et tends l'oreille aux arbres ; lève les yeux et imprègne-toi des étoiles ; admets que le chat du voisin qui marche sur le bout des pattes le long de ta clôture est une œuvre d'art parfaite, inchangée ; va te coucher de bonne heure pour faire changement, achète tout ce qui est sur la liste d'épicerie sur le frigo, déblaie le trottoir du voisin quand tu as fini de pelleter le tien, double les paiements de l'hypothèque quand tu le peux et qu'il t'en reste quand même assez pour faire une surprise à ta mère en lui offrant le mélangeur électrique qu'elle a vu à la télé.

Reste à la maison avec Mémère et les chats. Mémère myope qui raccommode des vieux bas et des chemises déchirées par la ville – tristes souvenirs d'une fin de semaine de frénésie vide et ridicule à New York – à la lumière sale de la fenêtre de cuisine, un chaudron de patates épluchées bouillonnant sur le feu et Tyke qui miaule sous la table pour avoir son repas. Et la chambre de Jack – la salle de travail de Jack – fraîchement époussetée par Mémère ce jour-là et soigneusement rangée avec les draps du lit changés et un paquet de lessive propre rangé dans le bon tiroir de commode. Plus tard, en soirée, Mémère s'installe dans son fauteuil et regarde ses histoires à la télévision pendant que Jack lit le *Sūtra du diamant* ou relit Proust dans sa chambre ou s'assoit à son bureau et met une autre feuille dans la machine à écrire et la recouvre des petites marques noires de sa vie. Et demain, et le soir d'après, la même chose, amen.

Après que *Sur la route* a fait de Jack une célébrité qu'on s'arrachait, un éditeur lui avait demandé un manifeste sur sa poétique, et il avait composé *Belief & Technique for Modern Prose*, une liste de trente notions de base pour bien écrire. Le numéro trois disait : « Essayez de jamais vous soûler en dehors de chez vous. »

Il savait. Il savait.

C'est faux ce qu'on dit. Un cheval *est* capable de pondre un œuf. Peut-être pas le genre d'œuf que tu veux, mais un œuf quand même.

Chaque fois qu'on allait au centre d'achat, je retournais à la librairie voir s'ils avaient *Sur la route*. Peut-être que quelqu'un avait vu la lumière et enlevé des tablettes tous les livres de photos de chats et de voitures de course pour les remplacer par des exemplaires de *Sur la route*. Ouais, c'est ça. Ça m'était jamais venu à l'esprit de le commander, et personne m'avait proposé de prendre mon argent et de me le commander et de faire le suivi et d'être patient, parce que ces choses-là prennent du temps. Mais chaque fois qu'on allait au centre d'achat, je retournais à la librairie voir s'ils avaient *Sur la route*.

Près de la sortie, près de la caisse, il y avait une grosse boîte pleine de livres en solde : des albums de hockey et de football et de baseball vieux de deux ans, des livres sur les régimes à la mode plus vraiment à la mode, même des livres qui valaient la peine d'être déterrés, comme celui que j'avais trouvé sur les Grateful Dead, une aubaine à 2,98 $, le seul problème autant que je sache étant la marque de feutre noir sur le haut de la tranche et le fait que j'avais jamais vraiment entendu la musique du groupe. Chez Sam the Record Man, il y avait des séparateurs de section pour Grand Funk Railroad et Bobby Goldsboro, mais pas pour Grateful Dead.

Plongé jusqu'aux coudes dans une mare de liquidations, luttant contre les vagues incessantes de ventes «absolument finales»: *Les vies parallèles de Jack Kerouac.* J'avais jamais vu sa photo avant, tout ce que je savais de lui c'était le peu que j'avais appris dans la biographie de Jim Morrison, mais le portrait sur la couverture, debout devant un mur de briques sale avec une cigarette dans la bouche et un guide du serre-frein sortant de la poche de son coupe-vent, c'était exactement ce que j'avais imaginé. On aurait dit qu'il savait des choses qu'il lui en avait coûté de savoir. Que peu importe où il se trouvait, il avait toujours besoin d'être ailleurs. Qu'il se savait être le genre de personne à finir un jour sur la couverture de sa propre biographie en format de poche. On aurait dit James Dean avec du génie.

«Est-ce que t'as trouvé tout ce que tu cherchais? a dit le gars derrière la caisse.

— Oui.»

Les pommes et les oranges et les demi-réussites ne sont jamais suffisantes. Il n'a jamais dit que c'étaient des romans – il disait le contraire, en fait – alors pourquoi en faire toute une histoire ? Il n'y a que les fous ou les critiques littéraires pour demander à une fourchette de faire la job d'une cuiller.

Bon, O.K., pas des romans – des narrations picaresques, il disait ; des bulletins météo spirituels, plutôt –, mais quoi qu'il en soit, est-ce qu'ils étaient bons ? Parce que faire du neuf, ce n'est pas assez. Neuf mais mieux, c'est ce qui compte vraiment.

« Le roman est mort, a dit Jack. Je suis bien placé pour le savoir, j'ai aidé à l'écriture de son cadavre froid, il y a des années de ça. » Et la raison pour laquelle il était mort, c'est que « la vie n'a pas de dénouement, donc l'art véritable ne devrait pas en avoir non plus ». Prends ça, James Michener. Toi aussi, Arthur Hailey. Dans les dents, Herman Wouk.

En plus, il était un catholique-né à qui on avait bien appris à décharger ses péchés dans un blabla ininterrompu parce que t'oses pas être subtil et créatif quand tu confesses tes imperfections éthiques au bonhomme d'en haut.

Puis traversant le pays comme une balle de bord en bord avec son tout nouveau meilleur ami Cassady au volant jacassant du matin au soir son boniment d'Oklahoma et Jack comprenant que mon Dieu, c'est ça la littérature – un homme qui raconte simplement à un autre homme les simples humiliations et agonies et révélations toujours trop tardives qui constituent sa vie et celles de tous les autres – et non un sac de tropes truqués à trimballer et à employer professionnellement pour habilement pousser le lecteur à croire en une jolie petite rêverie conçue sur mesure pour les cercles de lecture.

Puis le jazz, soufflant et soufflant et t'arrêtant à peine pour reprendre ton souffle parce que sinon tu perds le rythme et tu rates le but et t'en fais pas avec les *oups* détonnants, c'est juste le prix à payer pour porter attention à l'essentiel, la musique.

Et puis tous les livres ne sont pas égaux, l'étendue de leur influence peut différer. Dans le cas de Jack, la pâmoison élégiaque de *L'ange exilé*, le hurlement extatique de *Feuilles d'herbe*, le délire sans fin du *Voyage au bout de la nuit* : tous trois (et d'autres encore) le transportant sur la route de sa propre inventivité désinhibée à l'extrême, l'effet durable de chaque livre résonnant comme l'inimitable cri du soi narcissique de chaque auteur, chaque homme mort plus vivant sur la page quand il écrit à partir de l'œil trouble du moi intérieur tourné vers l'extérieur, la vision inexprimable d'un individu clairement exprimée. L'honnête solipsisme, en d'autres mots, comme seul langage réellement universel. Le cœur sauvage égale une forme sauvage.

Et pourtant, pourtant…

C'est peut-être parce que la vie n'a pas de dénouement, précisément, qu'un roman doit en avoir un. Peut-être pas un de ces enfants scribouilleurs de Proust ou de Joyce, mais juste un crétin créatif trop branlant du cerveau et pas assez discipliné pour bien faire le travail. Peut-être que la première idée n'est pas la meilleure idée après tout, que c'est juste une idée décousue. Peut-être – la nuit noire de l'âme en plein midi, quand même tes pires ennemis pourraient avoir raison, quand même des refus prétentieux et des gifles critiques à l'ego semblent justifiées – « Mon Dieu, comment est-ce que j'ai réussi à leurrer autant de monde aussi longtemps ? »

Peut-être.

Mais peut-être que quand t'arraches la mauvaise herbe, t'arraches aussi le gazon. Peut-être que les prières imparfaites atteignent quand même le ciel. Peut-être qu'un cœur est toujours un cœur quand c'est vraiment un cœur.

Je suis ce que je suis.

Ainsi parlaient Popeye et cie.

Mon père cachait sa porno sur la tablette du haut de la lingerie. Ç'avait pas l'air de quelque chose que j'avais pas le droit de regarder, parce que si ça l'avait dérangé, pourquoi est-ce que je l'aurais trouvée là, parmi les taies d'oreiller et les draps propres et le jeu de Monopoly et les sacs de rechange de l'aspirateur? J'ai même pas su que la pile de magazines était là avant l'âge de onze ans, quand je suis devenu assez grand pour les apercevoir une première fois, alors ça semblait inévitable, comme si j'avais gagné le droit de voir ce que je voyais, comme si j'avais été promu.

D'ailleurs, c'est pas comme si j'étais à la recherche active de photos de femmes nues. Je savais que les filles étaient différentes, je le savais depuis l'âge de six ou sept ans – les jumelles Henry (quatre grands yeux bleus, deux longues queues de cheval blondes, identiques, calligraphie parfaite), un parfait exemple, en deuxième année, de quelque chose à être examiné, admiré, lorgné même, mais à qui on pouvait pas parler à moins que l'une d'elles nous parle en premier –, mais chaque fois qu'une beauté parfumée se tenait devant moi dans la file à l'aiguisoir ou à la fontaine, la machine à laver que j'avais à la place de l'estomac faisait pas le bruit d'une partie de fesse savonneuse débridée, même si ça remuait et tournait et brassait. Même les films de minuit sur la chaîne française que t'endurais le samedi soir, à pas savoir ce que les acteurs disaient ou ce qui se passait, dans l'espoir d'entrevoir un sein nu ou d'attraper une ombre de poils pubiens, c'était plus pour pouvoir dire que t'avais vu des choses que t'étais pas censé voir plutôt que pour voir des choses que tu voulais vraiment avoir vues.

Mais il fallait que je regarde ces magazines-là. Si j'avais su quoi faire avec, je me serais glissé dans la salle de bain et je l'aurais fait, mais personne m'avait jamais dit que mon pénis servait à autre chose que pisser et à être protégé avec une coquille de hockey, et mes parents m'avaient jamais prévenu de pas faire quoi que ce soit avec, ce qui aurait au moins été un début. Alors j'attendais d'être tout seul à la maison et je les feuilletais debout devant le placard ouvert, ce qui était pratique au cas où quelqu'un revienne à la maison et que je doive cacher mon délit à toute vitesse. Mais il *fallait* que je regarde ces magazines-là.

C'était pas comme si j'avais jamais vu une photo d'une femme nue auparavant. Des champs de maïs et de soya encerclaient notre lotissement neuf ; pour moi et Mike Howell et son petit frère Chris, et Ted Young et son petit frère Simon, c'était pas un fonds de terres de qualité à être développé plus tôt que tard, à sillonner d'allées de gravier et de nouvelles routes bitumées, à clôturer et à parsemer de cours encombrées de piscines hors terre et de meubles de jardin tout neufs et de jouets d'enfants cassés, mais des champs et des ruisseaux et des montagnes que Grizzly Adams parcourait les jeudis soirs à 8 h 30 sur le canal 7, juste après *Baretta*. Même l'apparition du sous-sol fraîchement excavé d'une maison en construction faisait l'affaire, se transformait en abri antiaérien de la Deuxième Guerre mondiale ou en lieu de rencontre après le souper où cracher et raconter des mensonges et regarder les magazines que Ted avait découverts en cherchant les balles de golf qu'il avait perdues en travaillant son coup d'approche.

Ted était le seul d'entre nous qui jouait au golf. Il disait que son père disait que s'il s'entraînait assez fort, il pourrait devenir joueur pro un jour. M. Young était correct, l'été il nous offrait des M. Freeze qui nous donnaient mal à la tête quand on les mangeait trop vite, mais il travaillait dans une autre usine que mon père, l'usine Fram, et son joueur préféré était Bobby Hull, pas Gordie Howe, que mon père considérait comme le plus grand joueur de tous les temps. Mon père disait que Bobby Hull avait un bon tir mais que ça s'arrêtait là, qu'il était paresseux et qu'il voulait jamais se salir les mains pour gagner, qu'il voulait pas payer le prix. Quand on jouait au hockey bottine, Ted prenait un bâton avec la palette courbée en forme de banane comme Bobby Hull. J'ai demandé à mon père si on pouvait courber mon bâton aussi – Ted et son père avaient déformé sa palette sur le rond du poêle – mais mon père a dit non, non seulement tu pourras pas contrôler ton tir avec une grosse courbe, mais comment tu vas pouvoir faire une bonne passe précise avec une palette comme ça?

J'étais déçu – le slap shot de Ted était celui qui te sifflait au nez le plus vite, prenait même parfois une trajectoire étrange ou redescendait soudainement comme la balle tombante d'un lanceur, au baseball – mais je savais que mon père avait raison. Ce qu'il disait aurait pas vraiment intéressé Ted, par contre. Ted semblait presque aussi heureux quand un de ses tirs passait bruyamment par-dessus le but pour disparaître au bout de la rue que quand il battait le gardien de but dans la lucarne et faisait vibrer le filet. Il passait presque jamais la balle, de toute façon, il se tenait en dehors du jeu, triait, attendait que quelqu'un lui passe la balle pour y aller tout seul en échappée.

« Celle-là est pas pire.

— Elle est correcte.

— Comme si tu pouvais voir la différence, Howell.

— Comme si tu le pouvais, Young.

— Bonne réponse, Howell.

— Mange de la marde, Young.

— Avec une cuiller ou une pelle ? »

Les Howell et Simon Young et moi étions accroupis dans le coin d'un sous-sol à moitié fini, attendant que Ted tourne la page de la revue qu'il tenait. C'est lui qui l'avait trouvée, donc c'est lui qui la tenait. La nuit tombait, c'était après le souper, mais il y avait encore assez de lumière dans le ciel pour qu'on puisse voir. En été, je devais rentrer à la maison quand les lumières de la rue s'allumaient.

« Celle-là faudrait qu'elle se mette un sac sur la tête avant que je la baise, a dit Ted.

— Je la baiserais même pas avec ta queue, a renchéri Chris.

— Tu serais obligé d'utiliser ma queue, Howell, la tienne serait pas assez grosse.

— Je prendrais la tienne, Young, mais j'aurais besoin d'un microscope pour la trouver. »

Ted et Mike avaient le même âge, étaient dans la même année, et leurs frères avaient les mêmes deux ans de moins, mais c'était Ted et Chris qui parlaient la plupart du temps et qui s'appelaient par leur nom de famille. J'avais un an de moins que les grands frères et un an de plus que les petits frères.

«Reviens-en donc, Ted», a dit Mike. Ted a attendu juste assez longtemps pour faire croire que c'était son idée, puis il a tourné la page. On s'est tous penchés pour regarder.

«Bon Dieu, a dit Ted. Celle-là devrait commencer tout de suite à porter un bon support à melons d'eau sinon ils vont lui pendre jusqu'aux genoux quand elle va avoir quarante ans.»

Un bon support à melons d'eau – je devais l'admettre, elle était bonne, celle-là. Ted voulait toujours être en contrôle et il avait tendance à rentrer chez lui quand ça faisait pas son affaire, mais il en sortait des bonnes, de temps en temps, même si elles venaient probablement de son père.

«Hey, Howell, est-ce que tu renifles la brassière de ta sœur quand elle est pas là?» Il nous souriait en le disant, même à Mike.

«Seulement quand ta mère me laisse pas sentir le sien, Young.

— Ferme ta gueule, Howell.

— Ferme ta grande gueule, Young.

— Je vais te la péter, Howell.

— Ben oui, Young, toi pis quelle armée?

— Taisez-vous, a dit Mike. Reviens-en, Ted.»

Ted a dévisagé Chris, Chris a dévisagé Ted, puis Ted a tourné la page. Il commençait à faire noir, il devenait plus difficile de voir, et on avait un magazine plein de photos de femmes nues à terminer. On s'est tous penchés.

Mais les magazines dans le placard de mes parents étaient différents.

Les magazines de Ted s'appelaient *Beaver* et *Swank* et *Juggs*, et même s'ils étaient dans un sac d'épicerie de plastique blanc quand il les a trouvés, il y avait de la boue séchée durcie sur la page couverture et le dos et même sur quelques-unes des pages, à l'intérieur. Et les femmes dans les magazines de Ted étaient toutes soit couchées sur le dos, les jambes écartées vers la caméra, et le plus souvent en train de se mettre un sein dans la bouche, soit à quatre pattes avec le derrière en l'air comme le faisait Pepilou, notre chatte, quand elle s'étirait après une longue sieste.

Les femmes dans *Penthouse* et dans *Oui*, les magazines de mon père, étaient tout aussi nues que dans ceux de Ted, mais elles semblaient pas avoir besoin de le prouver. Elles se promenaient sur la plage ou flânaient sur un canapé, et si elles étaient au lit, elles semblaient presque surprises d'être aperçues par un photographe. Pas choquées, pas excitées, juste surprises. Les images faisaient du bien aux yeux, aussi, douces et chaleureuses et accueillantes, pas comme celles des magazines de Ted, qui semblaient avoir pris les mêmes grosses lumières qu'on utilise pour éclairer les allées du Kmart. Et les magazines de mon père sentaient bon, sentaient aussi bon que tout ce qu'il y avait dans l'armoire à linge, sentaient l'assouplisseur que ma mère utilisait pour les taies d'oreiller, les draps et les couvertures.

Parfois, la nuit, surtout quand ma mère venait de changer les draps de mon lit, j'avais envie de me lever et d'aller regarder les magazines. Je savais pas trop pourquoi, et bien sûr, je pouvais pas – l'armoire à linge était au bout du couloir, entre ma chambre et celle de mes parents –, mais plus j'essayais de m'endormir, plus j'avais envie de me lever et d'aller regarder.

La seule chose qui m'aidait à m'endormir était d'essayer de me rappeler le nom des équipes de chacune des quatre divisions de la LNH. Le problème, c'est que je savais par cœur où chaque équipe jouait, de la première à la dernière, et mon esprit finissait toujours par revenir à l'armoire et aux magazines. Parfois, j'étais tellement fatigué le matin que j'avais pas envie d'aller à l'entraînement de hockey. Et quand je me levais enfin et que je me rappelais pourquoi j'étais crevé, au lieu de me sentir stupide ou gêné, j'étais excité, comme quand mon père déclarait qu'on allait manger au Ponderosa ou chez A&W, et je me disais : Peut-être que je vais être seul à la maison ce soir. Peut-être que je pourrai regarder les magazines.

Jack était pas une tapette. Jack était pas un homo. Certains de ses amis étaient des tapettes – Ginsberg, Burroughs, Orlovsky après que Ginsberg eut fini de le corrompre – et parfois on aurait dit que le monde de l'édition new-yorkais au grand complet était rose pédale au point où si tu voulais voir tes mots imprimés en caractères noirs, il fallait en payer le prix à genoux, mais Jack était pas une tapette. Surtout en vieillissant; tout comme, en vieillissant, il était pas un brûleur de drapeau radical ou un intellectuel à fonds de bouteille ou un anti-Américain communiste. Sauf quand il était particulièrement soûl.

Dans ce cas, «l'Esprit saint est partout» – chez les hétéros, les homos, et tout ce qui touche de près ou de loin à ce qu'on fait ou qu'on se fait faire.

Et «toutes ces filles à propos desquelles le grand Proust écrivait étaient des gars de toute façon».

Et Dieu qu'il se sentait seul. Se pointait à l'appartement de Ginsberg et d'Orlovsky dans le Lower East Side à 4 heures du matin après cinq ou six jours inutiles, punitifs, à faire le fou partout en ville, épuisé et crasseux et imbibé d'alcool, passant la porte en coup de vent et s'écrasant sur le divan en suppliant pour qu'on lui fasse une pipe.

«Come on, je suis vieux et rougeaud et j'ai une bedaine de bière et personne m'aime, come on, aimez-moi quelqu'un, pour l'amour de Dieu, aimez-moi.»

Dix ans plus tôt – cinq ans plus tôt –, la mâchoire carrée, les yeux clairs, Jack était l'amant au doux parfum, au corps ferme que Ginsberg savait ne jamais pouvoir posséder. Et maintenant qu'il le pouvait, il n'en voulait pas. Jack n'était plus le même. La biologie n'a pas de mémoire.

Nous, oui, en revanche. Avec un peu de volonté. Allen et Peter détachaient la ceinture de Jack et descendaient ses jeans sales et lui suçaient la queue à tour de rôle parce que c'était Jack et qu'il était leur ami et que, oui, vraiment, il était rougeaud et il avait une bedaine de bière et qu'il était seul et, de toute évidence et par-dessus tout, parce que c'était Jack, leur ami.

Cinq minutes plus tard, Jack demandait: «Qu'est-ce que vous faites? Je suis pas fif, je suis pas une tapette.

— On sait, Jack, disait Peter, on sait que tu l'es pas. On essaie juste de te remonter le moral.»

La réponse semblait le satisfaire. Jack fermait les yeux et s'enfonçait encore plus creux dans le divan.

Dix minutes plus tard ils arrêtaient de s'acharner. Il ne pouvait pas venir. Il ne pouvait même pas bander.

La radio FM était une agace-pissette, elle aussi.

Les cadeaux que tu déballais le matin de Noël et qui étaient loin d'être aussi beaux que quand tu les avais vus la première fois à la télévision dans une publicité de jouets et que t'avais su que le reste de ta vie serait entièrement dépourvu de sens et de joie si tu les avais pas, si tu les recevais pas à Noël de *cette* année. Un rêve hivernal de vacances d'été libératrices qui à partir du mois d'août, suffocant, humide et infiniment ennuyeux, se changeait toujours en rêve estival d'un septembre rafraîchissant et d'un sursis avant que l'école recommence. Même – tu voulais pas le croire, mais – toutes ces choses incroyablement extraordinaires annoncées à l'endos de toutes les bandes dessinées dont tu savais quelque part intérieurement qu'elles pouvaient pas être aussi extraordinaires qu'ils le disaient, comme le sous-marin individuel entièrement opérationnel à seulement 5,98 $, excluant les frais de manutention, ou ta propre famille de Sea Monkey avec un papa Sea Monkey dans son fauteuil sous-marin tirant des bouffées sur sa pipe pendant que la maman Sea Monkey mettait gentiment la table pour elle et lui et leurs deux enfants Sea Monkey.

Tout ça, toutes ces affaires-là : une arnaque, du vol, des mensonges. Ce qui était correct parce qu'avant t'étais juste un enfant et que maintenant tu l'étais plus, t'avais quatorze ans, et d'ailleurs, maintenant t'avais découvert la radio FM et le crisse de paradis s'était enfin crissement grand ouvert, enfin.

J'en voulais vraiment au monde entier, personne m'avait jamais dit qu'une chose telle que la bande FM existait. J'avais dû le découvrir tout seul, comme la masturbation, comme l'idée du Sacré. J'avais commencé à m'entraîner, à faire du développé couché et des flexions des bras et des flexions des jambes dans le sous-sol, j'essayais de prendre du volume comme l'entraîneur Carivou m'avait dit de faire si je voulais passer d'ailier défensif à secondeur, et j'avais descendu et installé tout mon système de son. J'avais acheté l'album de *Rocky* pour m'inspirer et ç'avait marché, mais seulement avec la première chanson, celle qui joue pendant la fameuse scène, celle où Rocky fait du jogging jusqu'aux escaliers du Musée des arts de Philadelphie. Pendant presque quatre minutes j'étais un joyeux maniaque, comme si j'avais pu pousser pomper grogner à jamais. Puis l'aiguille du tourne-disque glissait à la deuxième chanson et un triste solo de cor balayait le sous-sol et j'avais envie de me coucher sur le ciment froid et de faire une sieste à côté de mes haltères. Si seulement l'album avait été aussi bon que la première chanson. Si seulement la vie venait avec une bande sonore.

C'était trop compliqué de remettre constamment l'aiguille à la première chanson, donc j'avais commencé à écouter CKLW en m'entraînant, la station AM de Windsor que tout le monde écoutait.

C'était le top quarante, et on aurait dit que presque tout ce qu'ils faisaient jouer était conçu comme une publicité pour une nouvelle marque de céréales, mais c'est ce que tout le monde écoutait. Je faisais du mieux que je pouvais en gardant toujours une cassette huit pistes dans le magnétophone juste au cas où il y aurait une chanson que j'aimerais pour l'enregistrer et la faire jouer quand j'en aurais envie. À part le fait de manquer les quelques premières secondes d'une chanson ou d'avoir le blabla du DJ au début, le plus souvent pour dire l'heure qu'il était ou la température qu'il faisait, ça allait, au moins je me retrouvais avec toute une cassette huit pistes de chansons que j'avais moi-même choisies et qui étaient moins mauvaises que les autres.

Parfois tu te disais que t'avais vraiment été chanceux, t'entendais le début d'une chanson que t'aimais, assis sur le banc de musculation entre deux flexions des bras, et donc tu sautais du banc pour courir appuyer sur les boutons PLAY et RECORD en même temps. Quand tu l'entendais une deuxième fois, sur la cassette, tu baissais l'haltère, prenant soin d'étendre les bras jusqu'en bas pour avoir le plein effet sur les biceps, et t'étais fier d'en avoir enregistré une aussi bonne. Quelques exercices plus tard, tu te rendais compte qu'elle était pas bonne du tout, qu'elle était aussi nulle que toutes les autres, que tu l'avais tellement entendue à la radio que tu t'étais imaginé que tu l'aimais.

Le bouton FM sur la chaîne stéréo était exactement comme le syntoniseur UHF de la télévision : peut-être qu'il y avait quelque chose au-delà, mais c'était pas quelque chose que j'étais censé savoir. Autrement, pourquoi personne m'en avait parlé ? Mais j'étais dans ma période de cinq minutes de refroidissement, la transition du torse et des épaules aux jambes et aux abdos, et j'ai pesé sur le petit bouton noir parce que j'avais du temps à perdre et que je m'ennuyais. La plupart des révolutions et des histoires d'amour commencent comme ça.

«Twilight Zone» de Golden Earring: t'oublies jamais ta première fois. C'était pas la chanson, c'était le son. Comme si je m'étais promené ma vie entière avec des boules de coton dans les oreilles, comme quand j'avais eu des lunettes en secondaire deux parce que Mme Palmer dans le cours de français avait remarqué que je plissais toujours les yeux en regardant le tableau, et tout d'un coup le monde entier était là devant moi, dur, net, intense. J'ai tiré le banc de musculation jusqu'à la chaîne stéréo et je me suis assis et j'ai fait défiler tout le cadran. Incroyable. C'était comme pouvoir écouter en 3D. Même les chansons minables des stations de soft rock, la même pacotille que j'écoutais à CKLW, sonnaient mieux. Même les idiots en série qui épelaient les indicatifs de leurs stations et qui déblatéraient avant chaque chanson qu'ils faisaient jouer semblaient presque vivants.

Mais à toutes les deux ou trois chansons, toujours les mêmes publicités de compagnies de bière, de concessionnaires automobiles, de restaurants de fast-food, de cliniques de greffe capillaire et d'ablation de verrues, d'ateliers de débosselage, de banques, de compagnies d'assurances, de magasins de vêtements pour femme, de boutiques d'animaux exotiques, de rénovation intérieure, de magasins pour hommes de grandes tailles, de fourreurs, d'épiceries, d'aménagement paysager, de prêteurs sur gages, de pizzerias, de réparateurs de fenêtres, d'installateurs d'antennes de télévision, de steakhouses, de... Au bout d'un moment, on aurait dit que les chansons existaient seulement pour donner une pause aux auditeurs entre les annonces.

Mais le son était vraiment bon. Quand l'annonce de Speedy Muffler passait, on aurait dit que t'avais le silencieux pété juste là, dans la même pièce que toi.

Le Canada n'avait pas l'air vraiment différent de l'Amérique, seulement on aurait dit qu'il y en avait beaucoup plus. Depuis quelques heures au Québec, alors qu'ils longeaient le fleuve Saint-Laurent vers l'est jusqu'à Rivière-du-Loup, le ciel et les arbres et les champs et les vaches et encore des vaches et c'est pour *ça* qu'il voyageait à mille milles du doux chagrin de son propre lit?

«C'est quoi, cette odeur-là? a demandé Jack.

— Je sens rien», a fait Joe.

Jack a sorti son nez par la fenêtre. «Ça sent bizarre.»

Joe a regardé la route, puis sorti son nez lui aussi. «L'air pur, il a dit.

— Quoi?

— Ce que tu sens, c'est l'air pur.»

Jack a soulevé, incliné la bouteille de Chivas Regal et arrosé une autre amphétamine. Le cognac allait rendre les choses plus intéressantes. Le speed le tiendrait éveillé une fois qu'elles le seraient.

Entre-temps, il a mis la radio – ce serait bien d'entendre d'autres voix françaises que celles qui résonnaient constamment à l'intérieur de sa tête. Joe lui aurait parlé en français s'il le lui avait demandé, mais Jack lui avait cassé les oreilles toute la matinée, le gars avait besoin de répit. D'ailleurs, dès que l'amphétamine ferait effet, il n'aurait plus le choix. La radio n'était que fureur de parasites – pas de villes autour, que des fermes jusqu'à présent, pas plus de dix autres voitures au cours des quatre heures de route – alors il a syntonisé la première station qui s'écoutait clairement.

Rock and roll, ark. Un idiot qui demande en hurlant à une idiote d'allumer son feu, allez, bébé, allume son feu, bébé. Comment quelque chose d'aussi monotone peut-il avoir un son aussi abrasif? Comment les gens pouvaient-ils cracher leur argent durement gagné pour se faire violer les tympans comme ça? J'ai l'impression de vivre sur une autre planète, il s'est dit, en changeant de poste.

« C'qu'y s'passe, Jack, tu trippes pas sur ce que les jeunes trouvent cool ces temps-ci ? »

Jack n'a pas répondu, même pas pris la peine de contrefaire un sourire, il a juste continué son exploration des ondes radio. C'était pas comme s'il cherchait quelque chose de bon, quelque chose qu'il aimait ; juste quelque chose de pas entièrement mauvais, quelque chose qui le mettrait pas de mauvaise humeur. Il a lâché le bouton de la radio. Aretha Franklin, « Do Right Woman », O. K., pas pire, c'est pas Lady Day, non, la fille pourrait pas même porter le gros bouquet rouge que Billie Holiday avait toujours épinglé à sa robe quand lui et Edie s'assoyaient avec elle entre deux chansons chaque fois qu'elle jouait dans les petites boîtes d'Harlem, mais au moins elle parlait la même langue. La chanson de Billie que Jack et Edie préféraient était « I Cover the Waterfront ».

Edie venait d'une famille riche de Grosse Pointe, Michigan, savait quelle fourchette utiliser et étudiait l'art quelque part au centre-ville quand elle se donnait la peine de sortir du lit le matin, mais en gros elle était occupée à être jeune et bien nantie à New York pendant la guerre. Comme toutes les filles en vogue et en beauté du Village, elle avait les cheveux courts, une bouche espiègle et un clitoris ultrasensible. Jack n'avait qu'à souffler sur elle pour qu'elle se mette à trembler et à frissonner et à frémir et à tressaillir et à crier son nom comme si elle se noyait et que Jack était le seul à pouvoir la sauver. On était loin, très loin de la balançoire sur le porche de Mary Carney, à Lowell, à boire de la limonade et à se tenir par la main et à espérer obtenir un baiser à la fin de la soirée.

Edie payait son loyer et celui de tout le monde qui atterrissait dans son sixième étage sans ascenseur sur la 118e – Jack inclus – avec l'allocation qu'elle recevait chaque mois de ses parents et tout ce qu'elle pouvait soutirer à sa grand-mère qui vivait juste au coin de la rue et qui était censée garder un œil sur la fille facile de sa fille, mais qui était sourde et qui faisait tellement d'arthrite qu'elle ne mettait jamais les pieds dans l'appartement. Henri Cru, l'ancien camarade de classe de Jack, à Horace Mann, était dans la marine maintenant et Edie mouillait sa petite culotte devant son bel uniforme d'officier et ses vieilles histoires d'orphelin ayant grandi seul à Paris, et quand est venu le temps pour Henri de s'embarquer, il a présenté Edie à son ami le joueur étoile de football de Columbia, Jack.

Edie ne faisait pas de chichis quand il était question de beaux mâles. Henri était un tragique aristocrate français qui partait pour cette horrible guerre en cet horrible siècle, Jack était un grand athlète boudeur secrètement sensible qui allait devenir un grand écrivain un jour tout comme son héros Thomas Wolfe et qui, après les parties de jambes en l'air, aimait qu'Edie lui cuisine une grosse assiette d'œufs au plat à 3 heures du matin avec de vraies tranches de lard salé comme lui faisait Mémère, pas les petites bandes rabougries emballées dans le plastique qu'on trouvait au supermarché.

Edie aimait quand Jack émergeait de sa salle de bain embuée avec une serviette blanche enroulée autour du cou, ses épaules et son torse et ses bras et ses jambes encore mouillés et chauds et forts comme ceux d'un paysan. Jack aimait Edie parce qu'elle était vivante, qu'elle aimait rire et boire et baiser presque autant que tous les gars qu'il connaissait. Jack disait qu'il était tombé amoureux d'elle lors de leur toute première sortie, quand elle avait commandé et mangé six hot-dogs choucroute d'affilée, quelque chose qu'on ne servait jamais pour souper au Grosse Pointe Country Club. Après que Jack a lâché Columbia, quand il attendait ses papiers pour la marine marchande, ils passaient la journée dans l'appartement à ne rien faire d'autre que de baiser et de fumer au lit et de manger les gros repas qu'Edie improvisait. Jack l'appelait Frankie, elle l'appelait Johnnie.

Comme ça semblait ridicule maintenant. Tous ces efforts rien que pour gratter une démangeaison qui revenait sans cesse. Nous étions Shakespeare et Jésus-Christ sur la croix et un homme sur la Lune, mais essentiellement on n'était rien que de la poussière et on voulait pas se l'admettre, rien que des animaux en sueur se reniflant leurs sales derrières dans un parc dans le noir sans trop savoir pourquoi.

Le premier frisson électrique de la drogue et de l'alcool qui s'activaient de concert lui picotait le cerveau, gonflait sa poitrine, chatouillait sa langue. Jack regardait par la fenêtre. Un petit troupeau de bœufs se tenait au milieu d'un champ à ne rien faire d'autre qu'avoir l'air d'une demi-tonne d'acier noir avec des testicules bien lubrifiés et du sang rouge et bouillant.

«Parfois, je me sens comme eux», a dit Jack.

Joe a jeté un coup d'œil. Jack a levé sa bouteille, a bu.

«Parfois je me sens comme si j'étais prêt à lever les pattes. Mais d'autres fois je me sens comme eux.»

J'avais jamais eu de bible avant *Les vies parallèles de Jack Kerouac*. Une bible à lire et à relire et à connaître par cœur. Une vraie bible.

J'avais un petit exemplaire rouge du Nouveau Testament que les gédéons nous avaient donné à l'école en huitième année et on était censés écrire la date et nos noms à l'intérieur et la lire tous les jours si on voulait être heureux. Qui est-ce qui voulait pas être heureux? Les seules bibles que j'avais vues étaient celles dans les hôtels, comme ceux où on allait chaque été quand on visitait mon oncle Ronny et ma tante Margaret à Niagara Falls. Tu les trouvais quand tu cherchais des allumettes, des stylos gratuits ou de la papeterie.

J'avais essayé de lire mon petit exemplaire rouge du Nouveau Testament – depuis le début, comme l'homme qui nous les avait donnés dans le gymnase nous l'avait dit –, mais ça m'ennuyait trop. Je voulais être heureux, mais lire la parole de Dieu, comme l'homme dans le gymnase l'appelait, ça ressemblait trop à l'école. La seule différence, c'était que si t'avais pas envie de l'étudier, ce livre-là, il y avait personne pour t'obliger à le lire, et personne pour vérifier que tu l'avais lu. Je remettais le Nouveau

Testament dans le premier tiroir de ma table de chevet et j'allumais ma télévision noir et blanc qui partageait l'espace sur le dessus de ma commode avec ma chaîne stéréo Candle.

Mais personne avait besoin de me dire que j'irais en enfer pour que je lise *Les vies parallèles*. *Les vies parallèles*, c'était tous les livres que j'avais voulu lire en plus de toute une bibliothèque illicite dont je connaissais même pas l'existence. *Les vies parallèles*, c'était les splendeurs et misères d'un ti-cul de province et fils d'ouvriers, dont la chute est presque aussi glorieuse que l'ascension, même moi je savais que personne pouvait résister à un aussi beau déraillement, et plus violent était l'accident, plus gros était le nombre de morts, mieux c'était. *Les vies parallèles*, c'était un atlas qui m'indiquait les endroits où je devais aller, un bottin des personnes que je devais rencontrer, un manuel des émotions que je devais ressentir. *Les vies parallèles* était un livre pratique, sauf qu'au lieu de t'expliquer comment construire ton propre patio ou comment installer une antenne de télévision sur le toit, ça te disait de vivre ta vie comme si elle valait la peine que tu meures pour elle, de brûler, brûler, brûler comme Sal et Dean dans *Sur la route* parce que quatre secondes d'éclairs c'est mieux qu'une décennie de ciels clairs.

Un gars dans *Les vies parallèles* disait que quand il avait vu le Jack de vingt-cinq ans pour la première fois, la première chose qu'il avait remarquée c'était ses mains. Des mains, se souvenait-il, qui auraient pu être celles d'un joueur de football ou d'un poète lyrique ou les deux, tout ce que ces mains auraient choisi de faire.

Je lisais *Les vies parallèles* allongé sur mon lit, les Doors dans le tapis, la porte fermée à tous et à tout ; j'ai déposé le livre sur mon lit et j'ai regardé mes mains. Je les ai regardées, et j'ai pensé, j'ai pensé...

La voiture est tombée sur un nid-de-poule.

À moitié endormi, Jack a remué sur le siège, le coude sur la bedaine, rajustant son corps massif, il a joint ses mains sous sa tête comme s'il priait. Il pensait à son père et au gros bedon robuste qu'il avait. Aux soupers que sa mère préparait tous les soirs quand il était jeune, à Lowell. Aux soupes aux pois maison et aux longues miches de pain blanc croustillant pour tremper, aux côtelettes de porc luisantes de gras et aux gros bols de patates pilées et de petits pois frais, aux bouillis de bœuf du dimanche soir, qui avaient mijoté toute la journée, qui avaient réchauffé la maison entière, au ragoût de boulettes de porc et aux tomates fraîchement coupées et le blé d'Inde frais cassé. Et toujours au moins deux verres de lait glacé et parfois un troisième plus tard avec le dessert, le dessert qui était jamais moins qu'une grosse tranche de gâteau au chocolat ou un gros morceau de carré aux dattes ou deux ou trois cuillerées de crème glacée à la vanille avec une pêche tranchée entière sur le dessus. Et peu importe la saison, une carafe de café noir et fort toujours sur le feu, le meilleur café qu'il avait jamais bu, encore à ce jour.

T'es ce que tu mangeais quand t'avais onze ans et demi. Va à Paris et bouffe de la cervelle de vache et des entrailles d'escargots et des culs de grenouilles puis fais comme si t'aimais vraiment ça, comme si t'étais enfin vivant, mais tu peux pas mentir à ton estomac. Tu peux essayer, mais ton estomac ne t'écoutera pas.

Il pensait à son père mort du cancer de l'estomac dans le minuscule appartement d'Ozone Park, la mère de Jack partant travailler chaque matin comme coupeuse de cuir, Jack restant pour faire tout ce qu'il pouvait pour que son père soit aussi confortable que possible. Leo passait toutes ses journées, tous les jours, en robe de chambre avec une couverture sur les genoux, le fait saillant de chaque semaine étant la visite du docteur qui venait et drainait le fluide de son estomac pourrissant. Jack écoutait son père dans l'autre pièce tressaillir puis gémir, puis doucement pleurer.

Au dernier jour de sa vie, son père et Jack avaient eu une discussion sur la meilleure façon d'infuser le café. L'avant-dernière chose que son père lui avait dite, c'était : « Fais attention aux nègres et aux communistes. » La dernière chose que son père lui avait dite, c'était : « Prends soin de ta mère s'il te plaît. » Jack avait pensé entendre son père ronfler dans l'autre pièce. Quelques minutes plus tard, venu le surveiller, il avait compris que ç'avait été le bruit de son dernier souffle. Les taches d'encre sur les mains de son père comme des stigmates.

Il pensait aux funérailles, combien il lui avait semblé impossible que ce soit là le même homme qui, une fois, marchait sur le trottoir du Lower East Side avec sa femme, la mère de Jack, et un groupe de rabbins bras dessus, bras dessous marchait sur le même trottoir en direction opposée sans vouloir se séparer et les laisser passer, et le père de Jack, sans dire un mot, sans même enlever le cigare de sa bouche, avait sorti son ventre et, *poum*, frappé un rabbin en bas du trottoir. Il avait repris la main de sa femme et continué de marcher.

Au-dessus du cercueil, le curé avait dit : « Tu es poussière et tu retourneras en poussière. »

La voiture est tombée sur un autre nid-de-poule. « Tu peux le dire, Jack a pensé avoir pensé.

— Quoi ? a fait Joe. Je pensais que t'étais endormi.

— Je le suis », a dit Jack.

Le père d'Alvin non seulement était croque-mort, mais il nous laissait boire son alcool. On le faisait pas très souvent – une fois passée l'excitation de se faire proposer une bière, « Sers-toi, les froides sont dans le fond du frigidaire », qui est-ce qui voulait vraiment caler une John Labatt Classic pendant les dix minutes que t'avais à attendre qu'Alvin se prépare avant de se dépêcher pour attraper le film de 9 heures ? –, mais le fait qu'on pouvait en boire si on le voulait était le plus important. Aucun autre parent nous ouvrait sa réserve de fort, tout comme aucun autre père s'était jamais décrit comme, tour à tour, un born-again athée, un libertarien politique et un non-interventionniste sexuel. J'étais pas sûr de comprendre le deuxième, encore moins sûr de vouloir qu'on m'explique le troisième, mais j'aimais l'idée, au moins, que, peu importe ce que ça voulait dire, il y avait des gens dans le monde qui étaient comme ça. D'après mon expérience jusqu'alors, la recette infaillible pour être un adulte typique de Chatham pleinement fonctionnel et bien intégré, c'était une part de chrétien non pratiquant pour une part de citoyen qui vote du bon bord et une autre de mari ou d'épouse «jusqu'à-ce-que-la-mort-ou-un-affreux-divorce-nous-sépare». C'était bien de savoir qu'il y avait autre chose sur le menu. C'était bien de savoir qu'il y avait un menu complètement différent.

La collection de disques d'Alvin était nulle – surtout du rock progressif, des imposteurs du rock and roll comme Marillion, the Alan Parsons Project et ELP, des surproductions pompeuses jouées par des hippies attardés qui avaient trouvé le moyen de lire quelques livres sans images et d'écouter quelques morceaux enregistrés avant la naissance d'Elvis et qui par conséquent se pensaient beaucoup trop sophistiqués pour simplement se fermer la gueule et jouer de leurs instruments aussi fort et vite qu'il le fallait – et il voulait devenir optométriste, une chose que personne, à dix-sept ans, devrait décider de faire avec sa seule et unique vie. Pas à dix-sept ans.

Mais Alvin était correct. C'était le seul étudiant de toute l'histoire du Chatham Collegiate Institute à avoir un mot de ses parents le dispensant de tous les cours d'éduc, pourtant un A facile à décrocher. Il prenait des bains («Il est dans la baignoire, Ray, je vais lui dire de te rappeler») et non des douches. Il vivait au-dessus d'un salon funéraire. Il lisait des livres qu'il était pas obligé de lire, la plupart pris sur les étagères montées sur le mur du salon au-dessus du foyer (l'entreprise funéraire était au centre-ville, la maison à trois étages en briques rouges qui la logeait avait presque un siècle), de vieux livres de poche de son père, souvenirs du temps où il avait les cheveux longs – Albee, Sontag, Mailer, James Baldwin –, tous publiés, apparemment, par l'un des trois mêmes éditeurs: Grove, Avon, New Directions. Je reconnaissais quelques noms sur les dos pour les avoir vus dans *Les vies parallèles*, et M. Samson m'encourageait à apporter chez moi ceux que je voulais. J'avais choisi le roman de Baldwin *La chambre de Giovanni* et je l'avais fini en deux jours, me trouvant pas mal intelligent, pas mal surpris, en fait, que ces affaires littéraires soient pas si compliquées, finalement. Mais ç'avait pris quelques jours avant que je comprenne que le livre parlait d'un gars qui était en amour avec un autre gars. Il faudrait que je lise plus lentement la prochaine fois. Il faudrait que j'apprenne à être plus attentif.

Quand Alvin se faisait un nouvel ami, il lui faisait la visite guidée des coulisses du salon funéraire. Tu redescendais la longue série de marches qui t'avaient emmené dans l'entrée principale de la maison, et puis, tout en bas, tu prenais la première porte à gauche de celle par laquelle t'étais entré (la porte des Samson était jamais barrée, de jour comme de nuit, t'avais pas besoin de cogner ou de sonner, t'avais juste à entrer). Même si les étages où Alvin et sa mère et son père et sa sœur vivaient étaient rien comme les bungalows où la plupart d'entre nous habitaient – planchers de bois franc, plafonds de quinze pieds, une cimaise en bois tout autour de la cuisine, interrupteurs à pression – pénétrer dans le salon funéraire, c'était comme entrer dans un autre siècle.

En haut aussi c'était plein d'antiquités, mais il y avait des reproductions de Picasso et de Cézanne encadrées et des photos de famille sur les murs, un magnétoscope toujours clignotant dans le séjour (chez nous on le louait encore au seul vidéoclub de la ville : deux films et vingt quatre-heures d'utilisation de la machine qu'ils glissaient dans une mallette de plastique noire pour la modique somme de 9,95 $), un gros ordinateur Apple (le premier que je voyais) dans la salle de travail familiale à côté de la chambre d'Alvin, des exemplaires merveilleusement lisses, frais entre les mains, de *Harper's* et de *The Economist* et de *The New Yorker* placés en éventail sur la cuvette des toilettes. En bas, par contre, il y avait aucune raison de croire qu'on était pas en 1922. En bas, tout était en gros mobilier victorien avec d'épais tapis rouge sang et des lampes de table dont la lumière tamisée enveloppait tout ce qu'elle touchait d'un brouillard jaune d'éclairage au gaz. Et c'était silencieux, l'endroit le plus silencieux que j'ai connu : pas de bruits de la rue, pas de radio jouant de la musique d'ambiance, pas de téléphone pour sonner ou biper. À cause du tapis, même les traces de tes propres pieds te transportant d'une pièce à l'autre étaient inexistantes. C'était comme s'aventurer sur le plateau désert d'un vieux film de Vincent Price, un de ces films des productions Hammer en Angleterre, au début des années soixante, adapté d'une histoire d'Edgar Allan Poe, où tout était un peu trop Technicolor pour être vrai, un peu trop tranquille pour pas être inquiétant.

Puis il y avait les cadavres.

D'abord Alvin te faisait passer par les salles d'exposition. Il y en avait trois, et dans chacune normalement il y avait un vieux ou une vieille couchée dans sa plus belle éternité, ses mains ridées soigneusement croisées juste au-dessus de l'entrejambe. C'était pas vraiment épeurant. En fait, c'était vraiment décevant. S'il y avait pas eu ces champs de fleurs tout autour du cercueil et le fait de savoir que t'étais dans un salon funéraire, tu te serais cru chez n'importe quel grand-parent pomponné qui se serait assoupi après avoir mangé trop de dinde à l'Action de grâce.

La salle d'embaumement était différente. Par une autre porte t'aboutissais à des marches de ciment froid qui débouchaient sur un sous-sol violemment éclairé où un corps nu était étendu sur la table d'examen en acier et où les outils de dissection brillants et l'odeur nauséabonde et chimique du fluide d'embaumement te rappelaient le cours de biologie de Mme Smith en dixième année, sauf qu'au lieu d'une grenouille étripée en démonstration, fixée par des épingles, il y avait un être humain décédé depuis peu. Mais c'était pas ça qui était différent. C'était pas non plus le ver de sutures post-autopsie s'étirant quasiment du cou jusqu'au nombril sur chaque cadavre fraîchement charcuté qui était différent. Tu t'y habituais, tout comme tu t'habituais à voir du monde mort. On aurait dit qu'on pouvait s'habituer à tout.

Mais parfois un vieux avait un tatou bleu, délavé, presque indiscernable, du nom d'une quelconque femme sur son biceps flétri, *Betty*, ou *Mary*, ou *Kathy*. Ou parfois il y avait quelqu'un de plus jeune, une femme au début de la cinquantaine, disons, qui avait apporté son propre tissu cicatriciel sur la table, trace d'une récente mastectomie ratée ou d'une césarienne d'il y a longtemps. Et une fois, il y avait une petite fille, elle pouvait pas avoir plus de six ou sept ans, les cheveux blonds aux épaules, et une peau incroyablement blanche et crémeuse et du vernis à ongles rouge vif sur chacun de ses dix petits doigts et orteils.

«Comment elle est morte? que j'ai demandé. Y a rien qui cloche avec elle.» Même le vernis à ongles était parfait, pas une seule égratignure.

«Mon père a dit un incendie, Alvin a répondu. Il a dit qu'il y a eu un gros incendie sur Williams il y a deux nuits.

— J'aurais pensé qu'elle aurait eu toutes sortes de marques de brûlure sur elle ou quelque chose.

— Mon père dit que la plupart de ceux qui meurent dans les incendies c'est à cause de la fumée, parce qu'ils suffoquent.

— Mais quand même…»

Mais quand même, il y avait quelque chose qui clochait. À tout le moins, le vernis à ongles rouge marchait pas. Je me demandais si c'était elle ou sa mère ou peut-être l'une de ses sœurs ou amies qui le lui avait mis. Je me demandais si elle avait été la seule à mourir dans l'incendie. Si c'était le cas, je me demandais comment ses parents se sentaient. Je me demandais qui elle était.

La science est absurde. Impossible que la science soit autre chose qu'absurde.

Un chat, c'est cent seize sortes d'os différents. Plus cinq cents muscles squelettiques. Plus tous ses organes internes. Plus un système nerveux à soixante-deux points. Et c'est même pas tout ce qu'il y a à l'intérieur d'un chat.

Alors qu'il était en visite chez Ferlinghetti à San Francisco — sur les pas de la bonne vieille logique itinérante : s'il était là, alors il serait pas ici ; s'il était pas ici, alors peut-être qu'il serait pas celui qu'il est quand il est ici —, il y avait une lettre de Mémère pour Jack aux soins du City Lights Bookstore.

Je ne sais pas comment te dire ça mon fils mais assis-toi et écoute-moi quand même mon chéri. Notre petit Tyke est parti. Une minute il était correct puis il sait mis à vomir puis il ne pouvait plus s'arrêter. Et il ne pouvait plus arrêter de tremblé comme si il gelait donc je l'ai envellopé dans une serviette mais en vain. Il arrêtait pas de vomir et pouvait pas arrêter et j'avais jamais rien vu de pareil. Et puis il a arrêté de respiré puis son calvaire était fini.

Jack embrassait le ventre blanc et doux de son chaton Tyke. Il nourrissait Tyke le matin, Tyke se frottait sur les jambes de Jack, lui ronronnant un merci. Jack se tenait dans la cour et levait Tyke vers la Lune.

« Regarde la Lune, Tyke, regarde ! »

Comment est-ce que la science peut expliquer ça ? Comment ?

Impossible.

Personne m'avait dit que le monde allait avoir une fin. J'oublie comment j'en suis venu à le savoir – à la télé, probablement – mais quand c'est arrivé, je me suis senti trahi presque autant que vexé. Pourquoi est-ce que mes parents ou l'un de mes professeurs ou même quelqu'un du gouvernement m'avait pas dit qu'avec les Américains et les Russes il y avait assez d'armes nucléaires sur la Terre pour détruire plus de vingt-cinq fois tout le monde sur la planète ? Pire encore : les probabilités étaient très, très grandes pour que ça se produise plus tôt que tard, avec le président des États-Unis qui avait dit que bien qu'un holocauste nucléaire serait sans doute un événement tragique, c'était assez réconfortant de savoir que ce serait aussi l'accomplissement de la pluie de feu apocalyptique annoncée dans la Bible, précédant le retour de notre Seigneur et Sauveur, Jésus-Christ en personne. Je veux dire, franchement.

J'ai pris l'autobus pour aller chez Coles au centre-ville un samedi après-midi. Je savais pas au juste ce que je cherchais, mais c'était le seul endroit où je pensais pouvoir le trouver. Là ou à la bibliothèque. Peu importe ce que c'était, je voulais l'avoir, il le fallait.

Une heure et demie plus tard, j'étais de retour dans le bus. J'ai sorti mon premier achat du jour du sac de plastique. Je savais pas pourquoi il me fallait l'avoir, je savais juste qu'il me le fallait. C'était un livre gros comme une table à café que ma mère me laisserait jamais mettre sur la table à café. Ça s'appelait *Les horreurs du vingtième siècle* et ç'avait aucun rapport avec Dracula ou Frankenstein ou tout ce que j'avais vu à l'émission d'horreur de Sir Graves Ghastly le samedi après-midi. C'était divisé en plusieurs sections différentes – meurtres, suicides, violence faite aux enfants, atrocités de la guerre – et en gros c'était rien que des grandes photos en noir et blanc avec des légendes en dessous pour les expliquer. Ça ressemblait à quelque chose comme :

Chicago, 1962. Une fillette de six ans est prise en charge par les travailleurs sociaux de l'État de l'Illinois. Sa main droite a été tranchée au niveau du poignet par son beau-père avec un couteau de boucher. L'homme a répondu à la police que l'enfant avait été avertie à de nombreuses reprises de ne pas «faire trop de bruit» alors qu'il regardait la télévision dans une pièce adjacente.

T'avais pas besoin des légendes pour comprendre les photos. Chaque fois que tu regardais une photo, c'était comme avoir un ulcère dans la bouche et pas pouvoir s'empêcher de passer la langue dessus même si tu savais que ça ferait mal – que ça brûlerait – à chaque fois. J'ai réussi à remettre le livre dans le sac.

La carte que j'avais achetée était plus pratique. Je l'ai sortie, l'ai dépliée sur mes genoux. À part le chauffeur et deux ou trois vieilles femmes assises ensemble en avant, il y avait personne dans le bus.

À part lors du retour à la maison après l'école, le bus était presque toujours vide.

C'était une carte du Canada, même si quand j'avais compris que j'avais besoin d'une carte, ce que je voulais vraiment, c'en était une de l'Ontario. J'ai mis mon doigt sur Chatham et j'ai soigneusement tracé un sentier vers le haut, évitant Toronto, North Bay, sans m'arrêter avant d'atteindre Thunder Bay, à vingt-trois heures au nord de ma ville natale, d'après mes calculs. L'idée, je me disais, c'était de prévoir un trajet de fuite qui nous amènerait assez loin au nord pour que les contrecoups de la catastrophe nucléaire se fassent sentir au minimum, mais juste assez au sud de l'Arctique pour pas avoir à vivre dans un igloo et survivre avec de la graisse de baleine.

Au moment où j'ai tiré sur le cordon au-dessus de ma tête et que le bus a ralenti à l'arrêt près de chez moi, j'avais trouvé la destination parfaite : Fort William. Jugeant d'après mon pouce et l'échelle au bas de la carte, c'était à une bonne vingtaine d'heures au nord de la cible nordique la plus probable, Toronto, mais comme c'était, anciennement, et peut-être encore maintenant, une sorte de petit poste militaire, il devait y avoir un supermarché ou deux et des motels et peut-être même une patinoire de hockey, pour les officiers hors service. J'ai remis ma carte dans le sac, avec mon nouveau livre.

Quand je suis arrivé chez moi, j'ai affiché la carte sur le mur de ma chambre avec de la gomme à coller que ma mère me demandait d'utiliser. La gomme laissait pas de traces, mais en été, quand c'était vraiment humide, les coins des posters avaient tendance à se décoller des murs jusqu'à ce qu'un jour t'arrives dans ta chambre et que tu les retrouves sur le plancher, comme si quelqu'un les avait tous arrachés. Au bout d'un moment, j'ai arrêté d'essayer, je laissais faire, je laissais les murs dépouillés.

J'ai pris un crayon rouge pour tracer soigneusement notre trajet de fuite. Je dirais rien à mes parents avant que ce soit absolument nécessaire. Ils comprendraient pas ce qui nous attendait, ils avaient jamais été même proche de vivre quelque chose comme dans les *Horreurs du vingtième siècle*.

C'était correct. Je savais ce qui se passait maintenant. Mes yeux étaient ouverts assez grand pour tout le monde.

Il a fini par s'arrêter sur un match des Red Sox, un écho flou et électrique qui perdait de la vigueur avec chaque mille de campagne vide les rapprochant de Rivière-du-Loup, mais c'était mieux que de passer dix minutes à faire l'amour à la radio en espérant peut-être tomber sur une minute et demie de quelque chose d'ininterrompu et qui ressemble, même de loin, à de la vraie musique. Boston menait les Yankees cinq à deux, fin de la quatrième. Tout le monde disait que c'était probablement la dernière année de Mickey Mantle, ses genoux ne pouvant tout simplement plus tenir le coup, le gauche étant le pire, littéralement os sur os, sans même le début d'un bout de cartilage pour amortir les chocs. Chez les athlètes, c'est toujours les jambes qui partent en premier. Chez les écrivains, c'est toujours l'incessante capacité de s'émerveiller devant les choses du monde et la rage résultante, impatiente de les arracher au cerveau surexcité et de les jeter violemment sur les pauvres pages sans défense et de les maintenir en place avec la poigne experte de la sainte poésie guerrière de façon à ce que le bon et le mauvais et l'heureux et le triste et le laid et le beau soient collés au tapis maintenant et plus tard et peut-être pour toujours.

Dieu qu'il était fatigué. Les écrivains se fatiguent. Être éveillé est un dur labeur.

« Si y en a un qui a une chance de gagner la Triple Couronne, ces jours-ci, je pense que c'est Yastrzemski », a dit Joe. Quand Jack buvait, soit il râlait, soit il boudait. Joe préférait quand il râlait. Jack n'avait pas dit un mot depuis qu'il s'était mis à tripoter la radio.

Jack a hoché la tête. Joe a attendu un instant ; puis un autre instant. S'est éclairci la gorge. Avant de poursuivre :

« La seule chose que je me demande c'est s'il est assez fort.

— Mantle est assez fort, a dit Jack.

— Mantle ? C'est à peine s'il peut se tenir debout.

— C'est pas ça que je dis, ce que je dis c'est qu'il est assez fort. Les gens oublient que quand Maris a frappé soixante et un circuits pis qu'y a battu le record de Ruth, Mantle en a frappé cinquante-quatre. Une bonne semaine pour Mick et une mauvaise pour Maris et ç'aurait pu être le nom de Mantle dans le livre des records.

— Ouais, mais ça fait sept ans de ça.

— Ça fait pas sept ans.

— Oui, c'était en 1961.

— C'était pas en 1961.

— Oui, c'était en 1961. Tu sais comment je m'en rappelle ? Je m'en rappelle parce que je me souviens d'avoir trouvé drôle que Maris frappe soixante et un circuits en 1961. Je me rappelle avoir pensé que ç'avait l'air d'être le destin. »

Ils ont laissé la radio parler un moment. Noyes était au marbre, le compte était de deux et deux.

«C'est qui, ça, Noyes?» a demandé Jack. Il lisait encore les résultats chaque matin, qu'il commence sa journée avec une tasse de Cutty Sark ou non.

«C'est un jeune qu'ils ont rappelé, supposé être leur nouveau champ centre.

— Pourquoi c'est pas Mick qui est au centre?»

Joe savait qu'il valait mieux ne pas lui dire la vérité. Pas question d'arriver dans un motel de Rivière-du-Loup avec un Jack de mauvaise humeur, il ferait tout pour s'éviter ça. «Mantle doit être fatigué, qu'il a dit. Ils ont dû décider de lui donner une journée de congé.»

Jack a réfléchi; il s'est glissé dans son siège et s'est tourné sur le côté, s'est mis le visage contre son biceps.

«C'est pas fou. Font bien de le ménager maintenant parce qu'ils vont avoir besoin de lui plus tard. Tu veux que tes gros canons soient prêts quand les matchs commencent à être vraiment importants.

— Exactement.

— Je vais faire une sieste, Joe.

— O.K., vas-y.

— Mais oublie pas de me réveiller quand on arrive. Je veux rien manquer. J'ai de la recherche à faire, tu sais.»

Le tee-ball, c'est le sport auquel j'ai joué qui se rap-
proche le plus du vrai baseball. Ne pas jouer au
hockey, c'était pas une option. Seule la poignée de
fils de fermiers qui débarquaient de l'autobus et les
jeunes dont les parents étaient de la première génération d'immigrants italiens ou portugais avaient le
droit d'être un peu anormaux – en tout cas pas aussi
normaux que nous qui, chaque mois d'août, nous
tenions en ligne avec nos pères au Moose Hall Lodge,
en nage, à attendre de remettre les cent vingt-cinq
dollars que nos parents payaient pour que nous
ayons le privilège d'être Atome ou Pee Wee ou Mid-
get au cours des sept prochains mois. Il y avait aussi
toujours le même homme, on l'appelait Jacket Man,
qui chaque année s'assoyait derrière une longue
table de bois recouverte d'échantillons de vestes de
hockey et prenait les commandes. Tous ceux qui
avaient de l'argent pouvaient s'acheter une veste,
mais seuls les gars qui faisaient partie des All Stars
avaient le droit d'acheter les vestes de cuir.

Personne portait des vestes de baseball. Le
baseball c'était juste un jeu, quelque chose à faire en
été quand on était fatigués de jouer au hockey bottine. Personne avait jamais fait semblant d'être

Reggie Jackson ou Steve Carlton quand on jouait au baseball dans la cour de récré, alors que tout le monde disait qu'il était Darryl Sittler ou Larry Robinson quand on traînait nos buts de hockey dans les rues. Tout le monde savait qui était Fergie Jenkins – la seule célébrité à venir de Chatham – mais c'était juste un joueur de baseball. Il valait pas plus que Ken Houston, qui était né à Dresden mais qui avait joué pour les Maroons pendant deux ans, et qui avait battu Dave «le Marteau» Schultz lors de sa première saison dans la LNH. Grand-p'pa Robertson avait collé l'article du *Chatham Daily News* sur le mur de sa remise, l'avait laissé là même après qu'il est devenu jauni et fragile et que le ruban adhésif aux coins a commencé à tomber.

Mon père avait arrêté de faire du sport quand j'ai commencé à en faire, mais il avait été bon dans tous les sports et voulait que je le sois aussi. Il me lançait des balles au sol dans la cour et m'entraînait pour que je les attrape. Au début c'était amusant, elles roulaient vers moi sur l'épais gazon vert, se rendaient de peine et de misère, et j'avais juste à les cueillir rapidement puis, la balle au creux de mon gant, je la lançais comme un joueur de champ extérieur qui venait d'attraper une chandelle et qui l'envoyait au deuxième but. Le bâton toujours dans sa main droite, mon père attrapait la balle à main nue et en frappait une autre au sol, cette fois un peu plus fort. Au bout d'environ cinq minutes, les balles commençaient à passer en sifflant autour de moi, à ricocher sur mon gant, quand j'étais chanceux, mais le plus souvent à me mitrailler continuellement, ne s'arrêtant qu'avec le *bom* qu'elles faisaient contre la clôture de bois.

Il disait : « Tu dois te mettre en avant.

— Je sais.

— Plie les genoux et mets-toi devant, comme un gardien de but. »

Je hochais la tête et il m'en frappait une autre, cette fois avec un peu moins de force, pour que je puisse faire ce qu'il me disait. Parfois je l'attrapais, je m'alignais sur la balle et je me penchais vers elle et j'essayais de pas avoir l'air surpris quand, par miracle, je la trouvais au fond de mon gant. Et puis la balle suivante arrivait plus vite que la précédente, puis l'autre encore plus vite, jusqu'à ce que, *bom*, je m'enlève du chemin et que la balle passe encore à côté de moi.

« Qu'est-ce qu'y a, t'as peur de la balle ? Tu vas juste te faire mal si t'as peur d'elle.

— Je sais.

— Si tu te retournes, elle va te frapper, tu vas te faire mal. Plante tes pieds et sors ton gant comme un homme, fâche-toi, mange la balle. »

Je finissais par me fâcher, mais c'était pas contre la balle. Je finissais par souhaiter être celui qui tenait le bâton et que lui ait le gant et le faire suer un peu, pour faire changement. Les larmes aux coins de mes yeux, auxquelles j'allais pas permettre d'aller plus loin, étaient comme les larmes que je retenais chaque fois que je devais aider mon père à réparer quelque chose et qu'il m'envoyait dans le sous-sol chercher un tournevis, et que peu importe l'effort et le temps que j'y mettais, j'arrivais jamais à le trouver, fallait que je voie mon père me dépasser en trombe vers le sous-sol et la boîte à outils et revenir une minute plus tard avec le tournevis évanescent, son silence cent fois plus assourdissant que n'importe quel mot qui aurait pu sortir de sa bouche.

Quand on avait terminé et qu'on rentrait dans la maison, moi le premier, lui ensuite, ma mère demandait : « Qu'est-ce qui se passe ?

— Rien », que je disais. Mon père disait rien. J'allais en bas prendre mon soda froid, lui prenait sa bière dans le frigidaire de la cuisine.

Le baseball c'était stupide, tout le monde savait que c'était stupide. Ce fils de pute, j'allais lui montrer. Attends que le hockey recommence. J'allais lui montrer ce que je pouvais faire. Mais quand le temps serait venu, je m'en ficherais.

Même pas besoin de Freud pour celle-là.

Joan Haverty était la deuxième femme de Jack. Il savait qu'il avait besoin d'une femme parce qu'il avait compris qu'il avait gaspillé quatre ans de sa vie à écrire *Avant la route*, son premier roman, à tisser des histoires bêtes au lieu de tout déchirer afin de tout recommencer et de tout reconstruire depuis le début, afin de communiquer l'incommunicable, une seule rose rouge dans la pluie au milieu de la nuit et que personne ne regarde. Il fumait joint par-dessus joint au Mexique et lisait et relisait les longues lettres locomotrices de Cassady qui décrivaient les chauffeurs de taxi nains et l'ennui des stations d'autobus et qui se faisait sucer la queue et perdait continuellement au billard et toutes les autres choses qu'on n'est pas censé écrire quand on écrit sérieusement de la littérature sérieuse.

Mais s'infliger soi-même une amnésie pour se rappeler quelque chose de neuf est une sacrée job, et c'est bien d'avoir une petite épouse pour faire la cuisine et le ménage et t'aider à rester le cul sur ta chaise pour taper, taper jusqu'à ce que les touches deviennent chaudes et que tu puisses enfin dire ce que tu savais pas que t'avais à dire. Jack a demandé

Joan en mariage deux jours après leur première sortie. L'ancien amant de Joan s'était récemment fait amputer la tête par un pilier du métro et elle vivait dans son loft de Greenwich Village, allumant des chandelles en sa mémoire et essayant de décider s'il avait fait une erreur fatale ou pris une décision finale. Quand Jack a fait sa demande en mariage, c'était soit dire oui ou retourner chez sa mère à Albany. À la réception, dans le loft de son amant mort, tout le monde s'est soûlé, mais rien ne s'est déroulé comme il faut. Le baril de bière a coulé partout sur le plancher du salon. La toilette s'est bouchée et les gens ont pissé dans l'évier et la baignoire. Une assiette de saucisses est tombée derrière le frigidaire et personne ne s'est donné la peine de les ramasser.

Jack a déménagé son bureau à cylindre de chez sa mère à Richmond Hill dans le loft et s'est assis pour écrire *Sur la route*, mais quand Joan s'est trouvé un travail dans un grand magasin pendant le temps des fêtes, Jack a commencé à s'ennuyer quand il n'était pas en train d'écrire et il a insisté pour qu'ils déménagent chez sa mère. De toute façon, même avec la job à temps partiel que Joan l'avait poussé à prendre, à faire des synopsis de scénarios de films pour la Twentieth Century Fox, ils n'allaient pas arriver à payer le loyer à temps. Et Joan trouvait touchant qu'il ne veuille pas que sa mère soit toute seule à son âge.

Chaque matin, Joan se réveillait au son de « V'là ton jus, Jacky ! » et devant Mémère en peignoir debout au-dessus d'eux dans le lit, tendant un verre de jus d'orange frais pour que son garçon commence sa grosse journée de travail. Chaque jour

Mémère reprenait Joan lorsqu'elle faisait la vaisselle ou une salade de patates ou qu'elle nettoyait sous le lit pour qu'il n'y ait pas de moutons de poussière. Chaque soir, au souper, Joan regardait Jack respirer joyeusement l'odeur des côtelettes de porc de sa mère et des patates pilées de sa mère et des tranches de pain que sa mère lui beurrait à l'avance et écoutait Mémère se plaindre des étrangers qui ruinaient l'économie du pays et des communistes qui allaient empoisonner l'eau et que si son mari, Leo, le père de Jack, était encore en vie, Allen Ginsberg, ce sale petit juif de Ginsberg, n'oserait même pas venir ici pour mettre son bon garçon dans le trouble.

«M'man, est-ce qu'il y a encore du lait?» demandait Jack, en tenant la bouteille vide.

Vu que leurs frais de subsistance étaient maintenant bas, Jack a pu laisser tomber son travail. Joan a gardé le sien, par contre, et un soir elle est rentrée tard du travail pour trouver Jack en train de finir une bonne journée de travail à son bureau et d'humeur à célébrer avec un gâteau aux épices. Il était presque minuit et elle devait reprendre le métro dans moins de huit heures pour ouvrir le magasin. Elle savait que Mémère dormait, donc ne voulait pas de chicane, alors elle a juste dit qu'elle était fatiguée et qu'elle allait se coucher.

«Tu devrais jamais rien refuser à ton fils», a fait Jack.

Joan n'a pas eu à lui demander s'il savait ce qu'il venait de dire.

«Tu sais ce que je veux dire. Tu rends ton mari grincheux quand tu lui refuses les choses dont il a besoin.»

Même si elle n'avait pas été aussi fatiguée, elle n'aurait pas su quoi dire. Joan est allée dans leur chambre et a laissé ses vêtements là où elle les avait quittés, même pas pris la peine de se brosser les dents, puis elle a tiré les draps et posé sa tête.

Elle s'est réveillée au son de Mémère et de Jack qui parlaient français dans la cuisine, et à l'odeur du gâteau aux épices sortant du four.

Ce qui se rapprochait le plus d'un frère ou d'une sœur de sang dans ma vie c'était mon cousin Bradley. Vu que son père était le frère de ma mère, sa mère, la sœur de mon père, notre ADN avait cuit dans les mêmes jus, avait donné une double portion de *shake and bake*. La seule chose qui nous différenciait, c'était que moi j'étais maigre et que lui était gros. Si on nous avait mis côte à côte, moi à gauche, on aurait ressemblé à la photo avant-et-après sur la couverture arrière de mes comics, celle avec la publicité *Prenez du poids ! Gagnez en muscles !* où le gars se fait lancer du sable dans le visage à la plage et que toutes les filles rient, sauf que dans notre publicité on passait de côtes squelettiques à triple menton potelé, sans passer par ce qui pourrait ressembler à *Soyez un vrai homme !* Et Bradley vivait pas avec ses parents, il vivait avec grand-m'man et grand-p'pa Authier.

Avant que Bradley atteigne l'adolescence – et qu'il passe son temps dans le garage à s'incruster de la graisse sous les ongles pour entretenir sa mobylette ou pour construire un nouveau go-kart fait avec de vieux moteurs de tondeuses et du bois qu'il volait avec ses amis dans les chantiers de construction –, chaque fois que j'allais chez grand-m'man et grand-p'pa Authier avec mes parents, il y avait quelque chose qu'on pouvait faire ensemble : échanger des cartes de hockey, faire rebondir une balle de tennis sur le côté du garage, regarder la télévision, un film d'horreur si on était chanceux. Quoi qu'on fasse, par contre, on était laissés à nous-mêmes. Au contraire, chez grand-m'man et grand-p'pa Robertson, même si on s'arrêtait cinq minutes, mon père et moi, pour réparer l'évier de la toilette qui coulait, j'étais le centre d'attraction, le petit-fils mangeur de bonbons et receveur de sous numéro un. Chez grand-m'man et grand-p'pa Authier, avec Bradley, on s'assoyait avec nos verres de Coke tiède sur le tapis shag orange dans le salon et *rat-rat-rat* on tournait et tournait le cadran pour tenter d'échapper à la tempête de statique dans la télé et pour essayer d'ignorer les voix bruyantes et la musique western qui provenaient de la cuisine. Chaque fois qu'on visitait mes grands-parents, ma mère, mon père, ma grand-mère et mon grand-père et n'importe qui d'autre qui s'adonnait à être là s'assoyaient autour de la table et parlaient, les femmes d'un côté et les hommes de l'autre, la pièce toujours réchauffée par le four toujours allumé, toujours une casserole de quelque chose en train de mijoter ou autre chose en train de cuire ou de rôtir.

Quand j'ai atteint l'âge de comprendre que certaines choses étaient normales – tout le monde les faisait, fallait bien qu'elles le soient – et que d'autres choses l'étaient pas, j'ai demandé à ma mère pourquoi Bradley vivait pas chez sa mère ou chez son père. « Parce qu'ils ont divorcé, qu'elle a répondu.

— Mais pourquoi est-ce qu'il vit chez grand-m'man et grand-p'pa ? Mon oncle Jim ou ma tante Norma voulaient pas de lui ? » Ça lui a pris un instant pour répondre à celle-là. « Ton oncle Jim voyage beaucoup à cause du travail donc c'est mieux que Bradley vive avec grand-m'man et grand-p'pa. Et quand ta tante Norma a rencontré son nouveau mari elle voulait fonder une nouvelle famille. » Les choses que mon père disait à ma mère quand on revenait à la maison avaient plus de sens.

« Le pauvre garçon, c'est évident qu'il mange trop parce qu'il manque d'attention.

— Maman et papa font de leur mieux.

— J'ai pas dit que c'était leur faute, c'est ses grands-parents, pas ses parents.

— Maman dit qu'il va chez ta sœur en fin de semaine prochaine.

— Ma sœur, voyons donc… Tout ce que ça fait c'est d'empirer les choses quand elle le retourne chez tes parents.

— Mais qu'est-ce tu veux qu'on fasse.

— Je sais pas, mais c'est ben dommage. »

Mais mon père a fait des choses. Il a inscrit Bradley dans une ligue mineure de baseball jusqu'à ce que le petit découvre que démonter un moteur pour le remonter était plus amusant que les doubles jeux et les retraits sur trois prises quand les buts étaient pleins. Il l'a emmené avec nous une semaine au mois d'août l'année où on avait loué un chalet à Erieau. Il l'emmenait parfois avec lui quand j'avais une partie de hockey le vendredi soir. Ma mère aussi faisait des choses. Grand-m'man coupait les cheveux de Bradley tous les samedis, la même coupe de cheveux en brosse qu'elle avait donné à ses

fils. Ma mère s'en est mêlée quand il a eu onze ans.
« Amène-le chez le barbier, Mèm », qu'elle a dit à sa
mère.

— Il est correct, a dit grand-m'man.

— Amène-le chez le barbier ou sinon les
autres enfants vont rire de lui. » Grand-m'man lui
a donné de l'argent pour qu'il aille chez le barbier.

Là où j'avais vraiment de la peine pour Bradley c'était pendant le temps des fêtes. Mes parents
faisaient toujours en sorte qu'il reçoive quelque
chose de bien – un chandail des Bruins de Boston,
un ensemble de clés à douilles de luxe, dix dollars
dans une enveloppe –, mais comparé au butin que je
recevais au réveil chaque 25 décembre, c'était seulement un amuse-gueule, rien à voir avec le plat principal que je me faisais servir le matin de Noël : un
nouveau bicycle dix vitesses ; une tente pour deux
personnes ; une chaîne stéréo Simpsons-Sears à cassette huit pistes. On apportait le cadeau de Bradley
avec nous quand on visitait les deux côtés de la
famille, la veille de Noël. Le dernier arrêt était chez
grand-m'man et grand-p'pa Authier, et je voulais
m'en aller presque aussitôt arrivé pour revenir à la
maison et m'endormir et me réveiller pour ouvrir
mes cadeaux. Quelqu'un, Eddie Webster ou Gary
Bechard ou Brad Skipper, m'appelait en matinée et
on révisait nos listes, on comparait ce qu'on avait reçu.

La veille de Noël de mes dix ans, on est arrivés
chez grand-p'pa et grand-m'man Authier comme
d'habitude, vers 9 heures, et Bradley a ouvert notre
cadeau, un transistor portable, j'ai ouvert le mien, de
grand-p'pa et grand-m'man, un foulard que grand-
m'man m'avait tricoté, et Bradley et moi on a regardé
la télévision pendant que les adultes buvaient et

parlaient et écoutaient de la musique country-western dans la cuisine. J'ai attendu une demi-heure avant de commencer à me rendre dans la cuisine aux quinze minutes et à me tenir debout devant ma mère pour lui laisser savoir que je voulais rentrer à la maison. J'insistais toujours auprès d'elle parce que ma mère buvait pas et je savais qu'elle aimait pas que mon père boive trop, comme tout le monde le faisait chez grand-m'man et grand-p'pa, surtout à Noël. Vers 10 h 30 j'en avais assez, je me suis approché d'elle et je lui ai chuchoté: «Quand est-ce qu'on y va?

— Bientôt», qu'elle a dit. Son haleine sentait bizarre. J'ai regardé sur la table jonchée d'objets. Sa tasse de café s'était transformée en bouteille de bière.

Elle a demandé: «Est-ce que tu veux plus de Coke, Raymond?

— Non.»

Puis, en direction du salon: «Est-ce que tu veux plus de Coke, toi, Bradley?

— Oui, s'il vous plaît.»

Bradley regardait Rudolph sauver Noël à la télévision en même temps qu'il écoutait le cadeau de Noël de mes parents avec l'oreillette blanche qui était incluse. Il portait le chandail brun avec un renne blanc que grand-m'man lui avait tricoté pour Noël, et il mouillait ses doigts pour attraper les dernières miettes de chips dans le fond du bol qu'on avait partagé. J'en avais seulement pris un peu parce que les chips étaient nature et que j'aimais les barbecues, mais j'avais faim soudainement et j'aurais aimé en avoir plus.

J'ai rapporté deux gros verres à whisky pleins de Coke tiède dans le salon et je me suis assis sur le tapis à côté de Bradley. Le bol de chips était vide, pas une miette. J'entendais une chanson jouer dans son écouteur même si j'arrivais pas à savoir laquelle c'était.

« Veux-tu l'essayer ? qu'il m'a demandé en le retirant.

— Ça va. » J'avais un transistor depuis deux ou trois ans déjà.

« Tu peux si tu veux. » Il m'a tendu l'écouteur beurré de cire d'oreille jaune.

« Non, ça va. »

Bradley a haussé les épaules et planté l'écouteur à l'intérieur de son oreille, puis s'est retourné vers la télé. J'ai pris une gorgée de Coke et j'ai éternué. « À tes souhaits », a dit Bradley sans détourner les yeux de la télévision. J'ai regardé vers la cuisine. Mon père fumait sa cigarette avec le bout de son pouce et de son index pincés fermement sur le filtre comme il le faisait quand il avait beaucoup bu. Sa cravate était desserrée et il riait de ce que quelqu'un avait dit. Tout le monde riait, même ma mère, qui riait presque jamais. Je l'ai vue vite déposer sa bouteille de bière et couvrir sa bouche comme si toute la bière allait gicler si elle enlevait sa main.

Je suis retourné dans la cuisine deux ou trois autres fois et je me donnais même plus la peine de chuchoter, je disais seulement : « Quand est-ce qu'on s'en va à la maison ? » Je l'ai même dit à mon père, une fois. Mais mon père ou ma mère répondaient toujours : « Bientôt, fiston, bientôt. » Et chaque fois, grand-m'man disait : « Raymond, pourquoi est-ce que tu vas pas te coucher sur le lit de grand-m'man si t'es fatigué ? » « Je suis pas fatigué », que je répondais, et je sais pas pourquoi tout le monde riait, pensait que j'avais dit quelque chose de très, très drôle.

Je me suis endormi sur le tapis. Le tapis était piquant et les éclats de rire dans la cuisine me réveillaient parfois en sursaut. Mais avant que je puisse me lever et marcher jusqu'à la cuisine et dire à ma mère que ça faisait longtemps qu'on aurait dû y aller, je m'étais rendormi. Parfois le son de la télévision se glissait dans mes rêves, devenait une partie de mon rêve. Je savais que je dormais mais je pouvais toujours pas me forcer à ouvrir les yeux.

Bradley m'a secoué pour me réveiller.

« Qu'est-ce que tu veux sur ta pizza ? » Il était à genoux à côté de moi, comme s'il priait. Il avait l'air encore plus enthousiaste que quand il avait ouvert le papier d'emballage de la boîte de sa radio.

« Quelle pizza ?

— On commande une pizza, extra-large, tout ce qu'on veut dessus, tout.

— Pourquoi est-ce qu'on commande une pizza ? »

Bradley a laissé faire et s'est levé pour aller dans la cuisine.

J'ai regardé l'horloge coucou de grand-m'man sur le mur au-dessus de la télévision. Il était passé une heure du matin. Est-ce que c'était encore la veille de Noël ou est-ce que c'était Noël maintenant, je le savais pas. D'une façon ou d'une autre, on était pas censés commander de la pizza. Peu importe si on était le jour ou la veille de Noël, c'était pas ce qu'on était censés faire.

Il n'était pas tout à fait 16 heures quand ils sont arrivés à Rivière-du-Loup, assez de temps pour que Jack commence à regarder les archives civiques ou paroissiales. Après avoir payé la chambre d'hôtel et reçu la clé, toutefois, Jack a insisté pour qu'ils passent prendre un whisky-soda rapide au bar du motel.

« T'es certain ? a demandé Joe. On est venu jusqu'ici pour ça, non ?

— Juste un petit », a dit Jack.

Joe a haussé les épaules. « C'est ton voyage…

— Juste un petit. »

Joe savait que pour Jack, ça n'existait pas, un petit verre. Pour Jack, c'était la sobriété ou l'anéantissement ; ou alors la longue quête maladroite pour y arriver. Mais fallait lui donner ça, Jack en était bien conscient. Avant de partir en virée, il disait toujours à Mémère où il allait et quand il pensait rentrer et apportait juste assez d'argent pour décoller, puis empruntait ce dont il avait besoin en chemin et tenait le compte exact de combien il devait et à qui. Il y a une certaine sagesse à savoir qu'on ne peut pas se faire confiance. Comme un suicidaire consciencieux qui porte sur lui deux pièces d'identité en tout temps.

Le bar avait l'air de rien – même pour un bar de motel –, une petite extension de l'immeuble principal faite en lattes de contreplaqué avec une tête d'orignal sur un mur et une distributrice à cigarettes hors d'usage au milieu de quelques tables vides éparpillées, et quand ils se sont assis à ce qui ressemblait à un comptoir, ils ont été surpris de voir l'homme qui les avait accueillis derrière l'autre comptoir, celui en formica où ils s'étaient enregistrés. Il y avait une porte qui communiquait avec le bureau du motel, et une cloche au-dessus de la porte qui lui indiquait quand il avait des clients assoiffés.

« Ah, comme on se retrouve ! » a dit Jack en se fourrant une cigarette dans la bouche. Quand Jack lui avait adressé la parole en français, en arrivant, l'homme leur avait répondu en anglais. Quand Jack lui avait demandé s'il parlait français, l'homme avait répondu : « *Yes. And how many nights will you be staying ?* »

La cigarette pas encore allumée pendue à ses lèvres, Jack a dit : « C'est soit ça ou bien j'ai du déjà-vu encore pris dans les oreilles. » Il s'est poussé le petit doigt dans l'oreille et l'a secoué énergiquement ; il l'a ressorti et secoué, et quelques gouttes d'après-douche sont tombées sur le comptoir. Un chiffon blanc pendait de l'une des grosses mains de l'homme, mais il ne s'est pas donné la peine de l'utiliser.

Joe avait accepté d'aller prendre un verre avec Jack, mais à condition que Jack accepte de faire sa toilette dans leur chambre. C'était le seul motel qu'ils avaient vu en arrivant, et Joe n'avait pas envie de se faire expulser au bout d'une heure et de devoir remonter en voiture et en chercher un autre. Maintenant il n'était plus sûr d'avoir bien fait. Tout ce qu'il avait espéré, c'était que Jack change sa chemise pleine de sueur et asperge son visage graisseux et peut-être qu'il essaie de se peigner les cheveux, mais Jack l'avait surpris, il l'avait fait attendre pendant qu'il se douchait et se rasait, il avait même enfilé sa veste sport qui jusqu'à présent était restée accrochée à un cintre à l'arrière de la voiture. Pourquoi, Joe ne le savait pas. D'après ce qu'ils avaient vu jusqu'à maintenant, il n'y avait pas vraiment de raison de se soucier de l'étiquette vestimentaire. La plupart des véhicules sur la route, le peu qu'il y en avait, c'étaient des tracteurs et des pick-up.

La douche et le rasage et le fait qu'il avait été à court de cognac une demi-heure avant d'arriver au motel n'ont fait que reporter ce qui devait arriver ; le renfort sous forme de deux petits whiskys-sodas a accéléré les choses, lui a donné un air de fausse santé, a corrigé sa posture sur le tabouret, lui a donné une telle envie de parler qu'autrement sa langue lui enflerait dans la bouche et l'étranglerait d'un silence lourd. Jack a regardé dans le bar. Il n'y avait personne à part lui et Joe. Sa veste sport semblait serrée autour de son torse. Il entendait battre son cœur.

« La machine à cigarettes, elle marche ? » a-t-il lancé à l'homme de l'autre côté de la porte, sachant que la réponse serait non. L'homme leur avait servi leurs verres et était retourné à son poste à l'accueil. Joe a sorti son paquet de Marlboro de sa poche de chemise et l'a poussé vers Jack. Jack a ignoré le geste.

« *Pardon** ? » a fait l'homme dans le cadre de porte.

— Est-ce que tu connais des Kerouac qui habitent dans le coin ?

— Non.

— Je suis un Kerouac – Jean-Louis Kerouac –, et ça, c'est mon bon ami M. Joseph Chaput. Mon grand-père est né ici.

— O.K.» L'homme a croisé les bras.

Jack a soulevé son whisky-soda, l'a calé; il a secoué le verre vide, un maraca à glaçon.

«*Does that mean you'd like another whisky-soda?*

— *Oui. Deux**», a dit Jack en pointant le verre plein de Joe.

L'homme est allé derrière le comptoir et a pris la bouteille, il a lentement dévissé le bouchon de plastique et silencieusement il a arrosé deux verres propres avec du Canadian Club.

À l'homme qui lui faisait dos, Jack a demandé : «Pourquoi tu parles pas français avec moi?»

Sans se retourner, l'homme a dit: «Vous êtes Américains, non?

— Mon premier ancêtre nord-américain était le baron Alexandre Louis Lebris de Kerouac de Cornouailles, en Bretagne, un brave soldat qui s'est battu pour la France en…

— Vous avez une plaque du Massachusetts. Vous êtes de Boston?

— Lowell, a dit Joe gentiment. À peu près une heure au nord de Boston. Merci, a-t-il dit quand l'homme a placé de nouveaux verres sur le comptoir.

— Vous êtes des Américains.» L'homme s'adressait à Jack.

«Des Nord-Américains.» Pointant l'homme du doigt, puis lui-même: «Notre sang, c'est le même sang. La langue de mes aïeux était la même que celles des vôtres. Tous les trois (il a mis un bras autour des épaules de Joe), on est des fils de la France.

L'homme s'est essuyé les mains sur sa serviette. «On a beaucoup d'Américains ici à ce temps-ci de l'année, il a dit. Ils viennent pour tuer des caribous.» Il a fermé la porte du lobby du motel derrière lui.

Il n'a fallu qu'un petit verre à Jack pour comprendre pourquoi l'homme avait été aussi froid. Bien sûr. C'était évident.

«On est pas des juifs! a-t-il hurlé. C'est les juifs, je le sais, qui ont corrompu notre langue – ma langue –, la langue française, notre langue française. C'est exactement pourquoi il faut rester ensemble, les Français. Reviens ici, mon ami, laisse un frère de sang payer un verre à son frère de sang.

La porte du bar s'est rouverte. Parlant à Joe, cette fois, l'homme a dit : «Le bar est fermé, maintenant.»

Je connaissais le petit fou rire des trois bières, j'étais passé à l'extase d'une caisse de six, j'avais même fait l'expérience des joies profondes du calage de Brador, l'élargisseur de conscience de choix des ados ; c'était comme téter une côtelette de porc glacée distillée dans une bouteille de bière mais avec une teneur en alcool de 6,1 % qui te ramollissait les genoux. Mais là je voulais me soûler. Me soûler comme Jim Morrison. Soûl à traîner un extincteur jusqu'au clavecin du claviériste parce que le band est pas assez dedans. Soûl à se pendre de la fenêtre d'un cinquième étage parce que le party à l'intérieur est trop emmerdant. Soûl à envoyer chier dix mille personnes parce qu'on jouera pas « Light My Fire » ce soir parce qu'on en a juste pas envie.

D'après *Personne ne sort d'ici vivant* et *Les vies parallèles de Jack Kerouac,* Jim et Jack, au mieux de leur séduisante indomptabilité, avaient l'habitude de cavaler avec le même complice, Jack Daniel, et j'avais décidé de faire connaissance avec ce M. Daniel. C'était pas aussi facile que d'acheter de la bière, par contre, car Jamie, normalement l'homme de la situation, parce qu'il était grand, plus de six pieds, plus de deux cents livres, refusait de tester sa chance au magasin de vin et spiritueux vu que son père, le révérend Dalzell, était un homme à scotch et que Jamie pouvait pas courir le risque d'être reconnu à la caisse comme étant le fils du pasteur. Notre plan B habituel – rôder aux alentours du dépanneur en attendant que quelqu'un d'assez débraillé arrive et lui demander poliment si ça le dérangerait de nous acheter une caisse de douze parce qu'on, euh, on avait oublié nos cartes à la maison – était aussi hors de question. Les gens comme mon père buvaient de la bière ; les gens comme le révérend buvaient du fort et du vin. Un gars en vêtements de travail sales pouvait t'envoyer promener, te dire d'aller t'acheter ta propre maudite bière, mais un gars en veston et cravate pouvait avertir le gars dans le magasin qui pourrait appeler la police qui pourrait… Personne avait jamais dit que la transcendance était facile. *Break on through to the other side, yeah.*

« On a juste à prendre de la bière », a dit Jamie. On était assis face à face dans la cafétéria presque vide, le lunch du vendredi presque terminé. Jamie était d'accord pour boire du bourbon avec moi, mais là, la pression montait. La danse était ce soir et on avait toujours rien à boire. Et tu pouvais pas te pointer à une danse sans avoir bu. Même les preppys qui aimaient vraiment la musique minable que les D.J. faisaient jouer – Soft Cell, The Human League, A Flock of Seagulls – s'assoyaient dans le salon chic des parents de l'un ou de l'autre d'entre eux et se fortifiaient avant la danse avec des John Labbatt Classic et des Schooner et des coolers au vin.

« C'est tellement poche, que j'ai dit.

— Ouais, ben, poche ou non, c'est tout ce qu'on va avoir.

— Je comprends toujours pas pourquoi t'essayes pas le magasin d'alcool.

— Je t'ai dit pourquoi.

— Je sais, mais… »

Passant à côté de notre table, Pete Farrell a dit : « Essayer quoi, au magasin d'alcool ? »

Pete était dans l'équipe de football, comme nous, mais il jouait jamais, c'était un bloqueur offensif gauche réserviste, ses épaulettes et son casque lui donnaient à peine un échelon de plus que le porteur d'eau. Il était pas stupide, mais pas intelligent non plus ; il m'avait déjà demandé, dans le cours d'anglais, quand il m'avait vu feuilleter mon exemplaire des *Vies parallèles* avant que la cloche sonne, pourquoi je lisais un livre qui était pas au programme. Apparemment il pouvait emprunter le pick-up de son père quand il le voulait, par contre ; donc c'était parfois un gars utile et on le laissait se tenir avec nous.

« Je veux prendre du Jack », j'ai dit. Jack. Je trouvais que ça sonnait bien. Comme quand les stups avertis à la télé disaient de la poudre au lieu de la cocaïne, du horse au lieu de l'héroïne.

« Ma sœur boit du Jack Daniel's des fois, a dit Pete.

— Ah ouais ?

— C'est le genre d'affaire qui te fucke comme il faut. »

J'ai lancé un sourire à Jamie. « Ouais, je sais. » Jamie a mordu dans sa pomme.

« Elle t'en vendrait probablement, a dit Pete.

— Vraiment ? Pourquoi ?

— Parce que c'est ma sœur. Si je lui dis que vous êtes mes amis, elle va le faire, probablement.

194

— Ça, ça serait cool, j'ai dit. Ça serait vraiment cool.

— Pourquoi est-ce que j'irais pas vous chercher ce soir, on ira chez ma sœur avant la danse, on fera la fête là-bas?

— Parfait», que j'ai dit, en hochant la tête à plusieurs reprises, surtout pour convaincre Jamie. Je savais ce qu'il pensait – que les personnes qui utilisaient l'expression *faire la fête* étaient précisément le genre de personnes avec qui tu voulais pas faire la fête – mais un accès facile à une voiture et à de l'alcool fort valait la peine de supporter n'importe quoi, même Pete.

«Comme vous voulez, a dit Jamie. Tant qu'on s'arrête au magasin de bière.

— *No problemo*», a fait Pete.

Jamie a croqué son dernier morceau de pomme, et il a visé et lancé le trognon dans une des nombreuses grosses poubelles de métal qui coupaient en deux le côté des gars à la cafétéria. Deux points. «Au moins maintenant j'ai pas à payer pour ton whiskey.

— C'est pas du whiskey, que j'ai dit. C'est du bourbon.

— Comme tu veux.

— Il y a une différence.

— Qu'est-ce que t'en sais?

— Crois-moi, je le sais. »

La sœur de Pete, Ann, vivait dans un quadruplex près du collège communautaire. En chemin, Pete a dit qu'elle vivait avec son copain, qui s'appelait Pete lui aussi, mais si c'était vrai, il était pas là quand on est arrivés. Elle avait l'air de ce que Pete aurait eu l'air s'il était une femme dans la mi-vingtaine qui se lavait jamais les cheveux, et après qu'elle eut décroché la chaîne de sûreté dorée de la porte et qu'elle nous eut amenés au salon, on a remarqué qu'elle traînait son pied droit sur le plancher de linoléum. Chaque fois, sa pantoufle faisait un bruit, *chut*, comme quelqu'un qui serait toujours en train de demander le silence.

Jamie et moi, on s'est assis sur le divan, Pete dans l'un des fauteuils. Le divan et tous les fauteuils étaient recouverts de châles de laine tricotés à la main. Deux bâtons d'encens se consumaient dans deux brûleurs d'encens en bois de santal. Une seule lampe de table étalait une lueur jaune sale. Même si t'essayais très fort de te concentrer, t'avais l'impression d'avoir soudainement attrapé la jaunisse.

«Tiens, a dit Jamie en me cognant une bière dans les côtes, commence avec ça.» Il a sorti une autre bouteille de sa caisse de douze et l'a passée à Pete. Il en a placé une autre sur la table à café en vitre à côté d'un tas de vieux magazines, le genre qu'on trouvait dans la clinique d'un dentiste raté. «Est-ce que ta sœur veut une bière?»

Pete a décapsulé sa Bleue. «Ann a la grippe.»

Jamie a attendu qu'il élabore.

«Elle a toujours la grippe.» Pete hochait la tête, souriait.

Jamie a remis la bouteille dans la caisse.

On pouvait entendre les *chut* pause *chut* pause d'Ann qui passait de la cuisine au salon, mais ni Jamie ni moi avons levé les yeux. Quand elle a fait tinter la bouteille de Jack Daniel's et quelques verres sur la table à café, on a fait comme si on était surpris de la voir debout là.

Elle a toussé, couvert sa bouche et dit : « On se fait des shooters ou on le sirote ? » Même si la fournaise faisait vibrer les bouches d'aération et qu'il devait faire quatre-vingts degrés dans l'appartement, elle avait attaché les boutons de son cardigan comme s'il faisait froid. Elle a regardé Jamie, puis moi.

« Pas moi, qu'il a dit, en se calant dans le divan avec sa bière. Je suis pas comme mon père.

— Ton père boit du scotch, j'ai dit.

— Ça revient au même. »

J'ai regardé Pete. « Je conduis », qu'il a dit. Puis, pointant la bouteille dans son autre main : « Je suis mieux de rester à la bière. » J'ai vu Jamie lever les yeux et prendre une gorgée de sa Bleue.

Ann a toussé encore, une main sur la bouche, l'autre qui tenait son cardigan fermé. J'avais envie de dire : Crisse, on pourrait pas juste commencer ?

« Ben on dirait que c'est juste toi pis moi, Roy », qu'elle a dit. C'était la première fois qu'elle souriait depuis notre arrivée, incluant quand Pete nous avait présentés. Il lui manquait une dent, en bas.

« Ray. »

Elle était déjà en train de remplir deux petits verres à shooter avec une liqueur brune. « Petey dit que t'es un homme qui aime son Jack. » J'ai entendu Jamie pouffer. « Si t'es un gars qui aime son Jack, tu le prends sûrement pur, comme moi. »

Elle m'a donné un verre à shooter et l'a fait tinter contre le mien juste assez pour faire un petit son agaçant. Le bourbon a scintillé comme la surface d'un lac par un jour sans vent.

Elle a dit : « Santé. »

J'ai dit : « Santé. »

Ç'avait aucun sens – boire sans goûter! –, mais j'ai suivi son exemple, j'ai avalé la boisson en essayant de pas la laisser toucher ma langue. L'odeur était assez forte pour que je sache dans quoi je m'embarquais, de toute façon: une douce gazoline, fine comme une lame de rasoir. J'ai déposé délicatement le verre à shooter sur la table à café et je me suis enfoncé dans le divan à côté de Jamie.

« C'est comment?

— C'est bon.

— Ça goûte quoi?

— Ça goûte bon. »

Ann a boité jusqu'à une table tout près et mis une cassette maison dans un magnétophone, elle est revenue en boitant encore et a versé deux autres verres. James Taylor bêlait dans l'unique haut-parleur en plastique noir, à propos du feu et de la pluie et des jours ensoleillés qui, pensait-il, se termineraient jamais.

Elle a dit: « Santé. »

J'ai dit: « Santé. »

« On y va.

— Faut vraiment qu'on y aille. Ils laissent personne entrer à la danse après 10 heures.

— Va chier.

— Prends son manteau pis on y va.

— Merci, Ann.

— Ouais, merci. »

J'ai dit: « Allez tous chier. »

Quelqu'un a mis mon manteau en paquet sous mon bras et m'a poussé vers l'entrée comme un carrosse de magasinage avec juste trois roues. Je me suis arrêté et me suis retourné et j'ai jeté le manteau par-dessus la tête de Jamie, à qui j'ai fait faire une pirouette et je lui ai sauté sur le dos.

« Hey, s'te plaît, j'ai des voisins, les gars.

— Ray, s'te plaît.

— Ray.

— Allez tous chier, j'ai dit. Maudits... cochons de bourgeois. »

J'ai regardé le plafond. Une tache d'eau brune ressemblait à un nuage qui ressemblait à une tache d'eau sur un plafond. Mon dos aurait dû me faire mal, je le savais, mais c'était pas le cas.

« Est-ce qu'y est correct ?

— Je savais pas que c'était un trou de cul.

— C'en est pas un. D'habitude. »

J'ai pointé du doigt les visages d'Ann, de Pete et de Jamie, qui me regardaient les regarder, couché sur le plancher.

« Toi. Toi. Et toi », que j'ai dit. J'ai pris une grande respiration, réprimé une marée haute de vomi qui montait du creux de mon estomac. Je me suis ressaisi, toujours étendu sur le dos, et j'ai dit : « *The time to hesitate is through.*

— O.K., Lizard King, debout.

— De quoi il parle, Jamie ?

— *No time to wallow in the mire.*

— Les gars, faites-le sortir de chez moi, O.K. ? S'il vous plaît ?

— C'est juste les paroles d'une chanson.

— Mais qu'est-ce que ça veut dire ?

— Ça veut dire qu'on est pas partis pour aller à la danse, Pete. »

Il se souvenait encore du temps où la seule chose qu'il voulait, c'était d'écrire une seule phrase magnifique.

Mon Dieu, ne fût-ce que la maîtrise – que la modeste maîtrise – de mon art, de la forme, de mon esprit. Ne fût-ce que la possession – que la possession partielle – de toute cette magie faite à la main. Ne fût-ce que pour servir dans la même équipe que Shakespeare, Cervantès, Rabelais, que pour me qualifier comme remplaçant du remplaçant du remplaçant, l'honneur des honneurs que de jouer dans la même brigade de scribouilleurs, des siècles et des siècles à jouer ensemble le seul match à jamais valoir la peine d'être gagné.

Mais, bien sûr, avec le temps :

Ce que je veux dire, mon Dieu, c'est : ne fût-ce que des publications – justification, je veux dire validation, absolution –, ne fût-ce que mon propre nom sur le dos d'un seul vrai livre poussiéreux, écorné, depuis longtemps en rupture de stock, placé seul dans l'étagère du haut d'une bibliothèque de troisième rang, quelque part, je sais pas, en Idaho, disons, que personne ne fréquenterait jamais, mais qu'il soit là de toute façon – mon livre –, la phlébite, les maux de dents, les tests de paternité inadmissibles devant les tribunaux qui ne signifient rien, absolument rien, eux et le triste monde duquel ils ont été vomis s'en vont directement en enfer, immortalité instantanée droits d'auteurs © 1957 par Jack Kerouac, Numéro 57-9425 du Catalogue de la Bibliothèque du Congrès.

Mais, bien sûr, avec le temps :

Ce que je veux dire, ce que je veux vraiment dire, mon Dieu, c'est : ne fût-ce qu'une honnête renommée, une vraie reconnaissance, je parle d'une appréciation véritable, pas ce blabla de porte-parole d'une bande de délinquants juvéniles. Je veux dire, pourquoi est-ce que tous les Bernard Malamud et Herbert Gold et Saul Bellow reçoivent leur petite étoile dorée de bon petit garçon/bon livre, en plus de se faire personnellement lécher le trou de cul par chacun des membres de la conspiration des critiques juifs de New York, mais que moi je suis juste un grand Canayen dur d'oreille qui connaît rien à rien, t'as qu'à demander aux finfinauds du Saturday Review *(«des bêtises adolescentes») ou du* New York Herald Tribune *(«brouillon et grossièrement sentimental») ou du* New York Times *(«jappements de hippie loquace»).*

Le monde est si vaste. Aussi loin que tu ailles, peu importe ce que tu fais quand tu y es arrivé, il y a toujours une bonne raison pour la mesquinerie, la jalousie, la rancœur. C'est vrai que l'herbe est toujours plus verte... Mais il ne faut pas que tu te laisses berner par la peinture fraîche sur la clôture. Tous ces clous rouillés, tout ce bois pourri, rongé par les vers, tout ça est en dessous, quelque part.

Alors que je marchais au centre-ville vers la station d'autobus, après l'école, j'ai remarqué une enseigne de taille moyenne, avec des lettres au marqueur noir, toute seule dans la fenêtre sale de la devanture vide d'un magasin de la rue King.

VENTE DE LIVRES DU CLUB HEATHER
TOUS LES LIVRES 25 ¢ À 1 $
TOUS LES PROFITS SERONT REMIS
AUX SŒURS
DE L'HÔPITAL SAINT-JOSEPH

J'allais probablement pas découvrir un exemplaire de *Sur la route* à une vente de livres tenue par des nonnes, mais *Les vies parallèles de Jack Kerouac* était une excellente carte routière pour indiquer à mon esprit la direction à prendre, donc j'avais plein d'autres arrêts imprononçables qui m'attendaient le long du chemin, à part Kerouac.

J'étais jamais allé à une vente de livres usagés. L'odeur de la pièce était comme ce que tu ressens au mois de janvier quand t'es à l'intérieur et que tu vois la neige tomber et le verglas et le vent faire danser les arbres. Les longues tables à banquet sur lesquelles les livres étaient disposés avec soin, souvent en ordre alphabétique, étaient divisées comme dans une librairie normale. Il y avait une section Fiction (Irving Stone, Pearl S. Buck et Arthur Hailey en double, voire en triple), Psychologie (*Norman Vincent Peale's Treasury of Joy and Enthusiasm*), Histoire (*Edgar Cayce : les mystères de l'Atlantide revisités*), Autobiographies (*Mine Eyes Have seen the Glory* d'Anita Bryant), et, bien sûr, Religion (beaucoup de Nouveaux Testaments en gros caractères, de bibles *Good News*, et même quelques livres de théologie avec des titres comme *Dieu existe et il est bien vivant à Lockport, New York !*). Et comme ce jeu dans *Sesame Street*, une de ces choses est pas comme les autres, une de ces choses est pas à sa place : *Pourquoi je ne suis pas chrétien*, de Bertrand Russell.

Étampé à l'encre bleue à l'endos de la couverture : *ASSOCIATION UNITARIENNE DE CHATHAM*. Un arsenal de lecture pour connaître son ennemi, je me suis dit. Je l'ai pris, de même que le livre vert, relié et abîmé qui était caché derrière, *Une introduction à la philosophie* de G. T. W. Patrick, et je les ai apportés à la nonne et à sa caisse de métal vert, à l'avant. Je craignais qu'elle décide de pas me vendre ces livres, après avoir lu le titre du premier. Elle me les a vendus, et un dollar chacun. Même si je les avais payés, quand j'ai passé la porte avec les livres dans mon sac de gym, je me sentais comme si j'avais volé quelque chose.

C'était au mois de mai, mai qui se prenait pour juillet, rappelant à tout le monde que l'été dans le sud-ouest de l'Ontario, c'est comme entrer dans une salle de bain embuée juste après que quelqu'un a fini de prendre une longue douche chaude. Mais notre maison était fraîche comme l'automne grâce à notre nouvelle climatisation centrale.

J'étais pas habitué à ce qu'il fasse froid dans la maison quand il faisait chaud dehors. Mes parents, surtout ma mère, disaient toujours qu'ils pouvaient pas s'imaginer comment ils avaient pu vivre sans climatisation, mais moi j'arrivais pas à m'habituer à mettre plus de vêtements quand je revenais de l'école pour pas avoir froid. En plus, j'avais attrapé un mal de gorge dès le premier jour où de l'air froid s'était précipité par ce qui avait été jusque-là des conduits d'air chaud. J'ai laissé tomber mon sac de gym dans ma chambre et j'ai pris mes deux nouveaux livres pour les apporter dans la cour.

J'ai pris une chaise de patio dans la remise. La remise était comme une fonderie, t'avais l'impression que si tu restais trop longtemps à l'intérieur et que tu respirais trop de son air, tu finirais par te brûler les poumons. J'ai déplié la chaise au milieu de la cour. Notre quartier était encore sous les bulldozers quand on avait déménagé, une dizaine d'années auparavant, et il y avait toujours pas d'arbres ni d'ombre, alors s'asseoir au milieu de la cour ou ailleurs, c'était pareil. J'étais assez près de la maison, par contre, pour entendre le ronronnement régulier du climatiseur. Je pouvais même entendre le climatiseur des Eglins à côté, tout près de la clôture.

J'ai pris *Pourquoi je ne suis pas chrétien* parce que c'était un livre de poche. Ce serait mentir que de dire que je comprenais ce que je lisais. Même de dire que je lisais.

Page 15, une réfutation de quelque chose qui s'appelle «l'argument de la cause première». Page 36, l'Église chrétienne comme source d'intolérance morale. Page 95, la persécution religieuse de quelqu'un qui s'appelait Thomas Paine. Page 161, pourquoi la religion ne peut pas guérir les maux de la société. Page 139, un débat entre Bertrand Russell et le père F. C. Copleston quant à l'existence de Dieu.

J'étais tellement excité que chaque fois que je commençais à lire un chapitre, je dépassais jamais les premières pages de peur de manquer quelque chose ailleurs dans le livre, mais en même temps j'étais fâché. Pourquoi personne m'avait dit qu'on avait le droit de poser ce genre de questions? Pourquoi est-ce que je savais pas qu'il existait dans le monde des gens comme les philosophes, dont le travail consistait à s'asseoir toute la journée et à s'interroger sur le sens de la vie et à écrire des livres pour raconter tout ça au monde?

«Ray, pourquoi tu viens pas au frais, à l'intérieur?»

Ma mère était à la porte, un pied sur la marche de ciment, l'autre à l'intérieur.

«Ça va.» Je pouvais entendre CFCO jouer dans la cuisine, «Easy (Like Sunday Morning)» des Commodores.

«Comme tu veux, mais reste pas dehors trop longtemps. Tu vas finir par attraper un coup de chaleur si tu restes dehors dans cette soupe trop longtemps.

— Je vais faire attention.» J'étais en train de regarder le livre sur mes genoux. Sur la couverture, sous le titre et le nom de Russell, il y avait une croix noire et un grand *X* blanc par-dessus.

«Je sais pas comment tu fais», elle a dit, en fermant la porte en aluminium puis celle en bois, le *whoosh* de la dernière aspirant le son de la radio. Il faisait trop chaud pour tondre la pelouse, donc tout ce que j'entendais, c'était le ronron des climatiseurs.

J'ai rouvert *Pourquoi je ne suis pas chrétien*. N'importe où. Là où le livre s'ouvrait, je lisais.

Vous ne trouverez pas le mot « religion » dans la Bible. C'est pas avec une règle à calcul et un stylo à bille que vous allez prouver que Jésus vous aime. Dieu s'en fout que *Le journal de théologie existentielle* soit un trimestriel influent au lectorat sans cesse grandissant composé d'éminents universitaires, d'ecclésiastiques et de laïcs renseignés. La foi est en bas de l'escalier, dans le sous-sol, et oubliez l'interrupteur, l'ampoule est brûlée, elle l'a toujours été.

Gerard avait été le premier professeur de Jack, quand il était en assez bonne santé pour prendre son petit frère par la main et le conduire à travers le chemin de Croix, à côté de l'orphelinat franco-américain, sur la rue Pawtucket, lui expliquant patiemment le sens de chacun des arrêts. Jack avait quatre ans et le Christ crucifié était grandeur nature, couvert de sang, et il avait l'air vraiment triste. Ti-Jean avait pitié de lui. Ti-Jean avait peur de lui. Gerard avait dit à son frère de ne pas avoir peur, qu'après sa résurrection, Jésus était monté au ciel et qu'il connaissait un bonheur que personne était capable d'imaginer. Sur le chemin du retour, ils passaient devant le salon funéraire Archambault. Un an plus tard, Gerard y serait exposé. Pas mal plus tard, Jack aussi.

Dans l'auditorium de l'école, Ti-Jean avait vu un film dans lequel la statue de sainte Thérèse tournait la tête. Parfois, il voyait sa propre statue de plâtre de sainte Thérèse sur sa commode à côté de tous ses trophées d'athlétisme et elle aussi tournait la tête. Parfois, Jésus ou la Vierge Marie faisaient vibrer son lit, la nuit. Le sous-sol d'église où les enfants se réunissaient les après-midis pluvieux après l'école pour boire de la limonade insipide et écouter des histoires de la Bible était sombre et sentait le moisi et on ne savait jamais ce qui se cachait dans les recoins des tortueuses alcôves de pierre froide. Jacky savait que Jésus était doux comme un agneau, qu'il était son tendre Sauveur, parce que Gerard le lui avait appris, mais parfois la croix noire laquée portant un Jésus en plastique blanc éclatant le réveillait au milieu de la nuit, le fixait du regard, le mettait au défi de fermer les yeux.

Gerard était un saint, la mère de Jack le disait souvent. Sa douceur, sa gentillesse, sa patience divine même dans les affres de ses atroces derniers moments sur terre – mon Dieu, juste le fait qu'il sauvait les souris des pièges que son père mettait autour de la maison – étaient de bonnes choses à se rappeler quand Ti-Jean était un mauvais garçon. Comme son grand frère aurait eu honte de le voir agir comme ça, Mémère disait. Les anciennes enseignantes de Gerard – les sœurs de l'école paroissiale Saint-Louis-de-France, qui avaient défilé devant sa tombe avec tant de déférence, sous les yeux du Ti-Jean de quatre ans– battaient Jack quand il avait besoin de discipline. Les marques qu'il ramenait à la maison lui faisaient mal, presque autant que la honte qu'il avait de ne pas être aussi sage que Gerard.

La montée d'hormones et les entraînements de baseball après l'école et les aventures de Jack London en format de poche étaient bons pour chasser la morosité, remettant Dieu à Sa juste place, celle d'un exercice du dimanche matin, un sujet de conversation pendant les cours de religion ou les palabres avec G. J. et Scotty, l'été, au bord de la rivière. Le soleil chasse les ombres. Même s'il ne peut pas faire jour indéfiniment.

Par une chaude nuit d'été de ses douze ans, il traversait le pont de la rue Moody avec Mémère quand un homme qui marchait devant eux et qui transportait un melon d'eau sous le bras était soudainement tombé raide mort. Jack et sa mère avaient couru en direction de l'homme, mais il était mort avant de toucher le sol. Les yeux aveugles du défunt regardaient l'eau de la rivière Merrimack tourbillonner sous le pont. Son melon d'eau craqué avait lentement dévalé la pente sud du pont.

Même s'il n'avait que douze ans, Jack s'était glissé dans le lit de sa mère et de sa sœur, cette nuit-là, son père, d'aussi loin qu'il se souvienne, dormant seul dans sa propre chambre. Sa sœur, qui dormait toujours avec Mémère, les avait finalement laissés pour se réfugier dans le lit de Jack, parce qu'il y avait trop de monde. En s'endormant, Jack s'était senti gêné d'avoir eu à revenir dans le lit de sa mère à cause de sa peur, quelque chose qu'il n'avait pas fait depuis des années. Mais quand il s'était réveillé en pleine nuit pour aller faire pipi et qu'il s'était retrouvé blotti contre la chair chaude de Mémère, il avait compris que la mort ne pouvait pas le toucher tant qu'il restait blotti là. Il ne voyait pas le crucifix accroché sur le mur de sa chambre, au-dessus du lit, mais s'il avait pu, il n'aurait pas eu peur. Il savait que Jésus veillait sur lui. Il le sentait dans ses os.

Quelque chose clochait depuis le début. C'était avec Eddie que je jouais, pas Robby. On a quand même apporté le batte et la balle et un gant et le support tee-ball avec nous au parc. Robby avait treize ans, un bon deux ans de plus que moi, alors il avait transporté le support.

M. Webster travaillait avec mon père à la Ontario Steel, et parfois, lui et Mme Webster et leurs fils Eddie, Robby et Donny, ils venaient chez nous, et parfois on allait chez eux. Ma mère préférait quand ils venaient nous voir. Les Webster avaient un vieux chien du nom de Tammy, trois chats, un oiseau, et un gros aquarium bouillonnant qui prenait la moitié de leur salon, et ma mère disait que leur maison sentait le zoo. J'aimais voir les animaux se promener partout quand on regardait la télé, toujours un qui venait pour se faire caresser ou qui passait en t'ignorant, mais leurs tapis sentaient pas aussi bon que les nôtres – on comprenait que Mme Webster mettait pas comme ma mère la poudre blanche qui était censée sentir le Printemps frais sur les tapis avant de passer l'aspirateur. Parfois, quand M. Webster racontait une histoire, il sacrait, même si on était dans la même pièce que lui, ses enfants et moi. Il avait

MAMAN tatoué sur l'avant-bras. Une fois, quand on les avait visités à Noël, Grandma Webster était là, aussi. Je l'avais regardée, assise sur le divan, mangeant de la salade de patates et des petits pains au jambon dans une assiette en carton, mais je voyais rien de spécial. Tout le monde sait que ta mère c'est ta mère, alors pourquoi quelqu'un voudrait marquer son nom à jamais sur sa peau ?

Le parc était juste derrière notre maison – une grande clôture de métal séparait le parc des cours de toutes les maisons de notre rue, la rue Park – mais elle était trop haute pour qu'on puisse grimper par-dessus, il fallait faire le tour du pâté de maisons pour y aller. Robby et moi, on a transporté l'équipement tout autour du pâté de maisons. On était trop vieux pour avoir besoin d'un tee-ball, mais quand Robby l'a vu dans le garage, il a voulu le prendre.

« Où est-ce que t'as trouvé ça ? Tu l'as volé ?

— Non.

— Où, d'abord ?

— Mon père l'a fait.

— Pourquoi ?

— Pour que je puisse m'entraîner.

— Ça doit être cool », qu'il a dit en enlevant la goupille et en ajustant la hauteur à sa taille.

J'ai haussé les épaules. Mon père m'avait fait beaucoup de choses : une rondelle d'acier pour ajouter de la puissance à mon lancer du poignet ; des cibles dans le but de hockey pour améliorer ma précision ; et puis, plus tard, quand on avait déménagé, il avait même installé une barre de métal entre deux poutres du plafond du sous-sol pour que je puisse faire des tractions à la barre fixe après que je lui ai dit que je voulais en faire dix chaque jour, parce que

Terry Bradshaw, dans son livre *The Terry Bradshaw Story*, disait que c'est ce qu'il faisait quand il était jeune.

« On devrait frapper des balles au sol avec », qu'il a dit en le lançant sur son épaule.

Tu vas frapper des balles au sol, je me suis dit, et c'est moi qui vais finir par courir après.

Eddie avait le même âge que moi, et s'il avait été là au lieu de Robby, on aurait pris la batte à tour de rôle. Mais Eddie était resté chez lui, il avait les oreillons, alors j'ai pris le gant et la balle et le batte et j'ai dit à mon père qu'on allait jouer au parc. Lui et M. Webster étaient assis sur des chaises de patio dans la cour et buvaient des bières. Mon père a dit O.K., mais de jouer là où il pouvait nous voir.

Une fois sur le trottoir, Robby a demandé : « Pourquoi tu lui as dit où on allait ?

— Quand je sors, faut que je leur dise.

— C'est gay. »

J'ai haussé les épaules. Je savais pas ce que ça voulait dire, gay, mais c'était sûrement pas quelque chose que tu voulais être.

On est arrivés au parc et on a jeté notre équipement assez près de la clôture pour que mon père et M. Webster puissent nous voir, mais assez loin pour qu'ils puissent pas nous entendre. Robby a mis la balle sur le dessus du tee-ball et exercé son élan. J'ai enfilé le gant et je me suis mis à marcher vers le champ. Je me suis retourné et j'ai mis mes deux mains sur mes genoux, fin prêt. De l'autre côté, une autre clôture séparait le parc de la Ontario Steel. Pendant l'été, quand les fenêtres de la maison étaient grandes ouvertes, on pouvait entendre les martèlements des presses d'acier de l'usine jour et nuit.

On s'y habituait et on le remarquait même plus vraiment, mais quand j'attendais que Robby frappe la balle dans le champ, je l'ai remarqué.

«Plus loin», qu'il a dit en me faisant signe de reculer.

Je me suis redressé et j'ai fait ce qu'il me disait de faire.

Quand j'ai été assez loin, il a pris encore quelques élans d'essai puis il a enfin frappé la balle. La balle s'est arrachée à la tige et a traversé la pelouse à ma gauche, fusant à côté de moi. Même si j'avais pas eu à l'attraper du revers elle m'aurait probablement échappé, mais ça paraissait mieux de rater la balle en y allant du revers. Même les pros parfois rataient une balle en essayant de l'attraper du revers.

«Mets-toi en avant, a crié Robby. Plante tes pieds et reste aligné en face de la balle.»

J'ai hoché la tête et j'ai remis mes mains sur les genoux. Robby est un abruti, je me suis dit. Il se prend pour qui, mon père? Robby est gay.

Robby a continué de marteler la balle sur la tige tandis que j'essayais de pas lui dire de pas la frapper si fort parce que c'était pas très amusant de cueillir des balles mortes dans le gazon à cinquante pieds de moi. C'était clair que j'allais pas le faire, par contre. C'était exactement ce qu'il aurait voulu. Ça se voyait dans son sourire en coin chaque fois que je lui relançais une autre balle qui m'avait frôlé comme une fusée. Je l'ai laissé frapper des balles au sol et sourire en coin encore dix minutes, puis j'ai fait claquer une dernière balle morte dans la paume de mon gant et je me suis mis à jogger vers lui.

«Déjà fatigué?

— Laisse-moi en frapper quelques-unes.

— J'en ai presque pas frappé, laisse-moi en frapper deux ou trois autres. »

Je continuais ma course, gardant mes yeux au sol. Je savais que si je le regardais, j'allais le laisser faire.

« Seulement deux ou trois autres, il a dit.

— C'est à mon tour.

— Seulement deux ou trois de plus. »

Je continuais ma course.

« Je vais en frapper une, fais attention.

— C'est à mon tour.

— Je vais la frapper, fais attention. »

Si je regardais, je savais que ce serait terminé. J'ai continué ma course.

« Je suis sérieux, qu'il a dit, je vais la frapper.

— Sois pas gay.

— T'es mieux d'être prêt parce que je vais la frapper maintenant. »

J'ai continué à pas le regarder. Il allait pas me frapper la balle dessus. Personne était aussi stupide.

« J'y vais, qu'il a dit, je frappe. »

Je voyais la base de métal du tee-ball dans mon champ de vision, donc je savais que je pouvais enfin regarder.

La première chose que j'ai vue quand je me suis relevé c'était Robby qui courait. Puis le sang qui avait éclaboussé sur le devant de mon t-shirt. Le rouge du sang paraissait plus rouge que rouge, probablement parce que le t-shirt que je portais était blanc, celui sur lequel ma mère avait repassé l'écusson *I'M AN OSCAR MAYER WIENER* qu'elle avait commandé pour moi avec le coupon à l'arrière d'un emballage de hot-dog. Ma tête me faisait pas mal, mais quand j'ai mis mes doigts où Robby avait frappé avec le batte, juste au-dessus de mon œil droit, j'ai senti une flaque de sang et j'ai crié.

«Papa!»

Je gardais ma main sur ma tête et je me rapprochais de la clôture et de notre cour.

«Papa!»

J'étais maintenant assez près pour voir M. Webster et mon père rire à propos de quelque chose. Je pouvais pas les entendre, mais je les voyais. J'étais presque arrivé à la clôture maintenant. Comment est-ce qu'ils pouvaient être en train de rire?

«Papa!»

Je me suis entendu hurler, et je me suis fait peur. J'ai hurlé encore, et encore, cette fois avec chacun de mes dix doigts agrippés au grillage de la clôture. J'ai vu M. Webster se lever de sa chaise de patio et pointer en ma direction et mon père échapper sa bouteille de bière et se mettre à courir vers moi.

«Papa!»

Il a pas ralenti. Arrivé à la clôture, il a sauté dessus à pleine vitesse, rentré ses pieds et mis ses doigts dans les trous du grillage et escaladé jusqu'en haut comme un singe du *Wild Kingdom*. Arrivé en haut, il a pris un moment pour enfourcher la barre de métal, puis il a descendu de quelques pieds avant de se laisser tomber sur le sol. J'ai arrêté de hurler quand il a atterri.

Il a mis ses deux mains de chaque côté de mon visage et incliné ma tête vers le haut pour voir où Robby m'avait frappé. Il a mis son bras autour de mon épaule et a marché avec moi vers l'entrée du parc.

«Ça va être correct, qu'il a dit. On va rentrer chez nous pis on va t'arranger ça.»

J'avais pas encore pleuré, mais maintenant je pleurais.

« C'était pas ma faute », j'ai réussi à dire.

— C'est pas grave, on va juste rentrer à la maison pis t'arranger ça.

— Je… voulais… juste… cogner, que j'ai dit en hoquetant les mots à travers mes larmes.

— Ça va aller. T'as rien fait de mal. On rentre à la maison. On va t'arranger ça. »

Peu importe l'heure ou combien de verres il avait dans le nez quand il revenait en vacillant, Jack passait toujours la tête dans le cadre de porte de Mémère pour lui laisser savoir qu'il était bien rentré. Une nuit qu'il arrivait en trébuchant juste avant l'aube, il n'a pas pris la peine de frapper, il a juste ouvert la porte de chambre fermée de Mémère au moment exact où Mémère, en costume d'Ève, sortait du lit. Les mains de Mémère ont volé pour couvrir ses seins, elle est tombée sur le sol, écume à la bouche.

Neuf jours plus tard, quand elle insisterait pour avoir son congé de l'hôpital, le résultat final serait une attaque laissant intact son côté droit mais affectant assez son côté gauche pour qu'elle ne puisse pas sortir du lit par elle-même, encore moins marcher. Jack a appelé Stash à Northport, répétant sans cesse qu'il avait failli tuer sa propre mère.

«Jack, c'était un accident.

— Ma propre mère, Stash.

— Jack, écoute-moi, je te connais, la dernière chose au monde que tu ferais ce serait de blesser Mémère intentionnellement.

— *Ma mère, ma mère**. »

Après une semaine à jouer à l'infirmière, il reprenait le téléphone pour appeler à Northport.

« Les seules choses qui marchent encore sont son trou du cul pis sa bouche, pis laisse-moi te dire que ses babines se font aller vingt-quatre heures sur vingt-quatre, sans arrêt. "Jacky apporte-moi ci, Jacky apporte-moi ça, Jacky j'ai besoin que t'essuies mon numéro un", je suis foutu, Stash, elle a besoin de quelqu'un qui s'occupe d'elle, moi je suis complètement dépassé.

— Tu peux pas demander à une infirmière de venir s'occuper d'elle ?

— Tu comprends pas, elle a besoin de quelqu'un à temps plein.

— Tu pourrais pas engager...

— Tu sais combien j'ai fait, l'an dernier, Stash ? Sept mille huit cent quatre-vingt-dix-sept dollars. Qu'est-ce t'en penses ? »

Une semaine plus tard, il appelait Stella à Lowell, lui demandait si elle pouvait, je t'en prie, je t'en prie, venir à Hyannis l'aider à prendre soin de Mémère. Sept semaines plus tard, il lui demandait de l'épouser. C'était pas seulement parce qu'il avait besoin d'une infirmière, a-t-il dit à Stash.

« Je peux voir les yeux de Sammy dans les siens. Je peux entendre Sammy parler par sa bouche. »

Stella cachait les bouteilles de whisky de Jack et faisait sa lessive et celle de Mémère et reprisait leurs vêtements et préparait leurs repas et donnait des bains à Mémère et faisait comme si de rien n'était quand ils parlaient en français devant elle pour pas qu'elle sache ce qu'ils disaient. Stella a également convaincu Jack de l'aider à convaincre Mémère de faire de la physiothérapie, si elle voulait qu'ils aillent tous vivre dans le Sud. Mémère n'aimait pas recevoir des étrangers à la maison, même pas les thérapeutes professionnels, et après que Jack lui a acheté deux nouveaux chats, Timmy et Tuffy, pour lui remonter le moral, elle pouvait se contenter de rester au lit toute la journée avec un ou les deux sur les cuisses et de sonner la cloche que Stella lui avait donnée chaque fois qu'elle avait besoin de quelque chose.

Un après-midi, peu de temps après leur déménagement en Floride, Jack a levé les yeux de son fauteuil devant la télévision pour voir une thérapeute trapue – elle avait été recommandée par les sœurs à l'hôpital, qui disaient qu'ils avaient été chanceux de la trouver – traîner sa mère dans la maison comme une poupée de chiffon. Jack a crié pour qu'elle arrête.

«Ça fait partie de la thérapie de votre mère, monsieur Kerouac. C'est peut-être difficile à comprendre, mais elle a besoin de faire ces exercices-là si· elle veut recommencer à marcher toute seule.

— Je t'ai dit d'arrêter, compris?»

La thérapeute a levé les yeux au ciel et laissé tomber Mémère sur le canapé; les mains sur les hanches, elle a déclaré que Gabrielle allait tout simplement devoir travailler plus fort si elle voulait pleinement bénéficier de son aide professionnelle.

La tête de Mémère est tombée sur sa poitrine. Jack avait deviné juste: elle était sans connaissance depuis plusieurs minutes. Stella a accouru, a frappé le dos de sa main pour essayer de la réanimer. Il fallait qu'il sorte de là.

Renonçant à la climatisation, ce qu'il faisait rarement en plein jour quand il avait le choix, il est sorti dans la cour et s'est assis sur la chaise de jardin en bois qu'il avait achetée pour lire lors des rares journées où la chaleur n'était pas étouffante. Comme il s'était préparé au pire, c'était pas si mal. Il pensait : Parfois, il faut juste que la pluie vienne et que l'humidité descende et que la température se refroidisse puis on est enfin capable de respirer.

Il a tiré le carnet de la poche de sa chemise et il était sur le point d'immortaliser sa pensée quand une mandarine s'est détachée de la branche d'un arbre du voisin et lui est tombée en plein sur le dessus de la tête.

Ses yeux se sont baissés vers le fruit orange posé dans l'herbe verte sous un soleil vif. Sont montés vers la branche qui se balançait encore. Jack a posé sa plume sur le papier.

« Orlando Blues », ça s'appellerait comme ça. Bien sûr qu'il allait écrire un poème. Quand une foutue mandarine te tombe sur la tête, as-tu vraiment d'autres choix ?

C'était bizarre. Il fallait que ce soit bizarre. Quoi d'autre, sinon ?

Mon père et deux ou trois de ses amis encore en grève à l'usine allaient aider un fermier à récolter son tabac pour faire un peu d'argent. C'étaient les immigrants et le monde qui pouvait pas se trouver de vraies jobs qui travaillaient sur les fermes autour de Chatham – pas le monde comme mon père et ses amis – mais il en parlait comme si M. Brown et M. Finch et lui planifiaient de passer deux ou trois semaines dans un camp de jour pour adultes, pas comme s'ils allaient travailler pour la première fois depuis des mois. Et même si tout le monde recevait encore des allocations de grève, mon père a dit à ma mère pendant le souper que c'était du beurre sur les épinards, de l'argent comptant à la fin de chaque semaine.

« Pourquoi t'es pas obligé de payer des impôts ? » Je venais de finir ma première job d'été à écimer du blé d'inde, alors je savais à quoi ça ressemble un chèque de paye décapité. On avait reçu une feuille photocopiée dans l'enveloppe avec notre premier chèque pour expliquer toutes les déductions : impôts fédéraux, sécurité sociale, assurance chômage. Trois dollars vingt-cinq l'heure, ça semblait plus vraiment intéressant, maintenant.

Tous les enfants de Chatham de treize ans et plus et d'au moins cinq pieds et un pouvaient, s'ils le voulaient, passer la moitié de leurs vacances d'été à se lever à 6 h 30 le matin et à marcher comme un somnambule au lever du soleil jusqu'au lieu de rencontre désigné afin d'attendre, avec une trentaine d'autres cinq-pieds-un-pouce-et-plus, d'être transportés par autobus scolaires loués au premier champ de maïs de la journée. Là, tu passais ta tête dans le trou de ton sac de poubelle vert prédécoupé et tu arpentais des rangées et des rangées de maïs couvert de rosée fraîche, et à chaque pied de maïs t'arrachais la fleur en haut, tu la jetais par terre puis tu passais au prochain pour faire exactement la même chose. Ta rangée finie, tu restais là en attendant que les autres aient fini aussi, et tu passais le temps à te plaindre de l'humidité pis du froid (puis, en fin d'avant-midi – le sac de poubelle dans ta poche arrière –, de la chaleur), à parler de ce que t'allais faire avec tout l'argent que t'allais gagner, ou à rire de celui qui se révélait le *loser* en résidence de l'été. Parfois, tu te réveillais le matin plus fatigué que d'habitude, tu t'habillais et tu te rendais compte que t'avais passé les huit dernières heures à rêver d'écimage, toute une nuit à faire et à refaire les mêmes gestes, comme une répétition pour une autre longue journée à le faire pour vrai.

«La plupart des ouvriers, c'est des Jamaïcains qui viennent travailler pendant l'été, donc c'est en dessous de la table», qu'il a dit en tartinant de la margarine sur sa tranche de pain. Avant la grève, on avait du beurre. Peu importe, mon père était encore le meilleur pour s'assurer que ça s'étende bien et qu'il y en ait jusqu'aux bords et de pas déchirer le pain en beurrant. Il a mis la tranche de pain sur le bord de mon assiette puis remis son couteau au travail sur sa propre tranche.

«Combien tu vas faire?

— Cinq piasses», qu'il m'a répondu. Puis à ma mère : «Est-ce qu'il y a de la sauce chili, ma chérie?

— Ouaip», et elle s'est levée pour aller au frigo.

Mon père fredonnait en peinturant sa tranche de pain en jaune. Il avait pas fredonné ou appelé ma mère «ma chérie» depuis longtemps. Depuis le début de la grève il avait construit la terrasse qu'il avait toujours voulu avoir et, avant de commencer à surveiller les dépenses, il avait tout réparé ce qui avait besoin d'être réparé dans la maison pendant que la grève s'éternisait, et récemment il avait entrepris de repasser l'aspirateur sur le plancher derrière ma mère et de lui expliquer ce qui clochait avec ses repas et de lui faire des suggestions pour les améliorer. La semaine d'avant, ils avaient eu leur première vraie chicane devant moi. Quand j'ai demandé à ma mère pourquoi ils s'étaient disputés, elle avait dit : «C'est juste les nerfs, et la grève.» Après un été à mettre mon réveil à 6 h 30 du matin et à revenir à la maison après une longue journée d'écimage de blé d'inde avec la seule envie de me remettre au lit, je pensais que ç'aurait été le contraire, que d'être en grève et de *pas* travailler aurait été mieux pour les nerfs.

J'ai calculé : «Cinq piasses de l'heure et pas d'impôts. Ça fait quarante piasses par jour.

— C'est ça, a dit mon père, en prenant le pot de sauce chili que tenait ma mère. Merci, ma chérie.»

Chaque année à la fête du Travail, ma mère et mon père transformaient la cuisine en usine à conserves. Ils faisaient bouillir des tomates et coupaient des piments et des oignons et du céleri et remplissaient une tonne de pots Mason avec de la sauce chili qu'on aimait pas ma mère et moi parce que ça goûtait trop épicé, mais que mon père mettait sur presque tout ce qu'il mangeait. Il était presque temps pour eux de se remettre aux conserves.

«Penses-tu que je pourrais me faire engager moi aussi?

— Non, a dit ma mère.

— Pourquoi pas? L'école recommence pas avant une semaine.

— Tu te plains toujours que t'es fatigué de travailler, et tu veux aller travailler dans un champ de tabac? Pas une bonne idée.

— Même pas vrai. Pis c'est cinq dollars l'heure pas d'impôt. C'est du beurre sur les épinards, maman. »

Mon père a fini de couvrir ses patates pilées de sauce chili et placé le pot Mason presque vide sur la table. «Je pourrais parler à Jim Brown, j'imagine, qu'il a dit. Il pourrait demander à Ferguson, le fermier, ils se connaissent depuis longtemps.

— Ouais!

— Non, Ken, a dit ma mère. Je veux pas qu'il travaille avec une bande d'étrangers.

— C'est pas des étrangers, maman, c'est des Jamaïcains.

— J'ai dit non, j'aime pas ça.

— Bon Dieu, mon père a dit, c'est pas comme s'il allait être tout seul, je vais être à côté de lui tout le long. » Il a mis sa bouchée de patates dans sa bouche.

J'ai insisté : « Tu vois ?

— Non c'est non.

— Il va être correct », a dit mon père, et ma mère et moi, on savait tous les deux que c'était la fin de la discussion, que j'allais y aller si M. Brown pouvait convaincre le fermier.

« Il va être ben correct. Et si notre garçon veut travailler, on devrait le laisser travailler. » Il a pris le pot Mason et l'a renversé au-dessus de son assiette et tapait fermement la base à répétition comme s'il essayait de garder le rythme d'une chanson que lui seul pouvait entendre. Et il a conclu : « Ça va bientôt être le temps de faire de la sauce chili. »

Même se rendre là-bas, c'était bizarre.

M. Finch est venu nous chercher à 6 h 30 pile. On attendait dans le noir sur les marches d'en avant avec nos lunchs et notre thermos Coleman. J'avais jamais vu le thermos être utilisé pour autre chose que du punch au gin, quand on allait chez grand-m'man et grand-p'pa Authier, en été, pour des barbecues. C'était bizarre de le voir rempli d'eau froide du robinet. M. Brown était assis dans le siège du passager. Il s'est retourné, a mis son avant-bras poilu sur le dossier.

— Bon, c'est qui qui a eu c'te câlice d'idée-là, don' ? » il a dit.

M. Finch et mon père ont ri.

« Je pense que c'est Diane, a dit mon père. Te faire sortir de la crisse de maison pour faire changement. » Diane, c'était Mme Brown.

M. Finch et M. Brown ont tous les deux ri.

« C'est drôle, a dit M. Brown. C'est exactement ce que Jeanie m'a dit de toi. » Jeanie, c'était ma mère.

« Maintenant je sais que t'es un plein de marde, mon père a dit. Jeanie te parle seulement quand elle a vraiment pas le choix. »

Cette fois-là, tout le monde a ri, moi compris.

J'avais entendu mon père sacrer comme ça peut-être cinq fois, maximum, dans toute ma vie, et ce matin, ça en faisait déjà deux dans les deux premières minutes qu'on était dans la voiture. Il fallait que je me souvienne de remercier M. Brown d'avoir convaincu son ami fermier de me laisser venir. Le premier bulletin de sport de la journée à CFCO a commencé et M. Finch a augmenté le volume de la radio. On a tous écouté les résultats du baseball d'hier soir en regardant Chatham se transformer en campagne.

Highgate, où était la ferme, se situait de l'autre côté de Thamesville. Quand tu sortais de l'autoroute, il fallait que tu traverses le village pour arriver à la ferme. Le village, c'était une épicerie, un dépanneur, un bureau de poste et un supermarché qui louait aussi des cassettes VHS. Une longue allée boueuse serpentait à partir de la route jusqu'à la grande maison du fermier. M. Finch a stationné la voiture à côté d'une Cadillac blanche et sale puis on est tous sortis pour s'étirer. Si elle avait été à mon père, la Cadillac serait jamais devenue aussi sale. Mon père lavait notre voiture tous les samedis après-midis, sale pas sale.

M. Brown a frappé à la porte de la maison pendant qu'on attendait près de la voiture. Une vieille femme – ça devait être la femme du fermier –, en se protégeant les yeux du soleil, déjà chaud, a pointé par-dessus l'épaule de M. Brown. Il s'est retourné et a regardé dans la même direction; nous aussi.

Un champ, à environ un quart de mille de nous, était parsemé de gens qui semblaient déjà au travail. M. Brown est revenu vers nous.

«La vieille dit qu'on est censés se garer avec les autres ouvriers.

— Bon, sacrament», a dit M. Finch.

On est rentrés dans la voiture.

Le fermier que M. Brown connaissait était pas là. Le contremaître savait qui on était, par contre, et il nous a dit quoi faire et nous a mis au travail tout de suite. Des lattes de bois rouge étaient étalées à tous les quelques pieds le long de chaque rangée de feuilles de tabac coupées, et on nous donnait chacun un bouchon avec une pointe de métal aiguisée comme une lame de rasoir que tu mettais à l'extrémité des lattes pour pouvoir y enfiler les feuilles de tabac. C'était tout. Plus tard, une machine venait et prenait les lattes pour les suspendre dans une grange à sécher. Je travaillais dans la rangée à côté de celle de mon père; M. Brown et M. Finch étaient dans les deux allées voisines. Les Jamaïcains et quelques mennonites d'une communauté près de Thamesville restaient entre eux pendant qu'ils travaillaient. Il y avait rien à se dire, de toute façon. Tout le monde avait son propre bouchon de métal et il y avait des rangées infinies de bâtons rouges sur lesquels enfiler un nombre infini de feuilles de tabac coupées.

«Bon, c'est qui qui a eu c'te crisse d'idée-là, déjà?» a dit M. Brown, et on a ri, mon père et moi et M. Finch.

On a ri tout le long de la première longue rangée, et tout le long de la deuxième, tout aussi

longue, mon père et M. Brown et M. Finch s'agaçant à tour de rôle tandis qu'on était tous accroupis
à faire rentrer les pointes métalliques des lattes
dans les plants de tabac à grandes tapes avec les
paumes de nos mains. À partir de 10 heures, par
contre, notre pause hydratation du matin, le soleil
d'août étant arrivé pour de bon, tout le monde
avait trop mal aux mains pour rire. Les Jamaïcains
et les mennonites ont enlevé leurs gants pour boire
leur eau. Mais personne d'entre nous avait apporté
de gants, donc nos mains étaient roses, presque
rouges, à force de marteler les plants de tabac et de
manier les lattes de bois brut, et on s'était tous pris
au moins une écharde. La plupart des Jamaïcains
buvaient leur eau dans des bouteilles vides de boissons gazeuses, mais j'avais pas pitié d'eux. Les
Jamaïcains, les mennonites et nous, on prenait
notre pause assis à l'ombre de trois arbres différents
sur le bord du champ, et j'ai bu l'eau que mon père
me donnait en regardant les mains des Jamaïcains,
noires et douces et sans petits morceaux de bois de
pris sous leur peau.

J'ai fini l'eau et j'ai redonné la tasse de plastique
verte qui allait avec le thermos à mon père. Il l'a
prise et l'a remplie.

« Tiens, bois-en encore.

— J'ai plus soif.

— Ça fait rien. Faut pas que tu te déshydrates.

— Je vais pas me déshydrater.

— Fais ce que je te dis. » J'ai pris la tasse et je
l'ai bue.

« Enfant d'chienne », a lancé M. Finch. Il était
appuyé sur notre arbre et essayait d'enlever une écharde
de l'une de ses paumes.

«Qu'est-ce qu'il y a? Béquer bobo?» a demandé M. Brown. C'était la première fois que quelqu'un faisait une blague depuis longtemps. J'ai commencé à rire. M. Finch et mon père, non. J'ai arrêté.

«Veux-tu que je te donne un petit bec? a dit M. Brown.

— Ferme-la, Jim!» Il l'avait pas dit comme une blague. Il l'avait dit comme s'il voulait que M. Brown se la ferme.

«Calme-toi. C'est pas ma crisse de faute si t'as une écharde.»

M. Finch a levé les yeux sur lui. «Non, c'est de ta faute si t'as pas été foutu de nous dire d'apporter des gants.

— Comment voulais-tu que je sache qu'on avait besoin de gants?

— Je sais pas, c'est toi le big shot, l'ami du fermier, non?» Pointant son menton en direction des Jamaïcains, il a ajouté : «Crisse, même les nègres ont plus de bon sens que nous autres.»

Mon père s'est levé et est allé derrière l'arbre. Je l'ai entendu dézipper son pantalon de travail et pisser dans les mauvaises herbes.

Le contremaître est sorti de son camion. On pouvait entendre le son de sa climatisation quand il ouvrait la porte. «O.K., qu'il a dit. On y va, les gars.»

Tout le monde s'est levé. J'avais mal au dos comme quand je m'étais fait plaquer dans la bande par en arrière pendant un entraînement de hockey et que j'avais dû manquer la partie suivante. Ça me rappelait une chanson à propos de la récolte du tabac, celle où chaque fois que le gars entendait le nom de Tillsonburg, il avait mal au dos. J'avais toujours pensé que c'était juste pour rire.

On est tous restés dans nos trois petits groupes, les Jamaïcains, les mennonites et M. Brown et M. Finch et moi, mais on marchait tous dans la même direction, vers le champ.

Le contremaître a remarqué que mon père était encore en train de pisser derrière l'arbre. « O.K., le break est fini, vas-y, mon gars. »

Ça m'a rendu nerveux mais aussi fébrile. Personne parlait comme ça à mon père.

Mon père a zippé son pantalon en joggant pour nous rattraper. En passant devant le contremaître, il a dit : « Désolé. »

Mon père m'a dit quelque chose en marchant, j'ai pas compris quoi. Tout ce que j'avais en tête, c'était : Pourquoi est-ce que tu t'es excusé ? T'étais juste en train de finir de pisser. T'avais pas à t'excuser.

C'était quoi, leur problème ? je me disais. Ils comprenaient pas ? Ils voyaient pas qu'on était meilleurs qu'eux ?

Il n'y avait pas grand-chose à voir. Il n'y a jamais grand-chose à voir. Surtout quand tu as déjà tout vu, et en mieux, dans ta tête.

« Tourne à gauche, a dit Jack.

— Je pense qu'on revient sur nos pas. » Ils faisaient le tour de la ville depuis plus d'une heure, à monter et à descendre les mêmes rues, pavées ou non, au moins dix fois, on aurait dit.

« Non, tourne à gauche.

— C'est la première rue qu'on prend à partir de la route principale », a dit Joe. Il a quand même arrêté la voiture à l'intersection déserte pour laisser Jack voir par lui-même. Les mots, il le savait, n'allaient pas le convaincre.

La plupart des maisons à Rivière-du-Loup étaient des cabanes en papier goudronné, exactement comme les maisons les plus petites, les plus pauvres du petit Canada, à Lowell. Les quelques personnes qu'ils ont vues dans les rues – la plupart des vieilles au dos arqué qui faisaient leurs commissions – avaient les yeux absents et étaient voûtées par la besogne et portaient les mêmes robes d'intérieur à fleurs délavées que Mémère. Un chien noir à trois pattes a bu dans une flaque d'eau, au milieu du chemin de terre ; il s'est arrêté, les a regardés.

Jack a compris que Joe avait raison, ils étaient déjà passés par là, il se souvenait d'avoir vu le clocher de l'église du même angle. Tout comme à Lowell, là aussi, l'église de brique brune était la pièce architecturale centrale de Rivière-du-Loup, de loin l'édifice le plus haut, le plus imposant. Elle dominait la ville, comme une menace.

« T'as raison. » Jack l'avait dit comme s'il le savait, mais qu'il n'arrivait pas à y croire.

« C'est pas grave, a dit Joe. Au moins on sait où sont l'église et la mairie, maintenant. On devrait aller voir les archives. » Il a remis l'auto en marche mais a gardé le pied sur le frein. Il n'y avait toujours personne derrière eux à attendre qu'ils avancent. Même le chien à trois pattes avait disparu.

« Non. »

Jack s'est penché vers le siège arrière, a pris le sac de papier brun et la bouteille de brandy au sujet de laquelle il avait fait tout un plat en disant à Joe qu'il allait pas y toucher avant d'avoir terminé le travail qu'il avait à faire avec ses archives familiales et qu'ils soient revenus au motel pour célébrer une bonne journée de travail académique comme des bons garçons.

« Ils vont même pas te laisser t'approcher si tu débarques là en sentant l'alcool. » Tu pouvais pas dire quoi faire à Jack Kerouac – pas si tu voulais qu'il le fasse –, mais merde, ils étaient venus jusqu'ici pour ça, non ? C'était pas ça, le but du voyage ?

« On s'en va », a dit Jack en dévissant le bouchon.

Joe a hésité, a enlevé son pied de la pédale du frein. Ils ont passé l'intersection. « Où en premier ?

L'église ou l'hôtel de ville ? Sont aussi loin, ça change pas grand-chose.

— Je suis sérieux, faut que je m'en aille d'ici, Joe.

— Jack, on est là. On a juste à…

— Joe, faut que je m'en aille. Tout de suite. »

La voiture a pris de la vitesse. Joe a regardé le clocher de l'église rétrécir dans le rétroviseur. Puis il a demandé : « Alors, où est-ce que tu veux aller ? »

Jack a pris une gorgée. Il a pris une autre gorgée.

« Je sais pas. »

Officiellement, c'était la longue fin de semaine de la fête de la Reine, le temps de l'année où tous les adolescents de Chatham qui avaient la permission de leurs parents allaient au parc provincial Rondeau, mais tout le monde à l'école l'appelait simplement la fin-de-semaine-du-2-au-4-mai et comprenait que l'air frais et les feux de camp étaient juste une excuse pour se soûler et se mettre tout nu avec quelqu'un d'autre que toi-même. Pendant deux ans de suite, ma moyenne au bâton était seulement de 0,500. À nous deux, Jamie et moi, on pouvait descendre une caisse de Labatt Bleue en vingt-quatre heures, mais on était encore jamais allés à l'école un lundi post-Rondeau, la gueule de bois ravagée par les moustiques, mais prêts à raconter, à qui voulait bien l'entendre, qui on avait embrassé.

On voyait les étoiles dans le ciel, la nuit, au parc. À partir de 9 h 30, les feux de camp, les lanternes et les phares des jeeps que les rangers conduisaient lors de leurs patrouilles étaient les seules lumières qu'on avait jusqu'au matin. À moins que ce soit quelqu'un que tu connais vraiment bien, des fois tu pouvais parler cinq minutes avec une personne avant de la reconnaître. C'était comme l'Halloween, mais avec de l'alcool, et t'avais pas besoin de porter de masque.

« Dans sa vie mon vieux a dû enterrer son frère, sa grand-mère et son vieux. »

Jamie parlait de son père, le révérend Dalzell, qui pouvait pas venir nous chercher au parc le dimanche après-midi – même si mon père était venu nous reconduire – parce qu'après son sermon du dimanche, il devait rendre visite aux cancéreux à l'hôpital. À moins d'être malade, c'était le seul dimanche de l'année où Jamie avait le droit de manquer l'église.

« Il les a pas enterrés, que j'ai dit. C'est les fossoyeurs qui l'ont fait.

— C'est juste une expression. »

On était assis de chaque côté du feu de camp. Steve McKay et Joël Bélanger, les deux gars avec qui on avait partagé les frais de camping, avaient décollé au coucher du soleil. Chacun avait une blonde avec sa propre tente à deux places qui l'attendait quelque part dans l'obscurité. On les reverrait probablement pas avant qu'il soit temps de partir, dimanche. C'était pas juste. Il y a pas si longtemps que ça, le seul talent qui pouvait sauver Steve McKay dans un party, c'était son imitation du Disco Duck.

« C'est peut-être une expression, mais y a quand même pas enterré personne. C'est les travailleurs qui l'ont fait. »

Une introduction à la philosophie était certes quelque chose de plus lourd que les bottés habiles que Bertrand Russell envoyait dans tout ce qui était chrétien, mais je m'étais attaqué à suffisamment de chapitres – me laissant les plus difficiles pour plus tard – pour me convertir instantanément autant à la religion du syllogisme (armé de deux phrases déclaratives de type sujet-prédicat et d'une conclusion clairement reliée, il m'était, avais-je conclu tout heureux, maintenant logiquement impossible de me tromper) qu'à la vertu philosophique d'être aussi intellectuellement inconfortable que possible. Parce qu'une vie sans examen est pas digne d'être vécue. Parce qu'il vaut mieux être un Socrate insatisfait qu'un imbécile satisfait. Parce que, tout comme le prônait Søren Kierkegaard, à propos duquel j'avais lu qu'il avait courageusement lutté, au dix-neuvième siècle, contre la complaisance spirituelle du Copenhague des bien-pensants, des décideurs et des bourgeois, la seule façon de posséder une forme de foi authentique, religieuse ou non, c'était de la louer, sur la garantie d'un désespoir de doutes perpétuels.

« Qu'est-ce tu dis de "Il a célébré l'oraison funèbre"? Est-ce que c'est mieux? » a demandé Jamie.

D'un coup de bâton j'ai poussé une petite bûche qui avait pas encore pris feu plus près des flammes du feu de camp. « Si par "oraison" tu veux dire qu'il a marmonné n'importe quoi au-dessus du cadavre pour assurer aux gens que les contes de fées qu'ils se racontent, selon lesquels un jour des ailes vont leur pousser et qu'ils vont s'envoler au ciel, sont vrais, alors oui, ça va. Je dis simplement que les gars qui ont les pelles dans les mains sont ceux qui offrent le seul service utile à la société. »

Indépendamment de la nécessité de remplir mon devoir récemment autoassigné de polémiste socratique, une fois, quand j'étais chez Jamie, j'avais entendu sa mère parler au téléphone et dire : « Honnêtement, les syndicats, je te le dis, ils ruinent le pays. Ce monde-là, ils savent pas à quel point ils sont choyés.» Il y avait de ces déclarations qu'on avait même pas besoin de passer au syllogisme pour savoir que c'était des conneries. Il y a des vérités qui nous sont données de naissance.

«Prends ta pilule, Karl Marx, a dit Jamie. Continue comme ça pis les rangers vont t'entendre et t'emmener pour insubordination.»

Jamie était pas seulement un étudiant émérite, il était aussi pas mal intelligent. Il pouvait voir la crotte que j'avais sur le cœur même sous mon t-shirt Adidas bleu poudre préféré, mieux que je le pouvais moi-même, et même dans le noir. D'ailleurs, il préférait toujours venir chez moi, il avait l'air de se sentir plus à l'aise chez moi que chez lui, il aimait parler de choses et d'autres avec ma mère et mon père, beaucoup plus que moi. Ma mère fumait avec lui à la table de cuisine quand j'étais dans la douche ou que je me préparais. Jamie avait pas le droit de fumer chez lui. Son père lui avait demandé de quoi il aurait l'air si l'un de ses paroissiens voyait son propre fils en train de fumer. Jamie et ma mère fumaient la même marque de cigarettes.

«T'es prêt pour une autre?» que j'ai dit en ouvrant la glacière. Mon père nous avait donné une vieille glacière Coleman qu'on apportait aux soirées parce qu'on était trop méfiants pour mettre notre réserve de bières dans le frigidaire de l'hôte où n'importe qui pouvait se servir, et on l'avait peinte en rouge avec une grosse rayure noire en diagonal sur le dessus, comme sur l'album *Re-ac-tor* de Neil Young. La musique de Neil était la seule qu'on écoutait volontairement, avec les Doors. J'avais converti Jamie aux deux. Les junkies aiment la compagnie des junkies.

Jamie a levé sa bouteille de Bleue, calé ce qui restait. « Maintenant, oui. »

À part sur le terrain de football, le seul moment où j'enviais sa stature c'était quand on buvait de la bière. On se divisait le prix de la caisse de bière en deux, mais je finissais toujours par en boire juste un tiers, même en essayant de suivre la cadence.

Le temps que je rentre ma main dans la glacière en ignorant le froid engourdissant des deux sacs de glace dans lesquels on avait soigneusement enseveli la bière, l'enfonçant pouce par pouce, le plus près du fond possible, où les bières vraiment froides se trouvaient – des voix, des voix de filles, venant de quelque part sur notre terrain de camping, des filles qui marmonnaient et qui riaient aux éclats de choses qui semblaient très drôles, mais qui disaient nos noms, donc qui étaient pas perdues et qui passaient pas par là à la recherche de quelqu'un d'autre.

Les voix se sont encore rapprochées du feu. Il y avait maintenant des corps et aussi des visages, ceux de Michelle Turnball et de Michelle Bartlet et de Stacey Larmner.

« Hey, les gars, avez-vous de la bière ? » a dit l'une d'elles, il faisait trop noir pour savoir qui. Pas que c'était important. Même Jamie et moi, on savait que les bonbons, c'est bon, mais l'alcool, ça colle. Mais c'était tout ce qu'on savait, pour le reste, fallait se débrouiller.

Stacey Larmner était la plus belle, alors je me suis placé près d'elle autour du feu. Elle avait l'air d'être la plus soûle, aussi, donc le choix était facile.

« Savez-vous ce qui est arrivé à Joe ? a dit une des deux filles.

— Holland? a fait Jamie.

— Joe Holland, ouais.

— Non.

— Il s'est fait renvoyer parce qu'il buvait ailleurs que sur son terrain de camping? Quand le ranger lui a demandé son nom et son adresse et son numéro de téléphone, il lui a donné, genre, un faux nom? Mais le ranger a pris sa radio et ils ont vérifié et ils ont su qu'il mentait? Ils l'ont donc emmené à la station des rangers et personne l'a revu depuis?» Les deux Michelle avaient tendance à élever la voix à la fin de leurs phrases, que ce soit une question ou non, donc c'était difficile de savoir laquelle était en train de raconter l'histoire.

«Wow, a dit Jamie. Son père va lui sacrer une volée, demain.»

Les deux Michelle ont crié à l'unisson comme si Jamie venait de dire quelque chose de particulièrement amusant, et j'ai profité de leur caquetage pour demander à Stacey: «T'as vu la vente de livres qu'il y avait près de la station d'autobus?»

Tout le monde savait – parce qu'elle se faisait un point d'honneur de le dire à tout le monde – que l'ambition de Stacey depuis qu'elle avait treize ans était d'être une page à la Chambre des communes, après l'école secondaire, et elle avait la réputation de demander aux enseignants de l'aider si elle avait pas la meilleure note à un examen, donc je pensais qu'elle serait impressionnée. En plus, elle avait l'air assez pompette et pas aussi agaçante et bavarde que d'habitude, alors je me suis dit que c'était à moi de jouer.

«Tuia, t'as trouvé que'q' chose de bon... là?» qu'elle a dit en oscillant légèrement sur la bûche où on était assis. Si seulement le premier ministre pouvait voir Mlle Keener en ce moment, je me suis dit. Les petits riches, qui étaient les mêmes que les petits brillants, le plus souvent, me rendaient nerveux d'habitude. J'étais pas nerveux en ce moment.

« Des livres de philosophie assez intéressants, j'ai dit. As-tu déjà lu Bertrand Russell, *Pourquoi je ne suis pas chrétien*? C'est vraiment bon. » Je me sentais comme le maudit professeur sur l'île de Gilligan, mais tant pis, ça faisait du bien de se sentir intelligent, pour une fois.

« Non, je… Ç'a l'air intéressant.

— En fait, je l'ai apporté avec moi. Veux-tu que j'aille le chercher?

— Non, qu'elle a dit en se levant, prenant une dernière gorgée de sa bouteille avant de la laisser tomber sur le sol. On devrait aller voir ça là-bas. »

J'étais content mais aussi inquiet; la façon dont elle avait parlé et agi donnait l'impression qu'elle s'était soudainement dégrisée. J'ai soulevé le rabat de la tente et je l'ai laissée ramper à l'intérieur en premier. J'ai pas eu à m'inquiéter longtemps. J'ai même pas eu le temps d'allumer la lanterne ou de sortir le livre de mon sac.

Ses vêtements sentaient le feu de camp, les miens aussi. Quelques minutes plus tard, on sentait ce qu'on sentait, nos jeans et t-shirts et chaussettes et espadrilles apprenant à se connaître sur le sol sablonneux de la tente. Bientôt, son odeur était mon odeur, la mienne, la sienne. L'embrassant, l'embrassant partout, j'ai embrassé mon épaule nue une fois par erreur. Mais c'était correct. C'était bon, ça aussi.

Pendant douze secondes entières, en 1957, quand *Sur la route* a été sur la liste des meilleurs vendeurs du *New York Times* pendant presque aussi longtemps, une fois par semaine il y avait au moins une lettre qui l'attendait dans la boîte aux lettres, écrite par une amoureuse des arts qui lui offrait de lui sucer la queue jusqu'à ce que sa bouche en devienne sèche ou de laisser Jack la baiser jusqu'à ce qu'elle en oublie son propre nom. Certaines de ces lettres contenaient des photos. Souvent, les femmes y portaient des vêtements.

Les lettres de ce genre ont cessé de lui parvenir à partir du moment où les journaux et les magazines se sont mis à utiliser des photos plus récentes pour leurs articles, et non celle à l'endos de *Sur la route*. Aujourd'hui, par exemple, des factures, des factures, et des factures en retard, plus une tête juste bonne à y suspendre des lunettes avec une attitude complètement imméritée d'aliénation sociétale et spirituelle qu'il avait prise dans un livre de poche pleurnichard mal traduit du français qui envoyait à Jack une lettre type le priant de bien vouloir envisager de contribuer à une enquête qu'il menait sur les influences des auteurs pour le petit magazine littéraire qu'il coéditait. Les vraies lettres des vrais gens pour qui son travail signifiait vraiment quelque chose, celles-là, il les appréciait et y répondait, mais plus typiques étaient les requêtes du genre de celle qu'il avait reçue quelques mois auparavant du Black Panther Party lui demandant une contribution, s'il n'était pas juste un autre libéral blanc hypocrite, peu importe le montant, afin d'aider à financer la révolution. Jack a brûlé la lettre et mis les cendres dans une enveloppe, mais Joe l'a convaincu de ne pas l'envoyer.

« Je suis pas libéral, a dit Jack. Je suis républicain depuis 1932.

— T'avais dix ans en 1932. Et tu m'as dit que t'avais jamais voté de ta vie.

— Je te gage que c'est Ginsberg qui est derrière tout ça, je te gage que c'est lui qui leur a donné mon adresse. Les juifs et les Noirs et les communistes ont tous intérêt à ce que ce pays se mette à genoux. Ce pays a donné une chance à ma famille de Canayens pis je vois aucune bonne raison maintenant pour le dénigrer. »

Joe savait que c'était inutile d'être rationnel face à l'irrationnel. Le seul moyen d'écarter Jack d'un sujet sulfureux était de changer de sujet. Depuis qu'il était devenu l'ami de Jack, Joe était devenu un expert de la logique de l'esquive.

« S'ils découvrent que c'est toi qui as envoyé la lettre ? a fait Joe. Pense à Mémère. »

Jack a pensé à sa mère. « T'as peut-être raison », a-t-il dit en déchirant l'enveloppe.

Au moins cette requête-là n'était qu'informative. Quoique personne ne te demandait quelles étaient tes influences littéraires avant que plus personne ne te lise. Ils gardent pas de chats ou de chiens au zoo, seulement les animaux qui commencent à disparaître. Quand les étudiants au doctorat commenceraient à débarquer, il saurait qu'il est désormais de l'histoire américaine ancienne.

Bien sûr qu'il écrirait un mot au gars. La machine à écrire Smith Corona reconditionnée qu'il venait d'acheter pour cent vingt-cinq sans en avoir les moyens se cherchait quelque chose à faire. Ce n'est pas parce qu'écrire te rend l'âme malade que tu n'es plus un écrivain. Un soldat qui perd sa jambe la sent toujours.

Les livres en tant qu'influence, je suppose. – Les livres de quand j'étais petit, attends… Le Catéchisme *(en français), la* Sainte Bible *(aussi en français),* The Little Shepherd of Kingdom Come, The Bobbsey Twins, Rebecca of Sunnybrook Farm, *sans oublier les magazines* Shadow *et* Phantom Detective *et* Street and Smith's Star Western Magazine *; mon troisième œil s'est fait les dents sur tout ça. – Les lectures de grand garçon qui m'ont le plus touché : Saroyan, Hemingway, Wolfe, Wolfe en particulier m'a permis de voir l'Amérique comme grand sujet de narration. – Les mots pénètrent pas plus loin qu'une coupure de papier ; par contre, le corps et l'âme, c'est de là que la vraie direction divine est émise. – Fait que. – Initié par ma mère à l'art de raconter de façon naturelle, des histoires de cuisine sur Montréal et le New Hampshire et nos lointains ancêtres bretons – le jazz, aussi, la fraîcheur et la liberté et l'humour de la musique par opposition à tout cet affreux non-sens analytique qu'ils utilisent à l'école pour montrer aux enfants à détester la littérature. – Et Cassady, Neal Cassady peut-être plus que tout autre, pas seulement les longues, très longues (parfois quarante mille* *mots, sans exagérer) lettres qu'il m'écrivait, décrivant, par exemple, un triste après-midi solitaire dans sa chambre d'hôtel à Denver, décrivant le moindre petit détail tragique, comme ce vieux Dostoïevski, mais aussi simplement ses paroles, l'écouter parler et tout d'un coup se rendre compte que bien sûr que c'est comme ça qu'il fallait raconter une histoire, en la disant, sans arrêter; il suffit de continuer, toi le conteur d'histoire stimulé toi-même par l'action de raconter, le rythme glissant de Neal en témoignant, cet accent de l'Oklahoma, ce «Bon, regarde-moi bien, mon gars, j'vais te raconter que'que chose maintenant, que'que chose qu'il faut que tu comprennes, alors écoute-moi ben là», un rythme qui dit qu'il y a un corps de chair et d'os qui raconte l'histoire de l'autre côté du livre et pas seulement un tas de noms et de verbes et d'adjectifs tenus ensemble en résidence surveillée par un groupe intimidant de règles de composition concoctées par un génie diabolique adorateur du veau d'or pour s'assurer que tout le monde parle et pense et vive exactement de la même manière. – Parce que, pose-toi la question, Mac: est-ce qu'on naît, est-ce qu'on souffre, est-ce qu'on meurt pour sonner tous exactement de la même façon? – Ce serait un vrai crachat à la face de Dieu.*

Tout ça c'est à propos du comment, *en fait, et pas un mot encore au sujet du* pourquoi, *la raison pour laquelle il y existe un* comment. *– Pourquoi? Parce que j'aime le monde (j'aime toujours le monde), et supplier, c'est ce que font les amoureux.*

Sincèrement vôtre,
Jack Kerouac

Il a sorti la feuille de papier de sa machine à écrire, l'a placée à l'endroit, sur son bureau.

Je le pense, il s'est dit.
Il a relu la dernière phrase.
Je le pense vraiment.

Le peau-contre-peau, c'était aussi bon que le disait la pub, c'était tout ce que les chansons en disaient, et même plus. Dix-sept ans et ma main glissée sous le t-shirt de Stacey Larmner, cinq doigts indépendants de volonté attirés comme des aimants par sa poitrine blanche et ferme à la recherche d'un premier sein auquel s'accrocher, pas une question de si oui ou non c'était ce qu'ils appelaient le ciel, mais de combien de temps j'étais autorisé à y être et ce que je devais faire pour obtenir un peu plus de céleste. La torture incessante de l'adolescence bandée – toujours à un pouce, « Juste un peu plus loin, bébé, juste encore un peu », de l'extase de vieux divan.

La plupart du temps qu'on passait ensemble, on le passait à étudier chez Stacey. J'avais jamais étudié avec quelqu'un – étudier autrement que d'essayer de mémoriser le contenu d'un demi-semestre de notes minables la veille d'un gros examen était encore un nouveau concept pour moi – mais pour devenir page à la Chambre des communes, ça suffisait pas d'être un étudiant avec mention, toutes tes notes devaient être dans les quatre-vingt-dix. Et même là, un dossier scolaire solide était important mais c'était pas assez. Il était également essentiel, m'avait expliqué Stacey, d'avoir un CV riche et varié à la fin de ses études, c'est pourquoi elle participait à la campagne de réélection de notre député progressiste-conservateur : elle espérait que le député de Chatham-Kent lui écrive une belle lettre de recommandation pour son dossier de candidature. (Le moment venu, par contre, m'avait-elle dit en me faisant jurer de garder le secret, elle allait voter libéral.) C'est aussi pourquoi elle s'était portée volontaire pour devenir la Grande Sœur d'une jeune Amérindienne qui avait perdu ses deux parents des suites d'overdoses. Être une Grande Sœur était important parce que Stacey avait vraiment besoin de quelque chose de substantiel pour étoffer son curriculum vitæ au chapitre communautaire, mais c'était pas facile. Parfois, on parlait au téléphone quand elle revenait de son rendez-vous hebdomadaire.

« Mon Dieu qu'elle est déprimante ! J'essaie de la faire parler, vraiment, mais tout ce qu'elle dit, c'est : "Je sais pas", "J'imagine", "Peut-être". Je veux dire, je sais qu'elle a eu une vie difficile, mais franchement, fais un effort, au moins essaye d'être heureuse. »

Stacey était pas tout le temps académique, mais elle était aussi performante dans d'autres contextes. Elle avait une sœur aînée qui étudiait l'histoire de l'art à Western et un frère qui était en médecine à McGill, et les deux lui enregistraient et lui envoyaient des cassettes de la musique qu'ils écoutaient à l'école, ce qui faisait en sorte que Stacey était la première personne à Chatham à entendre la plupart de ces choses. La plupart de ce qu'elle recevait était vaporeux, aux lourds synthétiseurs, avec des rythmes raides et des voix sans émotion qui ne me rendaient pas heureux d'être la deuxième personne à Chatham à les entendre. Elle faisait jouer une cassette maison après l'autre quand on étudiait face à face à la table de cuisine ou qu'on lisait ensemble sur le divan d'en bas. Je lui ai jamais demandé de changer de cassette parce que j'avais pas envie d'avoir l'air du genre de personne qui pouvait pas apprécier ce que les étudiants universitaires écoutaient. Mais c'était parfois difficile de se concentrer, surtout quand j'étais en train d'étudier le calcul intégral ou la chimie, des matières qui étaient pas vraiment plus compréhensibles dans le silence.

« Ça s'appelle Kraftwerk, qu'elle a dit. Ils sont allemands. »

J'ai hoché la tête, j'ai regardé les bobines de la cassette tourner dans le magnétophone, la bande noire Maxell s'embobinant lentement vers la droite.

« C'est fait pour être comme ça, elle a dit. C'est censé être répétitif. »

Ça sonnait comme l'usine où mon père travaillait.

Quand j'avais treize ans, la compagnie avait tenu une journée porte ouverte pour la famille de tous les employés. Je connaissais la Ontario Steel seulement de l'extérieur. Ils s'étaient arrangés pour que l'intérieur de l'usine soit aussi plaisant que possible – des canettes de boissons gazeuses froides gratuites dans des poubelles de plastique vert pleines de glace, des porte-clés et des ouvre-bouteilles avec le nom de l'entreprise distribués à chaque entrée – mais ils pouvaient pas faire grand-chose contre le bruit ou la chaleur. La Ontario Steel produisait des pièces d'automobiles, des pare-chocs pour la plupart, et il y avait différentes sortes de machines de différentes tailles et formes qui vrombissaient en faisant toutes sortes de différents travaux. Mais peu importe la machine, et peu importe où tu allais dans l'usine, c'était le claquement du métal sur le métal, le martèlement de l'acier sur l'acier, le fracas du fer sur le fer. Chaque machine avait son propre rythme de frappe, mais au bout d'un moment, tout commençait à résonner comme s'il n'y avait qu'un seul moteur énorme, comme si toutes ses différentes composantes avaient synchronisé leurs *clang clang* individuels pour créer une sorte de battement incompréhensible qui défonçait les oreilles. Avec la chaleur générée par les machines – les machines arrêtaient jamais, l'usine fermait jamais – on avait l'impression d'une visite guidée de l'enfer qui vous était présentée par les bonnes gens de l'Ontario Steel, la bande sonore de ce voyage à travers la misérable éternité, ce soir, vous est gracieusement offerte par l'Orchestre du plus heavy des metal de Satan.

« C'est censé refléter le caractère déshumanisant de la société moderne », a déclaré Stacey.

J'ai encore hoché la tête, baissé les yeux sur mon livre de calcul intégral. Pourquoi est-ce que quelqu'un voudrait écouter ce qu'on ressent quand on est déshumanisé ? que je me suis dit. Le père de Stacey était architecte. Je gage que ça sonnait pas comme Kraftwerk à son bureau.

J'ai essayé de me concentrer, de regarder plus attentivement les chiffres et les symboles dans mon livre, mais ils avaient pas plus de sens. J'ai sorti mon petit carnet rouge de mon sac sur le sol, celui que j'avais commencé à traîner avec moi depuis que j'avais lu que Kerouac faisait ça. J'avais remplacé mon sac de sport Adidas par un sac à bandoulière de toile militaire que je m'étais procuré à l'Armée du

Salut, du genre de ceux des *Clochards célestes*, comme je l'avais lu dans *Les vies parallèles*.

J'ai ouvert mon carnet et j'ai écrit la date ; j'ai appuyé mon stylo sur la page lignée ; attendu. Je voulais dire quelque chose. J'ai écrit le mot *Le* et ensuite je l'ai rayé. Je voulais avoir quelque chose à dire.

Stacey s'est levée de sa chaise et est venue s'asseoir sur mes genoux, elle m'a enlevé mon stylo et a fermé mon carnet. Elle a levé son chemisier et porté un sein à ma bouche. Stacey était également en avance sur toutes les autres filles de notre école pour ce qui était de ne pas porter de soutien-gorge. Sa mère, qui était conseillère à l'association pour la santé mentale de Chatham-Kent et qui avait une maîtrise en sociologie, portait rarement un soutien-gorge, elle aussi.

J'ai sucé et léché et sucé jusqu'à ce qu'elle décide qu'il était temps que je porte attention à l'autre. Quand j'ai eu fini avec lui et suis retourné au premier pour me resservir, elle s'est relevée a redescendu son chemisier.

« C'est assez pour aujourd'hui, qu'elle a dit en se rassoyant. J'avais juste besoin d'un petit remontant. Il faut vraiment que je réussisse le test de vendredi et j'avais l'impression que j'allais m'endormir. » Elle a allumé sa calculatrice et commencé à taper des chiffres dessus.

J'avais oublié qu'on avait un test vendredi. J'ai pensé reprendre le manuel dans mon sac, mais j'ai plutôt pris mon calepin. Il y avait quelque chose que je voulais dire, je me disais, quelque chose que je veux me rappeler.

J'ai rayé la date que j'avais déjà écrite. J'ai appuyé mon stylo sur la page lignée. J'ai attendu.

Ils l'ont pris. Il a forcé ces enfants de chienne à le prendre.

Ça a pris cinq ans de « non merci », de « je suis désolé de vous dire », de « j'ai peur que ce ne soit pas tout à fait ce que nous recherchons », mais finalement ils l'ont pris. Il a signé le contrat pour la publication de *Sur la route* aux bureaux new-yorkais de Viking sur la 118ᵉ Rue le 11 janvier 1957. Il a fait ce qu'il avait voulu faire et il l'a fait comme il a voulu le faire et ils l'ont pris, ces enfants de chienne.

La partie difficile était maintenant réglée. Tout ce qu'il avait à faire maintenant c'était écrire.

Et attendre qu'ils voient la suite qu'il avait en tête, la suite de *Sur la route*. Il allait l'intituler *Ce qui est arrivé après*. Quelle histoire ça allait être.

J'ai repoussé mon livre de physique, comme un repas inachevé et qui me laissait sur ma faim.

Alvin et moi, on a quitté la table de cuisine pour aller à la table basse du salon, espérant que le changement soit aussi bon qu'une pause. Tout autour il y avait de délicates antiquités et des lampes à l'huile et un clavecin qui prenait tout le milieu de la pièce. Personne dans la famille d'Alvin en jouait, pas même le père d'Alvin qui l'avait acheté dans un magasin de Windsor, mais il allait bien dans la pièce.

J'ai pris le livre de poche qu'Alvin traînait avec lui ces jours-ci, *La Bible satanique* d'Anton LaVey; je l'ai feuilleté. « Il faut pas croire en Dieu pour être sataniste ? »

Alvin a mis la touche finale au calcul précis sur lequel il travaillait dans son cahier. Il était passé du problème dans le manuel à la solution soigneusement calligraphiée sur sa page avant que j'aie le temps de comprendre quoi que ce soit à ce qui était demandé.

« Je sais pas, je crois pas. Je l'ai pas tout lu encore. »

Le signet inévitablement coincé à l'intérieur de tout livre de poche qu'Alvin empruntait sur les étagères de son père dépassait rarement la marque du quart. Parce qu'il voulait être optométriste, Alvin devait étudier tout le temps, se devait d'être particulièrement bon dans tous les cours où il n'y avait qu'une seule bonne réponse et où il fallait toujours remettre son travail. J'étais découragé avant même de prendre mon crayon. Dix minutes de calcul intense pour aboutir parfois à un pauvre chiffre solitaire m'apparaissait comme du gaspillage. Même quand tu savais ce que tu faisais, une seule ligne de division bâclée, une seule erreur de lecture entre quelque chose au carré ou quelque chose au cube, et t'étais foutu. On les appelait plus des questions, maintenant, mais des problèmes.

J'ai lu à voix haute le livre saint d'Anton, nouveau et amélioré.

Ouvrez les yeux, que vous puissiez voir, ô hommes à l'esprit moisi, et écoutez-moi, vous les millions d'égarés!

« "L'esprit moisi"… C'est pas mal. »

J'ai regardé la couverture. Le plus gros de la bibliothèque de M. Samson était composé de livres de poche de la fin des années soixante, dont la plupart, que ce soit un roman, une autobiographie ou un manuel sur l'hédonisme inspiré par Lucifer, avaient une femme à demi vêtue sur la couverture, généralement en minijupe, avec un homme plus âgé, séduisant mais légèrement menaçant, qui se tenait au-dessus d'elle. *La Bible satanique* y échappait pas. Un monsieur distingué aux cheveux gris et costume noir taillé sur mesure, tenant un martini dans une main et un épais livre noir dans l'autre – Satan en plein cinq à sept, apparemment, revenant d'une messe noire avec une grosse soif –, lorgnait, la bouche en coin, une jeune fille blonde perchée sur un haut tabouret argenté, les jambes croisées sous une mini-jupe noire assortie à son soutien-gorge noir, avec des bas blancs et des talons noirs. Il s'avérait que Satan était un échangiste.

« "Car je viens dorénavant contester la sagesse du monde ; je viens remettre en question les lois de l'homme et de Dieu !"… Ç'a de l'allure. »

Ça revenait pas mal à ce que Jack disait : Par-dessus tout, brûler, brûler, brûler.

« Qu'est-ce que t'as trouvé pour le 4a ? a demandé Alvin.

— Je suis pas encore rendu là. »

Alvin a levé les yeux de son manuel. « Veux-tu que je t'aide ?

— Ça va, j'ai dit, en fermant mon manuel. Je vais y aller. J'ai une tonne d'affaires à lire en histoire avant d'aller me coucher. »

En plus, j'étais censé appeler Stacey à 10 heures. Pas avant, pas après, à 10 heures. À 10 heures, elle aurait terminé sa propre soirée d'étude, mais elle serait pas encore assise devant la télé pour regarder la Chambre des communes sur la chaîne publique francophone. Elle l'écoutait pas pour la politique, mais pour améliorer son français. Elle avait dit : « Je veux que mon niveau de français soit si avancé quand je serai page que je vais rêver en français. » Elle n'a jamais spécifié de quoi elle voulait rêver en français.

Alvin a commencé lentement à ranger ses livres. « J'aimerais ça être à ta place. Il me reste au moins une heure de ça et probablement deux heures de biologie. »

Ça prenait quelqu'un avec un cursus en science pour trouver des charmes à la perspective d'étudier la montée et le déclin du commerce de la fourrure canadienne. Mais au moins, dans les cours d'histoire et d'anglais, il y avait pas trop de réponses inconditionnelles. Quand les gens et ce qu'ils manigancent constituent ton champ d'étude, il y a beaucoup de latitude dans ce qui est considéré comme vrai ou faux.

« Oublie pas ça », que j'ai dit en lui redonnant *La Bible satanique*. Il l'a mise dans sa poche arrière.

« Je voudrais avoir plus de temps pour lire ce que j'ai envie de lire, a dit Alvin.

— Ça va venir. C'est pour ça que tu te fends en quatre maintenant. Attends juste d'en avoir fini avec le secondaire. Après, tu vas être libre. Tu vas pouvoir faire tout ce que tu veux. » C'est ce que Stacey me disait chaque fois que je voulais l'embrasser ou écouter de la musique ou faire autre chose qu'étudier.

Alvin a hoché la tête, mais il avait pas l'air convaincu.

« Qui est-ce qui est en bas ? » Quels cadavres sont exposés dans le parloir de la maison funéraire en bas, c'est ce que je voulais dire.

« Une femme. Et un homme, je pense.

— Vieux ? » J'avais vu assez de cadavres chez Alvin pour que maintenant les vieux ratatinés vaillent pas la descente de l'escalier.

« Ouais. »

J'ai ramassé la pochette de l'album qui jouait sur le tourne-disque, *Tales of Mystery and Imagination*, du Alan Parsons Project. J'avais mentionné à Alvin que les Doors avaient pris leur nom du livre *Les portes de la perception*, d'Aldous Huxley, et il avait enlevé le superbe disque de Neil Young que nous écoutions pour le remplacer par celui d'Alan Parsons.

« C'est basé sur l'œuvre d'Edgar Allan Poe, qu'il avait dit. Ses nouvelles et ses poèmes. Je pense que tu pourrais trouver ça intéressant. »

J'ai pensé que j'allais m'endormir. Ça m'ennuyait et ça me fâchait en même temps. Ça doit ressembler à ça, être obligé d'endurer la messe, je m'étais dit.

« Bon, je pense que je vais y aller.

— La femme, c'est une religieuse, a déclaré Alvin.

— Quelle femme ?

— La femme en bas.

— Tu veux dire qu'il y a une bonne sœur en bas ? »

Alvin a hoché la tête. « Elle est arrivée hier. Mon père l'a finie juste avant que mes parents sortent ce soir. La visite est pour demain. »

Pourquoi est-ce qu'une vieille morte qui avait été une bonne sœur était intéressante mais qu'une vieille morte qui avait pas été une bonne sœur l'était pas, je le savais pas. Mais c'était comme ça. « Est-ce qu'on peut aller la voir ?

— Ben oui. »

C'est le père d'Alvin qui était le thanatologue, mais c'est sa mère qui lui tombait toujours dessus quand il emmenait des amis en bas. Et si quelqu'un qui marchait dans la rue les voyait, et si l'un de ses amis mettait de la boue sur le tapis, et si, et si, et si ?

Ma mère était bonne pour ça. Si je le lui avais demandé, elle m'aurait probablement dit que ça la dérangeait, que je dépense l'argent qu'elle m'avait confié pour acheter de nouveaux vêtements à l'Armée du Salut sur des jeans usagés et des vieux t-shirts de travail comme ceux que Jack portait sur les photos des *Vies parallèles de Jack Kerouac* et que je garde le reste pour m'acheter de la bière et des disques. Ça la rendait sans doute mal à l'aise que

«The End» soit la musique habituelle de mon réveil matinal, que je faisais jouer comme Jim l'aurait voulu, aussi fort que mes haut-parleurs cheap le permettaient. Elle aurait probablement préféré qu'Alvin traîne pas sa copie de *La Bible satanique* avec lui quand il venait me chercher. Mais sans doute parce qu'elle avait raclé des plateaux sales à la cafétéria de l'hôpital et lavé la vaisselle et passé la vadrouille à l'âge de quatorze ans au lieu de passer des petits mots à sa meilleure amie au fond de la classe en cours de mathématiques à propos de tel beau gars qui l'inviterait peut-être à aller danser ce vendredi soir, elle m'a laissé juste assez de lousse, adolescent, pour que je sache quoi en faire, j'avais une longueur d'avance pour ce qui était de mettre en pratique la règle numéro un de ce chat noir d'Anton en matière d'immoralisme polyvalent : «Fais ce que tu veux.» Le nihilisme commence chez soi.

Alvin a ouvert la voie en allumant successivement une série de lampes de table. Quand le rez-de-chaussée a été tout éclairé, on s'est retrouvés debout à l'entrée, où on lisait l'affiche : *SŒUR PATRICIA MCCABE*. On a marché en pieds de bas sur l'épais tapis rembourré. Par égard pour la mère d'Alvin, on avait enlevé nos chaussures. On s'est approchés du cercueil.

Le cancer, que son père avait dit, et elle en avait l'air. On aurait dit que son visage avait été sculpté jusqu'à ce que sa tête soit réduite, sa peau couverte d'une épaisse couche de poudre blanche aussi tendue que celle d'un tambour sur les os pointus de son visage, ses lèvres minces, non peintes, grimaçantes comme si elle venait de sucer un citron, pincées comme si elle approuvait pas du tout le fait d'être morte.

«J'ai jamais compris pourquoi les chrétiens, qui sont toujours en train de dire que le paradis va être merveilleux, finissent toujours par être aussi triste que les autres quand quelqu'un meurt.

— Pire, a dit Alvin. On a eu un enterrement baptiste l'année dernière et tu le croirais même pas : je pouvais entendre le monde pleurer et gémir jusqu'en haut, même avec ma chaîne stéréo allumée. Et puis à la fin, quand ils chantaient, chaque chanson disait combien ils étaient heureux que la personne qui venait de mourir aille rejoindre Jésus.» Alvin a touché du doigt la masse de chapelets enroulés autour des mains jointes et osseuses de la bonne sœur. «Ils chantaient bien, par contre.

— Penses-tu qu'elle croyait vraiment qu'elle allait aller au ciel? j'ai dit. Qu'elle y croyait vraiment, je veux dire, genre même quand elle vivait le martyre à cause du cancer?

— Ben, c'était quand même une religieuse.

— Ça doit.

— Mais je sais ce que tu veux dire. Je veux dire, comment est-ce qu'un être humain sensé peut croire à ces niaiseries?»

Compte tenu de ce qu'il avait eu comme matière première, le père d'Alvin avait fait du bon travail. Sauf pour les deux longs poils noirs qui sortaient de la narine droite de la bonne sœur, un excellent travail. Quelqu'un devrait les couper, je me suis dit.

«En fait, ça me dérange, tu sais? a dit Alvin.

— Qu'est-ce qui te dérange?

— Eh bien, disons qu'elle croyait vraiment au paradis, qu'elle avait une foi parfaite jusqu'à son dernier souffle?

— Ouais?

— Ben, elle a jamais eu à faire face à l'idée qu'elle allait finir comme un cadavre évidé un jour. C'est nous qui savons la vérité, et c'est nous qu'on punit, après, pour ça.

— Je l'avais jamais vu comme ça. »

Pour quelqu'un qui avait de si mauvais goûts musicaux et qui allait finir optométriste, Alvin était correct. Le fait d'avoir vécu au-dessus d'une maison funéraire toute sa vie compensait largement.

« Si elle était aussi sûre d'avoir ses ailes un jour, Alvin a dit, je gage que ça la dérangerait pas d'apporter ça dans ses bagages. » Il a fouillé dans sa poche arrière et sorti son exemplaire de *La Bible satanique*.

« Mais si quelqu'un le découvre? Ton père perdrait sa job. Ta mère te tuerait.

— Qui est-ce qui pourrait le savoir? On pourrait le mettre en dessous de toutes ses jupes et personne le saurait.

— Comment tu peux être sûr?

— Personne va commencer à fouiller en dessous de sa robe. Elle est déjà embaumée et exposée. Puis après les funérailles, après-demain, c'est tout droit au cimetière. »

Nos yeux se sont posés sur la bonne sœur. Sa bouche avait l'air encore plus pincée et plissée qu'avant, comme si elle savait ce qu'on était en train d'envisager. Ses doigts semblaient encore plus serrés autour de son chapelet. Chacun de nous attendait que l'autre dise un mot.

Enfin… « Sauf que c'est ton seul exemplaire.

— C'est vrai.

— Ça serait comme du gaspillage. D'une certaine façon.

— C'est l'exemplaire de mon père, aussi. Il pourrait le chercher.

— Pis c'est un exemplaire propre. Sans doute assez rare. Tu peux probablement même plus en trouver un comme ça maintenant. »

Sans rajouter quoi que ce soit, on s'est retournés et on est partis comme on était arrivés, Alvin a éteint toutes les lumières qu'il avait allumées, une après l'autre, jusqu'à ce que le salon funéraire redevienne sombre et qu'on remonte sagement l'escalier.

«Milarépa. Mil-lah-ré-pah. Un moine tibétain, neuvième siècle après Jésus-Christ. Penses-y. Arrête de regarder cette maudite blonde-là et penses-y. Tout ce qu'il y a à connaître et donc à dire, il l'a dit – Qui l'a dit? Milarépa l'a dit. C'est ce que j'ai dit, il y a onze siècles. Mais crois-moi pas sur parole, crois jamais personne sur parole, jamais, personne, nulle part. C'est ce que mon père disait toujours. En fait, mon père a jamais dit ça. Mais c'est exactement le genre de chose que mon père aurait dit, et si j'étais en train d'écrire un roman au lieu d'avoir une simple conversation avec un nouvel ami, c'est exactement ce que je lui ferais dire. Quand t'écris un roman, tu vois, tu mets juste assez de faits pour que ce que tu écris soit vrai. Les faits sont nécessaires, mais pas suffisants. C'est un truisme logique. Un nudisme ontologique. Un pleurnichardisme épistémologique. Mais la logique, c'est pas mon travail – c'est celui de Joe, là-bas, c'est lui qui alignait les A et qui a un docte rat pour le prouver. Bonjour, là, Joe. Envoie la main à Joe. Joe est un homme très solitaire, mais il porte son fardeau courageusement, noblement même. Au lieu de gratter son âme galeuse comme je le fais, il s'inquiète de savoir si les lacets de son ami

262

Jack sont attachés et si le mouchoir dans sa poche est propre et s'il y a du lait plutôt que de la crème dans son café le matin. Ah, Joe, c'est... Joe, Joe... Joe c'est le grand frère que j'ai jamais eu. Dans le cul, tu m'verras plus, je vais pleurer si je veux. Un homme peut pleurer d'amour devant l'amour altruiste d'un autre homme, pourquoi il pourrait pas? Et fuck you à ceux qui disent le contraire. Quoique j'aie déjà eu un grand frère dans le temps. Gerard était mon grand frère, mais Gerard est mort quand j'avais quatre ans pis lui huit ans, et les bonnes sœurs, elles, juraient qu'il sentait les pétales de roses fraîches tout le temps qu'il a reposé dans son cercueil. Gerard m'a appris la bonté et la charité et le pardon. Mon vieux Joe là-bas – ah, tu vois, il est timide, il allume la cigarette de la fille et il fait comme si je parlais pas de lui –, Joe m'a appris à toujours garder ma clé d'hôtel sur mon porte-clés et que savoir repérer l'étoile du Nord en tout temps est une façon pas plus bête qu'une autre de pas se perdre et que chaque fois que tu veux entendre une chanson sur ton magnétophone, c'est toujours de l'autre côté de la cassette, toujours. Mais même si mon père a jamais lu Milarépa, il en savait des choses, quand même. Détrompe-toi: c'est pas parce qu'un homme s'est jamais assis à méditer dans les neiges de l'Himalaya ou qu'il a jamais atteint le nirvana total au sommet d'une montagne qu'il a pas pris bien soin de sa famille ou qu'il s'est pas réveillé un jour pour se demander qu'est-ce qui avait bien pu se passer avec sa vie ou qu'il avait pas des idées noires par rapport à ce qui allait nous arriver, les guenilles oubliées d'une époque écharpée. Il y a du tragique dans une tasse de café ébréchée et dans six réveille-matin flambant neufs et à seize minutes après minuit d'un Nouvel

An de plus. Hey, c'est un haïku, un haïku américain, oublie les dix-sept syllabes, trois lignes de pop américaine vont faire l'affaire : Tasse à café ébréchée / Six réveille-matin flambant neufs / Seize minutes après minuit au Nouvel An. Ce qui veut dire : si t'es pas un amateur de poésie moderne – ce qui est entièrement compréhensible compte tenu de l'essence ongle-incarné et épingle-la-queue-de-l'âne-sur-les-bonnes-influences-littéraires de la prosodie du milieu du vingtième siècle occidental (mais rappelle-toi, l'amour de la poésie est simplement simple amour de la joie) –, c'est mieux de rester à la maison comme je le fais dans la douce, douce ville de Lowell le long du Merrimack sous les cieux tragiques de la Nouvelle-Angleterre et les arbres ruisselants en automne et de manger des rôtis maison le dimanche et de trinquer doucement et modérément et d'aménager une cour clôturée pour lire tranquillement en plein air et de prendre soin de ta mère et de tes chats et d'attendre patiemment et pieusement ce qui va arriver ensuite, la fin du monde, la fin du monde. Mais aujourd'hui, je suppose que c'est mal pour un fils de prendre soin de sa mère veuve pour la seule raison qu'une bande de barbus fleur bleue libertins freudiens disent que c'est psychologiquement anormal pour un adulte de vivre avec sa vieille mère qui lui a juste donné la vie et qui l'a soutenu toute sa vie et qui s'attend simplement à un peu de cette même compassion en retour. Je suppose que ça me rend anormal, donc. Je suppose que Milarépa et moi, on est mieux de se faire analyser et d'être bien normal afin de pouvoir détester nos parents et détester notre gouvernement et d'avoir de bonnes critiques dans le cahier littéraire du *Washington Post* comme tous ces fabuleux artistes de la prose comme Edwin O'Connor et John O'Hara et Herbert Gold. Eh bien, sais-tu ce que le vieux Milarépa dirait là-dessus ? Laisse-moi finir ça, tu vas pas finir ça, laisse-moi finir ça et je vais te dire ce qu'il aurait dit, ce vieux Milarépa. O.K., voici ce que Milarépa aurait dit, a dit, ce que je dis en ce moment qu'il a dit, je le dis : "Bien que vous les jeunes de la nouvelle génération vivez dans des villes infestées d'un sort trompeur, le lien de la vérité demeure. Lorsque vous restez dans la solitude, ne pensez pas aux amusements dans la ville. Vous devriez tourner votre esprit vers l'intérieur, ainsi vous trouverez votre chemin. La richesse que j'ai trouvée est une propriété sainte et inépuisable. Le compagnon que j'ai trouvé est la béatitude du néant perpétuel. Oh, vous, êtres innombrables, par la force du destin imaginaire vous avez une multitude de visions et vivez une infinité d'émotions. Je souris. Aux yeux d'un yogi, tout est pur et splendide. Dans le calme de cette belle enceinte céleste, moi, Milarépa, je reste heureux, en méditant sur le néant illuminant l'esprit. Plus il y a de tumultes, plus je ressens de joie. Plus grande est la peur, plus le bonheur que je ressens l'est aussi." Neuvième siècle après Jésus-Christ, Mac. Neuf maudits siècles après Jésus-Christ. »

Jack a dit.

À qui il parlait, dans quel bar en bordure de route Joe et lui étaient assis, de quel village le long de cette planque de Rivière-du-Loup ils étaient le plus près, ce n'est pas important.

Jack a dit.

Jack a dit Jack a dit Jack a dit Jack a dit. Il était aussi écœuré d'entendre le son de sa voix que tous les autres. Encore plus écœuré, en fait. Tous les autres pouvaient simplement arrêter d'écouter. La méditation, les boilermakers, la médication – rien, toutefois, ne peut tuer l'écho, l'écho, têtu de l'ego. Oui, Jésus nous l'a dit, ouais, Milarépa a dit que c'est possible, mais quand tu dois le mémoriser et te le répéter dix fois par jour, tu sais que tu y crois pas vraiment.

« T'es déjà allé à Montréal, Joe ? » Les tabourets de bar qui les séparaient étaient vides, l'homme qui avait été assis à côté de Jack et la femme pour qui Joe avait allumé une cigarette avaient disparu.

« Deux ou trois fois, oui.

— Eh bien moi oui. Et c'est la fête du Canada, le Canada a cent ans cette année.

— J'étais pas au courant.

— Il faut aller à Montréal, Joe, faut aller à cette affaire-là, à cette Expo 67 qu'ils ont là-bas.

— Peut-être qu'on devrait penser à retourner chez nous, Jack.

— Revenir à ce trou puant sur le Merrimack ? Où les deux seules librairies de la ville ont même pas mes deux livres les plus récents, des livres qui parlent et qui se déroulent dans ledit trou puant ? Revenir à Lowell, cette truie dévorant ses petits ? Dis-moi, Joe, comment tu te sentirais si une fois revenu là-bas tu te rappelais à quel point on était près de Montréal et qu'on y est pas allés ?

— En fait on est pas si près.

— C'est ce que je te dis, c'est exactement ce que je te dis. On a déjà fait tout ce chemin. On est déjà tout près. »

J'avais jamais connu quelqu'un qui était déjà allé à Toronto. Stacey y avait été – l'avait visité avec sa famille lorsque son père avait accepté un prix quelconque pour un immeuble qu'il avait conçu là-bas – mais ça comptait pas parce qu'elle m'avait dit qu'elle avait détesté ça.

« Pourquoi t'as pas aimé ça ? j'ai dit.

— Y a rien à aimer ! C'est monotone, c'est laid et les gens sont incroyablement ennuyeux. »

Comment quelqu'un qui avait été à un endroit une seule fois – à quinze ans, avec ses parents, une fin de semaine – pouvait en savoir assez pour rejeter catégoriquement l'entièreté de sa géographie, de son architecture, et de sa citoyenneté ? Ç'avait aucun sens, mais j'ai rien dit. Qu'est-ce que je pouvais dire ? À part les chutes du Niagara et l'école de hockey Walt Tkaczuk à St. Catharines, j'étais jamais allé nulle part.

« Montréal – ça, c'est une vraie ville. Après mon année de page à la Chambre des communes – si je suis acceptée, je veux dire – je vais me faire transférer de l'U d'Ottawa à McGill. Montréal, c'est si… c'est difficile à expliquer à quelqu'un qui y est jamais allé. T'es jamais allé à Montréal, hein, Ray ?

— Non, j'ai dit, j'y suis jamais allé. »

J'avais déjà vu des images de Toronto, par contre, et pas seulement dans les livres ou comme toile de fond des mauvais films faits pour la CBC sur les gens qui rêvent grand, qui y ont déménagé de la côte est du Canada, mais qui découvrent rapidement que tout ce qui est bon et pur et réel dans la vie se retrouve chez soi, dans la bonne vieille Terre-Neuve, le bon vieux Cap-Breton, la bonne vieille Île-du-Prince-Édouard. Parfois, le samedi soir, j'arrivais le ventre vide d'un party ou de chez Stacey, je me faisais un sandwich avec les restants du souper et je m'assoyais devant la télévision avec un verre de lait, dans le sous-sol, tandis que mes parents dormaient depuis des heures en haut. Quand j'avais fini de manger et que j'en avais assez de ce qu'il y avait à la télé, je mettais le canal 41 et je m'enfonçais dans le divan et je faisais du pouce virtuel à Toronto avec le Night Rider.

Je savais pas si le taxi en question, avec sa caméra installée sur le tableau de bord pour te permettre de le suivre de trajet en trajet, un peu partout, s'appelait vraiment le Night Rider ou si c'était juste le nom de l'émission. Il y avait aucun dialogue, aucun – t'entendais jamais le chauffeur de taxi ou les gens sortir ou entrer dans le taxi, t'entendais jamais de narration t'expliquant ce que tu regardais et pourquoi tu le regardais – juste un léger jazz nocturne qui commençait avec l'excursion et s'estompait à la fin. Tout ce qu'il y avait, c'était la course.

Le taxi parcourait des avenues désertes, à l'ombre des arbres, faisait du surplace dans la circulation pare-chocs à pare-chocs, suivait le labyrinthe d'une rue sans nom après l'autre dans Toronto, tout comme j'imaginais Sal et Dean le faire, à manger l'asphalte, à avaler les milles et à stocker les histoires qui composent *Sur la route*. La caméra restait toujours fixée sur la route, mais t'avais des aperçus de ce qu'il y avait sur les côtés. Des immeubles de briques couverts de vignes et des gratte-ciel d'affaires flambant neufs et des façades de magasins vibrantes de néon ; des maisons luxueuses et des habitations à loyers modiques et rien qui ressemblait au bungalow style « ranch » de mes parents ; et des hommes et des femmes blancs et noirs et de couleurs dont j'étais pas certain, qui allaient et venaient mais qui le plus souvent étaient juste là.

C'était difficile de savoir à qui l'émission s'adressait. Aux drogués de minuit, peut-être, heureux d'avoir le flux scintillant de la télé à suivre et à regarder se fondre doucement en mire de réglage. Même si la station était à Toronto, il était difficile de croire que quelqu'un qui était pas d'ailleurs prendrait la peine de regarder l'émission. Qui peut bien vivre à un endroit toute la journée puis s'asseoir en face de son poste de télévision le soir pour le regarder ? Et il faisait noir, sans doute trop noir pour que ça vaille la peine d'attendre de voir quelque chose que t'aimerais bien voir à nouveau.

Mais le noir, moi, ça m'allait bien. Les lieux, les personnes, l'avenir : tout semble mieux dans le noir. Ce qui est pas là, tu sais pas que c'est pas là. Pas encore. Comment ne pas tomber en amour avec une ville dans le noir ?

Il détestait le soleil. Il détestait la chaleur. La chaleur quand il était censé faire chaud, c'était déjà assez pénible – rien de comparable à la chaleur estivale de la Floride, comme une marche somnambule dans une enfilade de chambres de brouillard humide – mais l'État de la Floride, cet État de citrons débiles qui était encore un marécage au mois de septembre, lui était un affront, une insulte personnelle, une autre façon pour le monde contaminant de comploter pour l'empêcher d'être un Ti-Jean «laissez-moi-tranquille» heureux.

Peu importe si la plupart de ses voisins ridés à Orlando et ensuite à St. Petersburg trouvaient normal de n'avoir jamais connu l'éveil spirituel des matins frais de septembre, des brises agitées d'octobre, du vent solennel de novembre. Les saisons sont aux lieux ce que les âmes sont aux gens. S'il fait tout le temps soleil, alors le soulagement (enfin) du printemps est totalement castré, juste un autre purgatoire de ciel bleu. Et comment est-ce que ça peut être Noël quand il fait soixante-douze degrés dehors et qu'un oranger dans la cour du gars à la peau de cuir à côté est surmonté d'une étoile argentée qui est censée être… quoi? Pertinente? Ironique?

Drôle? Rien de drôle à propos des hivers de la Nouvelle-Angleterre. La première leçon que chaque écolier de la Nouvelle-Angleterre apprend: il existe quelque chose de plus grand que soi-même. C'est une question d'hiver ou de mort.

Mais Mémère voulait vivre ici. Peu importe l'endroit qu'ils appelaient leur chez-eux – Long Island, Northport, Hyannis ou Lowell –, Mémère voulait toujours déménager, voulait toujours venir vivre ici. Au début, elle disait que c'était parce qu'elle se sentait seule, surtout quand Jack s'en allait, qu'elle voulait être proche de sa fille et de son unique petit-fils. Plus tard, c'était parce que les hivers de New York et de la Nouvelle-Angleterre, se plaignait-elle, lui donnaient de l'arthrite, ses jointures noueuses lui rappelant toutes ces années de travail à l'usine de chaussures. À la fin, à moitié invalide, terrassée par une attaque cardiaque, c'était parce qu'elle le demandait, parce que «Jack, *tabarnac**», il lui devait bien ça.

Écrivant à ses amis, Jack, soûl – soûl en solitaire, seul et soûl à son bureau –, se lamentait d'avoir à laisser derrière lui les longues ombres d'après-midi nordiques et les cieux mélancoliques de l'Atlantique et disait appréhender la grillade fluorescente floridienne à venir. Il admettait, par contre, que ce serait bien, un nouveau départ, d'être libre de tous les courtisans et les fauteurs de troubles qui l'obligeaient à trop boire et à devenir ridicule et qui ne le laissaient pas être l'homme qu'il voulait être.

Le problème, cependant – et c'était vraiment bizarre –, c'était que ces pestes semblaient émerger partout où il allait. Partout. Sans exception. Vraiment bizarre.

Le frère et la sœur de Stacey étaient tous deux à l'université, la grande sœur de Jamie aussi – elle était censée être diplômée de Queen's l'année suivante, l'année où on allait entrer en treizième année, notre dernière année d'école secondaire. Même le frère sourd de Jamie, Gordon, s'en allait. En plus, Gordon savait déjà où il allait étudier, une université pour les sourds à Washington (D.C.), qui était comme une université ordinaire, mais où tout le monde était malentendant, même les professeurs. Si j'avais eu un frère ou une sœur ou si j'avais été sourd de naissance, j'aurais peut-être su ce que j'allais faire de ma vie, moi aussi.

Le conseiller d'orientation de CCI, M. Harnett, a essayé de m'aider à trouver ma voie. Stacey était la seule personne que je connaissais à visiter volontairement le bureau de l'orienteur – c'était là que tous les différents calendriers universitaires étaient conservés, tous en ordre alphabétique, le long d'un des murs du bureau, brillants et luisants avec des photos de jeunes gens qui te souriaient sur les couvertures – mais la plupart du monde n'allait voir M. Harnett que deux fois : une fois au début de la douzième année pour une évaluation de carrière, et une autre fois juste avant Noël, l'année d'après, pour remplir la paperasse des demandes d'admission. Avant d'y aller la première fois, il fallait que tu remplisses un questionnaire qui faisait la liste de tes objectifs de vie et de tes intérêts personnels. Mais quand t'étais assis en face de M. Harnett, dans son petit bureau, il détenait les renseignements les plus importants à ton sujet : un dossier jaune contenant l'ensemble de tes notes depuis la neuvième année, ouvert devant lui sur son pupitre.

M. Harnett a levé les yeux de mon relevé de notes et, par-dessus ses lunettes de lecture noires posées sur le bout de son nez, m'a invité à m'asseoir d'un geste de la main ; il a rebaissé les yeux et levé un gros doigt velu pour me laisser savoir qu'il avait pas tout à fait terminé d'étudier mon dossier.

M. Harnett était petit et carré avec des mèches rabattues au Brylcreem et dont le cou en entier était couleur framboise à cause du feu du rasoir. La seule vue de son cou me rendait mal à l'aise. On aurait dit que ce matin-là il avait essayé de se raser avec un couteau à beurre et une vieille barre de savon. Il a finalement baissé son doigt, remonté ses lunettes de lecture plus haut sur son nez, tentant de se composer un visage après tous ces B et C qu'il venait de regarder.

Il a dit : « Ray Robertson », comme s'il pensait qu'en prononçant mon nom à haute voix il serait en mesure de s'en souvenir.

C'est mon nom, j'avais envie de dire, usez-le pas. J'ai plutôt souri, hoché la tête, deux fois, l'air contemplatif, espérais-je.

M. Harnett a lentement hoché la tête deux fois lui aussi. Il souriait comme quelqu'un qui voulait me vendre quelque chose dont j'avais pas besoin.

«Philosophie.»

C'est ce que j'avais écrit sous «Intérêt(s) de carrière». Depuis que j'avais lu *Pourquoi je ne suis pas chrétien*, je voulais être Bertrand Russell. Être assis et penser à des choses toute la journée me semblait un assez bon emploi de mon temps, merci.

«Ma fille, qui étudie à Trinity College, à l'Université de Toronto, en première année, a justement pris un cours de philosophie cette session.

— Ah, vraiment.

— Elle va faire une spécialisation en relations internationales, mais un ou deux cours de philosophie, c'est bien, tout comme les cours de langue, c'est une bonne façon de s'épanouir.»

C'était à mon tour de hocher la tête, maintenant, même si je savais pas trop pourquoi.

«En tant que carrière, cependant, je ne suis pas sûr que ce soit le bon choix.

— Je pourrais faire un doctorat.» J'avais lu assez de «À propos de l'auteur» pour savoir que les gens qui écrivaient des livres de philosophie avaient souvent des initiales à côté de leur nom.

«Tu pourrais, a dit M. Harnett. As-tu déjà entendu la blague du diplômé de philosophie? Il avait un B.A., une M.A., un Ph. D., mais pas de J.O.B.»

Cette fois, il a souri pour vrai. Je savais que c'était pour vrai parce que deux os longs et minces des deux côtés de sa pomme d'Adam ont tendu sa chair et menacé de lui trancher le cou. Avec les brûlures de rasoir, c'en était trop, fallait que je regarde ailleurs. J'ai regardé l'un des pieds de métal de son bureau.

Quand mon regard est revenu sur lui, M. Harnett ne souriait plus. Ses lunettes étaient de retour sur le bout de son nez et il passait son doigt sur mon relevé de notes de haut en bas et de bas en haut, comme s'il vérifiait une facture douteuse au restaurant.

« Tes notes ont commencé à légèrement s'améliorer, dernièrement.

— J'ai travaillé fort.

— Pour être admis au deuxième cycle dans une bonne université – ce que tu dois faire si tu veux te rendre au doctorat –, c'est important d'avoir étudié dans un bon programme de premier cycle aussi. Je suis pas sûr que tes notes (M. Harnett a scanné mon relevé de notes une fois de plus) soient assez bonnes pour ça.

— Mais comme vous l'avez dit, ça s'améliore. » Il s'avérait que des gens intelligents étaient pas vraiment des gens intelligents, c'étaient des gens comme tout le monde mais qui travaillaient plus fort pour être intelligents. Qui l'eût cru ?

« Et espérons que ça continue dans ce sens. » Il avait dit ça cette fois avec le genre de sourire que les médecins à la télévision prenaient pour informer les familles en deuil que la science médicale avait fait tout ce qu'elle avait pu et que tout le monde devait juste espérer et prier pour que tout aille pour le mieux. « Il faut se rappeler, néanmoins, que la crème des universités canadiennes exige des dossiers académiques forts, très forts, de la part de leurs candidats. Trinity College, de l'Université de Toronto, par exemple, où ma fille étudie en première année, place la barre à un minimum de quatre-vingt-cinq pour cent ne serait-ce que pour examiner la demande d'admission.

— Mais j'ai entendu dire que… Je veux dire, quelqu'un m'a dit que les universités regardent seulement tes notes de treizième année, que si elles sont assez bonnes, tu peux aller où tu veux.

— Bien, oui, c'est vrai, en gros », a dit M. Harnett en se frottant le menton. Bon Dieu, descends pas plus bas que ça, j'ai pensé, si tu commences à te toucher le cou, je pense que je pourrai pas le supporter. «Mais je pense que, pour toi-même et pour ton avenir, tu te dois de te poser la question : est-ce que tu te vois vraiment comme un premier de classe, dans un an ?

— Je vais essayer, j'ai dit.

— Bien sûr que tu vas essayer... »

Ma mère m'avait toujours dit que si je faisais de mon mieux, si j'essayais aussi fort que je pouvais, que ce serait toujours assez. Ma mère disait aussi que j'étais beau. Quel autre maudit mensonge est-ce qu'elle m'avait servi ?

«Donc continue à faire de ton mieux, à vouloir décrocher la lune. Mais entre-temps (*clic-clac*, les semelles des bottes de M. Harnett et les roulettes de sa chaise l'ont propulsé sur le sol de son bureau jusqu'à son classeur ; il a ouvert le tiroir du milieu, y a plongé la main sans regarder ce qu'il prenait, et *clic-clac*, de retour derrière son bureau), jette un coup d'œil là-dessus.» Il m'a tendu trois minces brochures.

Elles étaient aussi brillantes et luisantes que les calendriers académiques le long du mur, mais ressemblaient plus à des dépliants empilés sur le bureau de la réceptionniste du dentiste qui soulignent l'importance de passer la soie dentaire tous les jours et informent les patients des différents types de maladies de gencives. Chaque brochure venait d'un collège différent – Mohawk, Fanshawe, St. Clair – mais chacun expliquait les programmes respectifs d'hôtellerie et de restauration de chacune de ces écoles.

M. Harnett était maintenant calé dans son fauteuil pivotant, les pieds sur le bureau, l'un croisé sur l'autre. Ses bottes de cuir noir lui allaient au niveau de la cheville et il y avait des fermetures éclair argentées sur les côtés. On aurait dit qu'il les avait enfilées pour une danse à son école vingt-cinq ans auparavant et qu'il avait oublié de les enlever. Il tenait ses lunettes de lecture de sa main droite, suçait l'extrémité d'une des branches.

« Tu es quelqu'un de sociable. Je le sais juste avec la petite conversation qu'on a eue aujourd'hui. Et je vais te dire une autre chose. » Il a enlevé le bras de ses lunettes de sa bouche et l'a pointé en ma direction. « J'ai aucune difficulté à t'imaginer occuper une position très importante dans le secteur des services. Je te parle costume et cravate, embaucher et congédier, le sommet de la pyramide. Et puis je vais te dire ce qu'il y a de mieux avec les études collégiales : ça te prend un an, deux maximum, pis t'arrives dans le monde du travail, prêt à te remplir les poches. »

Si ça voulait dire porter un badge avec mon nom dessus, ce serait pas différent de travailler chez Sears. Une cravate, un badge, et du monde qui serait pas allé au Mohawk College et qui devrait m'appeler M. Robertson. Ma mère serait si fière.

Jack n'a jamais été pour ces maudites histoires de révolution. Même dans le temps, priant à genoux avant de s'asseoir pour écrire (il avait volé l'idée d'un film français sur Haendel qu'il avait vu à Times Square), travaillant à la chandelle et l'éteignant lorsqu'il avait terminé pour la nuit, sacrifiant une goutte de sang piquée au bout de son doigt pour marquer où il était rendu (jusqu'à ce que Burroughs arrive un soir et le voie faire et dise : « Mon Dieu, Jack, arrête tes folies pis viens prendre un verre »), ce n'était qu'une partie de son propre programme de recherche d'absolu, de son arbre de créativité totalement pardonnable car né du bourgeon de la rêverie adolescente couchée dans le calepin de l'art-pour-l'art. Mais salutiste jusqu'à la moelle. Comme les saints pêcheurs et les miséreux sauvés de Dostoïevski. Comme une prière mal embouchée.

Même les universités s'affairaient dans le secteur de la révolution sociale en ce moment. Quand l'Université Brandeis l'a invité à participer à un forum intitulé « Y a-t-il une Beat Generation ? », Jack a accepté parce que c'était l'occasion de répondre à certains de ses critiques moins évolués, de remettre les pendules à l'heure, de donner clairement son point de vue. Ça faisait un peu plus d'un an que *Sur la route* avait été publié, et Jack était toujours d'actualité. Sans compter que cette nouvelle renommée était assez amusante – un microphone, un auditorium bondé, un cachet de deux cents dollars. Jack a soigneusement tapé un essai dans sa chambre de Long Island appelé « Les origines de la Beat Generation » et l'a apporté avec lui dans le métro pour se rendre en ville. Après quelques tablées de boissons, au Kettle of Fish avec Ginsberg et autres amis new-yorkais, il s'est retrouvé assis sur scène à côté des trois autres panélistes. L'habituelle chemise rouge à carreaux, les jeans noirs et les bottes montantes qu'il portait n'étaient pas les seules raisons pour lesquelles il ne cadrait pas.

Jack a bondi sur le podium et déclamé l'essai qu'il pensait que les organisateurs voulaient et dont il était certain que le monde avait besoin, un sermon de douze minutes et demie sur l'essentielle béatitude de la Beatness qui avait, en fait, été engendrée par la joie sauvage à demi enterrée et la belle naïveté et l'individualité confiante des pères fondateurs de l'Amérique d'antan (la génération de son propre père, l'Amérique de chapeaux de paille, de fêtes de famille, de nouveaux immigrants reconnaissants). Et si vous brûlez de vous incliner devant de saints hommes, agenouillez-vous si vous le devez devant les vénérables de la sacro-sainte loufoquerie tels que Harpo Marx et Krazy Kat et Lester Young et les Trois Stooges. Mais surtout, rappelez-vous oui oui oui, saint saint saint, tout tout tout. Le crucifix ET l'étoile de David. Mohammed ET le Bouddha. La glorieuse futilité croissante de l'âme ET la chair du corps en douce décomposition. Et tendre pitié pour tous ceux qui crachent sur les enfants de la Beat Generation – quand on crache en l'air, on sait tous comment ça finit.

Des huées et des acclamations, mais au moins tout le monde était réveillé.

« Euh, merci, M. Kerouac ? » Encore plus de huées et d'applaudissements.

Le professeur de sociologie, le rédacteur en chef de journal, le romancier britannique en visite – chacun a respectivement donné son verdict respectable avec des phrases grammaticalement correctes avant de se rasseoir tout aussi efficacement sur scène. Des applaudissements polis, bien sûr, entre chaque intervention, et quarante-sept montres-bracelets subrepticement consultées pour savoir si c'en était bientôt fini. Et l'animateur a posé des questions soigneusement élaborées aux invités qui se caressaient le menton et qui se croisaient les jambes et qui répondaient proprement, modérément.

Oh, non, se disait pourtant Jack, ça marche pas du tout. On a besoin d'aiguille et de fil. On a besoin de forme et de fond. On a besoin de l'acte et de la déclaration. Sinon, ce sont que des mots. Et les mots, les mots, les mots, comme le disait le prince danois, ça vaut pas un clou. Moins, en fait : tu peux encore écrire un hymne à un tas de clous.

Donc, tandis que le sociologue monotonait et que le journaliste journalait et que le romancier britannique en visite éruditait, Jack titubait sur scène à faire des grimaces à l'auditoire et à chatouiller le piano désaccordé à l'arrière. Et tandis que le sociologue déblatérait sans s'arrêter, Jack lui a pris le chapeau de la tête pour le mettre sur la sienne, s'est juché sur son siège en se croisant les bras sur la poitrine et il a froncé les sourcils tout comme le sociologue, et tout le monde – même les autres intervenants et le modérateur, même les gens qui l'avaient hué auparavant – tout le monde a ri, sauf le sociologue qui a crié : « Rendez-moi mon chapeau ! »

Et Jack le lui a rendu. Et le sociologue l'a remis. Et ce fut la fin de la conférence de ce soir. Et ce sera dans l'examen. Peut-être pas demain, peut-être pas la semaine prochaine, peut-être même pas cette année ou la prochaine, mais ce sera dans l'examen.

Ensuite, de retour au Kettle of Fish, beuverie joyeuse et accolades heureuses, Ginsberg s'est penché sur la table qui sentait la bière et a poussé ses lunettes sur son nez et crié dans le bruit : « Regarde, Jack, on a fait tout ça, on a fait de la grande littérature. Pourquoi on fait pas quelque chose de grandiose maintenant comme conquérir le monde ? »

Corso a saisi la manche de Jack, s'est approché. « Ouais ! Pis je vais être ton homme de main ! » a-t-il crié.

Jack a ri, bu, reniflé, souri, soupiré, haussé les épaules, s'est affalé sur la banquette.

« Ah, je veux juste être Cervantès tout seul au clair de lune.

— Mais, Jack, écoute-moi, on…

— Je veux juste être Cervantès tout seul au clair de lune. »

Le cours est terminé.

«Bla-bla-bla Susanna Moodie bla-bla-bla Margaret Atwood bla-bla-bla ce que nous sommes en tant que pays bla-bla-bla.»

Tout le monde était à la page 578 de l'*Oxford Book of Canadian Literature*, mais j'étais deux cents pages en arrière, mon exemplaire ouvert sur une sélection de poèmes de Leonard Cohen. J'aimais bien celui sur la veille du jour de l'An et de la fille du vestiaire qui avait la syphilis et comment le band était une imposture, tous des nazis, et comment le narrateur avait le cancer des lèvres mais qu'il allait mettre son chapeau de papier quand même par-dessus sa commotion cérébrale. J'avais aucune idée de ce que ça voulait dire, mais ç'avait du sens.

«Un commentaire ou une observation, Ray?»

J'ai levé les yeux vers Mme Ross et le reste de la classe qui me regardait, en attendant ma contribution sur le sujet du jour. J'ai pas cherché la bonne page dans mon manuel, ça n'aurait fait qu'aggraver les choses. J'avais pas le temps de mentir.

«Je trouve que c'est un peu plate.»

Quelques rires à l'arrière de la salle, mais seulement parce que c'était évident que j'étais trop bouché pour comprendre que la littérature était censée être plate, est-ce que j'avais écouté quelque chose cette année, est-ce que je connaissais quelque chose à l'art?

«Je ne pense pas que Margaret Atwood serait d'accord avec vous», a dit Mme Ross.

Bien sûr que non, je me suis dit. C'est elle qui l'avait écrit, comment elle pouvait savoir si c'était plate ou non?

Stacey a levé la main pour poser une question sur la vie des colons au Canada et j'étais tiré d'affaire, je suis retourné à ce que je voulais lire. Sa question semblait plus intelligente que n'importe quelle réponse que j'aurais pu trouver, mais ça me dérangeait pas, je savais que j'étais pas fou, même si tout le monde faisait comme si je l'étais.

C'était comme dans ma biographie de Jack, le bout où il prend la parole à un colloque universitaire quelconque pour parler de la Beat Generation et que les gens sur scène sont des faux-culs et que tout le monde dans le public le sait mais que personne veut l'admettre et personne dit quelque chose qui vaille la peine d'être dit sauf Jack. C'était comme ça. C'était exactement comme ça.

Et maintenant, l'enfant d'chienne dormait.

Joe a allumé la radio pour avoir de la compagnie, a salué trois hurlements consécutifs de parasites, l'a éteinte. Jack n'a pas bougé, un imperméable froissé jeté dans le coin de la banquette avant. Il devrait être réveillé, Joe s'est dit, c'est de sa faute si on va dans la mauvaise direction. Ils auraient dû se mettre en route dans l'autre sens, vers la maison.

Même s'ils y avaient été, par contre, même s'ils avaient été à la maison, Billy ne serait pas encore là, Joe le savait. Il avait appelé Mme Johnson, à la dernière station-service. « Désolée, Joe, je l'ai pas vu. S'il est à Lowell, il est pas encore rentré. Je suis sûr que j'aurais au moins vu de la lumière. Essaye de pas t'inquiéter, je suis sûre qu'il va bien. »

S'il y avait une personne avec qui il aurait dû rouler vers Montréal, c'était Billy. Prendre la route à deux pour aller à l'Expo 67, c'était exactement le genre de chose qu'un père faisait avec son fils. Si Billy revenait avant l'automne, se disait Joe, s'il acceptait de se réinscrire à l'école secondaire et qu'il promettait de respecter son couvre-feu, alors Joe s'entendrait avec lui, il lui promettrait de l'amener à Montréal pour voir l'Expo 67 et…

S'il rentrait à la maison. S'il ne faisait qu'appeler, lui envoyait un petit mot, ou même s'il disait à quelqu'un de dire à son père qu'il allait bien. Si.

Jack avait dit la même chose que Mme Johnson : « Inquiète-toi pas, Joe, les jeunes d'aujourd'hui sont vite, pas mal plus débrouillards qu'on l'était. Billy est un bon gars, c'est un Chaput, il a une bonne tête sur les épaules, inquiète-toi pas. » Mais Mémère était la seule qui l'avait vraiment réconforté.

« Oh, pauvre Joe, elle avait dit, le serrant contre sa chair épaisse, sans le laisser partir, pauvre Joe, pauvre Joe. »

Jack ne comprenait pas, n'avait pas d'enfant à lui – juste une fille de son premier mariage qui lui ressemblait énormément et qui portait son nom de famille. Il avait demandé au frère avocat de Ginsberg, Eugene, de lui faire *pro bono* un test de paternité non concluant et une pension alimentaire à rabais, mais il niait toujours que Jan soit sa fille, disait que son père était un plongeur portoricain de Brooklyn du nom de Rosario. Avec des amis proches comme Joe, à l'occasion, il sortait la photo de Jan qu'il gardait dans son portefeuille et semblait heureux quand on lui disait à quel point ils se ressemblaient. Soigneusement, il la rangeait en disant : « Pas ma petite, par contre. »

La seule fois où Joe avait visiblement perdu son sang-froid avec Jack, c'était au bar du Pawtucketville Social Club, quand la tristesse et le scotch s'étaient ligués pour le contraindre à montrer à Jack une photo sortie de son portefeuille, Billy, nouveau-né, dans les bras de sa femme épuisée mais de toute évidence comblée, dans son lit d'hôpital. C'était à l'époque où Billy venait de disparaître.

Jack a jeté un coup d'œil rapide et a pris une longue gorgée. « Pourquoi les gens s'entêtent à mettre quelqu'un au monde juste pour qu'il finisse par mourir ? »

Joe a repris sa photo.

La remettant dans son portefeuille, il a fait : « Tu sais que tu peux être un vrai trou du cul sans cœur, quand tu veux, Kerouac ? »

Jack s'est lentement redressé sur son tabouret comme s'il se préparait à se défendre physiquement ; puis tout aussi lentement, il s'est dégonflé, se retrouvant exactement comme il était auparavant, penché sur le comptoir. Et il a marmonné dans son verre vide : « J'ai toujours aimé le fait que tu m'appelles toujours Jack, Joe, que tu m'aies jamais appelé Kerouac, comme tout le monde. C'est la première fois que tu m'appelles pas Jack. »

Des excuses. Incroyable. Ce maudit salaud d'égoïste pense qu'il mérite des excuses. Joe a fouillé et trouvé et jeté une poignée de billets sur le bar. « Tu comprends vraiment rien, toi, hein ? »

« Joe, va-t'en pas comme ça, pars pas en colère, c'est pas une bonne idée », a crié Jack.

Mais Joe avait disparu.

Jack s'est dit qu'il devrait lui courir après, qu'ils devraient travailler sur ce qui allait pas dès maintenant au lieu de laisser les choses s'accumuler et empirer, mais quand il a regardé devant lui, un nouveau verre était apparu sur le bar.

Il a siroté son scotch à l'eau, réfléchi.

« Quand c'est pas une chose, c'en est une autre, hein, Len ? a-t-il dit au barman derrière le bar.

— Ça, tu peux le dire, Jack. »

Jack a pris une autre gorgée. « Hey, Len.

— Ouais ?

— Regarde-moi ça. À qui elle te fait penser, la petite sur la photo ? »

Mon père avait déjà été en grève, donc on était pas inquiets, même quand les négociations, qui avaient débuté au printemps, s'étaient étirées jusqu'à l'automne. La première fois, on habitait sur la rue Park et mon père avait payé le fils de Mme Ruskowski cinquante cents de l'heure pour qu'il fasse du piquetage à sa place devant l'usine. Tout ce que je savais, c'était que mon père était là le matin quand je me réveillais pour aller à l'école et qu'il était encore là l'après-midi quand je rentrais et qu'il était jamais trop fatigué pour m'envoyer des tirs au but dans le garage ou pour jouer une partie de hockey sur table après le souper, mon bain terminé. C'était comme pendant les vacances d'été, sauf qu'on était en hiver, et quand tout s'est arrêté, quelques semaines plus tard, j'étais déçu. Maintenant, s'il était là quand je rentrais de l'école, il sentait comme d'habitude, la sueur et l'acier et la saleté, écrasé dans son fauteuil devant la télévision après le souper avec ses paupières à moitié ouvertes et ma mère me disait de venir faire la vaisselle avec elle dans la cuisine, papa était fatigué.

La seule chose qui m'a affecté pendant la grève la plus récente, c'est quand j'ai demandé à mes parents si je pouvais passer des lunettes aux verres de contact. Je pouvais pas imaginer Jim Morrison inciter à l'émeute sur la scène, avec un pantalon serré en cuir brun et une paire de fonds de bouteilles, ou Jack Kerouac sur le bord de la route près de Memphis sous une pluie battante qui aurait à baisser le pouce pour essuyer ses lunettes. La première étape pour devenir qui tu voulais être, c'était d'en avoir l'air.

« On a pas l'assurance de ton père quand il est en grève, a dit ma mère. Il va falloir attendre pour voir.

— C'est juste cent cinquante dollars, j'ai vérifié, on peut pas juste les payer ?

— On sait pas combien de temps la grève va durer, il faut faire attention à notre argent. En plus, t'as des lunettes presque neuves qu'on t'a achetées au printemps. Pis j'aime pas ça, ces verres de contact-là, de toute façon. C'est en verre, ces affaires-là, tu sais, tu peux gravement te couper les yeux avec ces affaires-là.

— Ils les font en plastique maintenant, maman, j'ai vérifié, c'est totalement sécuritaire.

— J'aime pas ça. Mme Jackovac en avait pis un de ses yeux s'est tout infecté pis elle pouvait plus voir pendant une semaine. Elle est chanceuse de pas être aveugle.

— C'est parce qu'elle avait des lentilles en verre, ils les font en plastique, maintenant, je te l'ai dit. » J'aurais pu en dire plus, j'aurais pu lui montrer la brochure que j'avais ramassée au bureau de l'optométriste du centre d'achat, mais ç'aurait rien changé.

À la fin du mois d'août, mon père et le reste des travailleurs ont appris que la compagnie avait pas peur des menaces du syndicat. Près de quatre mois après que le reste de l'usine et lui sont partis en grève, au lieu de céder aux demandes du syndicat, la compagnie avait aucun problème à les laisser sécher là. Pire : le *Chatham Daily News* a publié un article disant que l'entreprise était heureuse de laisser le syndicat se pendre parce qu'elle prévoyait déplacer l'ensemble de sa production au Mexique l'année suivante de toute façon. Le seul résultat de la grève, disait l'article, c'était des économies pour la compagnie. Certaines personnes pensaient que c'était juste des histoires semées par la compagnie pour que les travailleurs se mettent à paniquer et acceptent n'importe quoi. D'autres, comme mon père, étaient pas si sûrs. Évidemment, l'usine allait rester – elle était à Chatham depuis presque quarante ans ; mon grand-père et beaucoup des pères des amis de mon père avaient travaillé là aussi – mais personne avait jamais vu une grève durer aussi longtemps.

«J'imagine qu'il va falloir déménager au Mexique», a dit quelqu'un, et tout le monde assis autour de la piscine s'est mis à rire. À cause de la grève, il y avait souvent des partys chez M. Roundy cet été, plus que durant tous les étés dont je me souvenais. La plupart des amis de mes parents travaillaient à l'usine, et ceux qui avaient des piscines creusées étaient ceux qui organisaient les partys, le plus souvent. La piscine, c'était surtout pour les enfants, qui sortaient de l'eau seulement pour aller aux toilettes et quand les hot-dogs et les hamburgers étaient prêts sur le barbecue. Les adultes assis sur des chaises de jardin autour de la piscine buvaient des bières, fumaient des cigarettes, parlaient et, surtout quand l'après-midi se transformait en soirée, riaient.

J'y allais plus beaucoup, à ces partys de piscine – qui est-ce qui a déjà vu un Beatnik à un party de piscine? – mais il faisait chaud et humide et c'était le mois d'août et de toute façon, dans *Les vies parallèles*, il y avait une photo de Jack qui faisait le fou sur une plage à Tanger. Je m'assurais, toutefois, de pas plonger ou nager, je faisais juste flotter dans la partie peu profonde, les coudes appuyés sur le bord.

«Il va falloir t'acheter un gros chapeau mexicain, Kenny, pour que tu prennes pas de coup de soleil sur la tête», a dit M. Roundy. Tous les adultes taquinaient toujours mon père parce qu'il avait pas beaucoup de cheveux.

«Un sombrero! a crié quelqu'un.

— Hein?

— Un sombrero, que ça s'appelle, ces gros chapeaux mexicains – il faut trouver un sombrero pour Kenny.»

Mon père a porté sa bouteille de Bleue à ses lèvres et englouti le reste de mousse, l'a sortie de sa gaine de styromousse isolante et l'a fait tinter sur le ciment en la déposant à côté de sa chaise de jardin. «Hey, qu'il a fait, Dieu a juste fait une couple de têtes parfaites; le reste, il les a couvertes de cheveux.»

Tout le monde avait entendu cette blague un million de fois auparavant, mais tout le monde a éclaté de rire pareil. Quelqu'un a donné une autre bouteille de bière à mon père. Il l'a rentrée dans sa gaine et il a enlevé la capsule.

«Papa, regarde ça!» a crié la fille de M. Roundy, Laura, du tremplin. Laura était grosse et bête et autoritaire parce qu'elle avait une piscine creusée et qu'elle recevait tous les nouveaux jouets dès qu'ils étaient annoncés à la télé. M. Roundy l'appelait «princesse». Parfois, Mme Roundy souriait et disait: «Vous me croiriez pas si je vous disais combien Keith la gâte, c'est une vraie petite fille à papa.»

«Papa, regarde ça! qu'elle a crié de nouveau, mais cette fois sur un ton qui disait qu'elle allait se mettre à brailler s'il la regardait pas sur-le-champ.

— Je te regarde, princesse», a dit M. Roundy. Tout le monde s'est arrêté pour la regarder.

Laura s'est avancée lentement sur le bord du tremplin. S'est assurée que ses dix orteils gras soient parfaitement alignés au bout du tremplin. A joint lentement ses mains comme si elle s'apprêtait à prier. A oscillé de quelques pouces de haut en bas trois ou quatre fois pour trouver le bon rythme. Puis a enfin plongé dans la piscine, exactement comme n'importe qui d'autre l'aurait fait.

Laura a nagé vers le côté de la piscine où toutes les grandes personnes étaient assises, dégagé ses longs cheveux bruns hors de son gros visage, se maintenant à flot en s'agrippant à deux mains au bord de la piscine.

«Est-ce que tu m'as vue, papa? elle a dit.

— Tu peux être sûre, princesse.

— Comment c'était?

— T'étais parfaite, princesse, a dit M. Roundy. T'étais vraiment, vraiment parfaite.»

Mais comment le gardien de la flamme, même faiblissante, vacillante, garde en vie l'étincelle que vingt mille vents conspirent à éteindre de nuit comme de jour ? Où va Dracula quand le monde – les vampires ennemis comme les vampires amis – l'a presque vidé jusqu'à la dernière goutte ? Qui est-ce que Dieu prie ?

Oublie la bière la drogue les femmes, de A à Z ou vice versa. Bon pour du bon temps et pas mal pour effacer les mauvais, mais il y en a jamais assez dans n'importe quel type de combinaison chimique-charnelle pour remplir le puits, pour repartir la boussole, pour régénérer la source. Il faut que la source retourne à la source pour que l'espoir se renouvelle. Il faut que le fleuve se jette dans la mer pour que t'aies ta juste chance. Prends cette boussole et donne-lui un bon coup de pied au cul magnétique puis va partout où cette enfant d'chienne te dit d'aller. En arrière. Reviens en arrière. Reviens à la source.

Quand tu parles tu parles tu parles et que jamais personne n'entend un seul mot de ce que tu dis, reviens là où la parole s'éteint, back to Bach, écoute toutes ces voix chorales, cette unique voix parfaite. Plus aucun son à écouter, en fait, seuls les pâles pins verts en surplomb et le vent comme un pur faucon parmi eux, les faisant bouger en douceur.

Et après la millionième fois environ que les critiques, les éditeurs, et parfois même ton propre agent t'ont gentiment prié de bien vouloir écrire correctement, de bien vouloir écrire comme tous les autres écrivent, je t'en prie – le bon sens affolant comme un coup de couteau dans l'âme –, reviens aux premiers à avoir enseigné la parole au saxophone, reviens à Parker, Prez, Hawkins, Jacquet, et fais-toi béatement agresser par une mélodie jouée de la façon dont *elle* veut être jouée et non pas comme on dit de la jouer sur une partition autoritaire. Remets l'aiguille au début du disque et hurle avec lui. Scat, je veux dire, scat. Hurle.

Et quand, tu as été devant la machine à écrire longtemps, le son de ta propre voix dans ta tête comme une accusation – comme tous les examens auxquels t'as triché au secondaire et tous les « Je t'aime » à 3 heures du matin que t'as murmurés mais que t'as tout de suite regrettés –, reviens à Billie Holiday et reçois une claque en pleine face puis un coup de poing en plein ventre et sens comme les poils sur tes bras et ta nuque se dressent pour vraiment écouter. La question c'est pas de chanter l'annuaire téléphonique. Qui d'autre à part peut-être Frank peut prendre une crasse absolue comme « Tu aimes me voir pleurer, bébé, et je comprends vraiment pas pourquoi » et la transformer en quelque chose comme « Lover Man » ou « Mean to Me » ou « Strange Fruit » ? Lady Day, mon enfant d'chienne, tu me donnes envie de mourir d'amour. Me donne envie de sortir dans la rue là tout de suite puis de me livrer corps et âme à la première jupe que je vois.

Et parfois, eh bien, parfois tu te sens tout simplement seul. Seul et impatient d'être enfin arrivé à maintenant. Seul, et le seul, semble-t-il, à pas s'en foutre que, l'écume à la bouche, tout ce monde se foute de voir son âme déjà débile se décomposer et mâchonne vingt-quatre heures par jour sa pâtée pour l'âme rose bonbon. Seul à te sentir comme le bon vieux Job ici-bas, comme : «Hey, le vieux là-haut, fais-moi un crisse (mes excuses) de signe que je sache que je prends encore pour la bonne équipe.»

Alors prends une voix sur l'étagère et écoute. Pas un livre – disparues, les longues journées et les nuits encore plus longues d'errance affamée à engloutir les livres ; tout a été lu, reste rien à apprendre – mais une voix, une voix familière, le son, par exemple, du doux chagrin de Pascal, de l'âpre joie d'Emerson, du rire amer de Goethe. Les idées, l'ironie, les symboles, la structure, les thèmes, les tropes – bah ! L'art est un ami quand on est sans amis. La voix d'un ami, d'un vieil ami.

Et comme le fleuve se jette dans la mer, ainsi la mer se vide à son tour dans le fleuve. Poissons, rochers, végétaux, voire déchets : le plus faible est nourri par le plus fort et redevient lui-même. Nous tous, petites rivières esseulées assoiffées et pleurant dans nos petits lits poussiéreux, gloire à Dieu pour la force. Gloire à Dieu pour la mer. Gloire à Dieu.

Il y avait peut-être autant de pour que de contre, au final. Des nouvelles choses dont t'avais pas envie, bien sûr – du Clearasil pour ton acné, s'inquiéter de jamais pouvoir venir ailleurs que dans la main de ta blonde, empêcher ta mère de venir dans ta chambre à moins qu'elle t'apporte des vêtements propres ou qu'elle change les draps –, mais parce que t'étais un adolescent, enfin, des choses que t'avais plus besoin de faire, aussi. Comme aller avec mes parents chaque fois qu'ils visitaient grand-m'man et grand-p'pa Authier. Cette fois-là, j'y allais juste parce qu'après on allait directement au centre d'achat m'acheter une paire de Converse hautes pour remplacer les minables North Stars que – j'arrivais pas à le croire – j'avais déjà trouvés cool, et ils m'avaient promis qu'on allait juste arrêter dire bonjour en chemin, on allait même pas prendre un café.

« Laisse-moi faire chauffer de l'eau, a dit grand-m'man en s'appuyant sur la table de la cuisine pour se lever.

— Assieds-toi, Mèm, on peut pas rester, il faut aller à la banque avant 4 heures, pis Ray a besoin de nouveaux souliers, pis il faut faire l'épicerie. »

Grand-m'man a lentement laissé son gros derrière retomber sur sa chaise, puis s'est mise à rire. «Ah, Raymond, tu vas avoir des nouveaux souliers aujourd'hui, c'est ça?

— Ouais.» Et je me suis échappé de la cuisine pour aller au salon. Il y avait longtemps que j'avais arrêté de me demander pourquoi grand-m'man riait tout le temps. J'ai allumé la télé même si je savais qu'il y aurait probablement rien qui vaille la peine d'être regardé, vu que grand-m'man et grand-p'pa Authier étaient les dernières personnes à Chatham, on aurait dit, à pas encore avoir le câble. Je me suis quand même assis avec la télécommande brune sur les genoux et j'ai pesé sur les boutons.

J'étais chanceux, si on peut dire, j'ai attrapé la deuxième moitié d'un épisode de *Hogan's Heroes*, celui où le colonel Klink doit sortir avec la sœur de Burkhalter, un laideron, ou alors se faire expédier sur le front russe. *Hogan's Heroes*, comme toutes les émissions que je regardais quand j'étais petit et dont j'avais vu tous les épisodes au moins deux fois, n'était plus drôle. Tu savais ce qui était censé être drôle – les rires enregistrés te le disaient – mais c'était comme retrouver des vieux jeux de société dans le fond du placard, avec lesquels t'avais pas joué depuis des années. C'était même difficile de se rappeler la personne qui les avait tant aimés.

«Laisse-moi te dire, on était soûls, mon gars – je veux dire soûls – moi pis Gilles pis Henri, le frère de Loretta, les trois, laisse-moi te dire.»

Je me suis penché plus près de la télévision, j'essayais d'enterrer la voix de grand-p'pa, Hogan était en train d'embrasser Hilda, la secrétaire du colonel Klink. Hilda était sexy.

«Ça fait qu'on est en train de boire – pis l'alcool de patate du frère de Loretta, t'as pas été soûl avant d'avoir bu l'alcool de patate du frère de Loretta.»

Grand-m'man s'est mise à rire avec sa main sur la bouche jusqu'à ce qu'elle puisse plus parler. «Oh, Henri, il… il…»

Grand-p'pa s'est mis à rire lui aussi, a aspiré une bonne bouffée de sa cigarette. «Ça fait qu'anyway on se retrouve à la Taverne Paincourt qui était là dans le temps, pis là y a des gars en uniforme d'armée qui arrivent et tout le monde leur paye des verres et leur donne des tapes dans le dos et je vous le dis, ils étaient rendus quasiment aussi soûls que nous autres, je vous le dis.

— C'était en quelle année, ça encore, Mike?» a demandé mon père. Ma mère disait pas grand-chose d'habitude quand grand-m'man et grand-p'pa racontaient des histoires, surtout si c'étaient des histoires de boisson.

«Oh, c'était en 40, 41, par là.

— O.K.

— Ça fait que ces gars-là finissent par s'asseoir avec nous autres pis on boit ensemble et après un bout de temps, ils nous disent: "Pourquoi vous vous engagez pas, vous autres aussi, les gars?" Et ils ont commencé à nous raconter comment ils étaient bien payés et qu'ils avaient une pension de soldat pis ils nous ont parlé de l'Europe pis tout ça, et sapristi, tu sais, plus on buvait, plus ç'avait de l'allure, leur affaire.»

Je me suis surpris, j'ai ri avec tout le monde.

«Ça fait qu'anyway, pas plus qu'une semaine plus tard, j'étais au champ en train de rentrer les patates, tu sais, quand deux autres gars de l'armée sont arrivés pis qu'ils ont dit qu'il fallait que j'aille avec eux autres, que c'était le temps d'y aller.»

Impossible, je me suis dit. Personne peut juste se pointer chez toi et t'emmener, c'est contre la loi. J'ai baissé le volume de la télévision.

«Jésus! a dit mon père. Qu'est-ce t'as fait?

— Y avait pas grand-chose à faire. Ils avaient des fusils. Je suis allé avec eux autres.»

Tout le monde riait, même ma mère. Je m'étais levé du canapé et je me tenais dans le cadre de la porte de la cuisine. Grand-m'man s'était levée pour prendre quelque chose dans une des armoires. Sucre, sel, farine, épices; des vieux pots Mason pleins de haricots et de lentilles et de riz et de farine d'avoine: tout était brut, des choses que tu prends pour faire quelque chose d'autre. Nos armoires à la maison étaient remplies de choses que tu achètes à l'épicerie, des choses dans des emballages luisants qui n'étaient rien d'autre que ce qu'elles étaient.

Mon père a pris une cigarette roulée à la main par grand-p'pa dans leur boîtier en plastique sur la table. «Qu'est-ce que t'as dit à Loretta?

— Eh ben, je lui ai dit qu'elle était mariée à un soldat, astheure, et que je m'en allais pour un petit bout de temps.»

Grand-m'man riait, avait de la misère à parler. «Pis moi j'étais enceinte... de Paul... j'étais enceinte de six mois...

— Ils savaient que t'avais une femme enceinte et ils t'ont même pas laissé ramasser tes patates? a dit mon père.

— Laisse-moi te dire, mon gars, les gars de l'armée, ils niaisent pas. Le lendemain je m'entraînais au Camp Borden, dans le bout de Gravenhurst, là, laisse-moi te le dire.

— Qu'est-ce qui est arrivé à ta récolte?

— Ah, Loretta s'en est occupée.

— Mais t'as pas dit que t'étais enceinte de Paul, Mèm, a dit ma mère.

— Oui, oui, je l'étais, je l'étais. »

Se tournant vers grand-m'man en tapotant la cendre de sa cigarette dans le gros cendrier en verre Expo 67 que grand-m'man et grand-p'pa avaient depuis toujours, mon père a dit : « Vous voulez dire que vous vous êtes occupée des patates toute seule, enceinte de six mois?

— Oh, *câlice**, non, grand-m'man a dit, j'ai pas fait ça toute seule. On avait un cheval, pis une charrette, aussi. »

Tout le monde a ri, longtemps.

J'avais jamais remarqué à quel point la table de cuisine chez nous, c'était juste pour manger, et quand on mangeait, on mangeait, on parlait pas. C'était pas un règlement, on parlait juste pas. Au souper, à 6 h 15, ma mère disait à mon père : « Tes sports vont commencer », puis on écoutait la radio, judicieusement placée sur le dessus du frigidaire, déjà réglée à CFCO. Après les sports, il y avait une pause publicitaire, puis « In Memoriam », les avis de décès. Sauf s'il y avait quelqu'un que mes parents connaissaient, on se concentrait sur la nourriture.

Quand les choses se sont calmées, ma mère a demandé : « Où est Bradley, Mèm? » J'étais peut-être un adolescent, mais Bradley, lui, avait presque vingt ans : fini les films d'horreur en noir et blanc et les sacs de chips barbecue partagés pendant que les adultes parlaient à la table de la cuisine, fini depuis très longtemps.

«Vous v'nez juste de le manquer, il a dû sortir de l'entrée juste avant que vous arriviez.

— Il conduisait pas, par exemple.

— Oui, oui.

— Je pensais que son permis était suspendu. »

Quoi ? Je savais que Bradley avait décroché et qu'il passait la plupart de son temps à travailler sur les stock-cars au circuit automobile à Buxton et qu'il avait eu des problèmes avec la police pour une histoire de pneus volés, mais…

«Son permis de conduire est suspendu, a dit grand-p'pa en roulant une cigarette, léchant le bord collant de son papier à rouler, mais t'as pas besoin de permis pour conduire un tracteur.

— Oh, p'pa, a dit ma mère en souriant malgré elle, dis-moi pas que…» puis tout le monde a éclaté de rire de nouveau.

«Pis c'est pas un tracteur ordinaire non plus, laisse-moi te dire, non monsieur. Il a mis un moteur de Toyota Celica 76 quatre cylindres, là-dedans, pis une transmission six vitesses. Y a tellement de puissance dans c'te maudite affaire-là, quand il appuie sur la pédale, les roues d'en avant s'en vont direct dans les airs, un bon trois pieds, laisse-moi te dire.

— On dirait que… (Grand-m'man essayait de parler par-dessus son rire, la main sur la bouche…) On dirait qu'il va décoller vers la Lune. »

Ma mère a vu que j'étais sur le seuil de la porte. «O.K., mon fils, qu'elle a dit, je le sais, on y va, là. » Elle s'est levée.

Non, j'avais envie de dire, on devrait rester pour continuer à écouter. Mais c'était trop tard.

Mon père aussi s'était levé, secouait ses clés de voiture dans sa poche.

«Ouais, on est mieux d'y aller. On est samedi, le centre d'achat va être un vrai zoo aujourd'hui.»

Il n'y avait pas de place à l'hôtel. Aux hôtels. Au dernier motel en direction de Montréal qu'ils ont essayé d'abandonner et de rebrousser chemin – Jack insistait pour accompagner Joe à la réception et prouver qu'il était moins mal en point qu'il ne l'était en réalité et qu'il n'était pas la raison pour laquelle ils s'étaient fait dire non à deux autres endroits déjà –, l'homme assis derrière le comptoir, en regardant Joe mais parlant de Jack, avait dit : « *Monsieur**, vous n'avez pas besoin d'une chambre de motel, vous avez besoin d'un hôpital. »

Ce n'était pas la première fois qu'une virée généalogique tournait au vinaigre. Deux étés auparavant, une idée, un plan : se sauver de la Floride qui sape l'esprit pour aller à Paris et peut-être en Bretagne, et certainement à la Bibliothèque nationale, quelle idée merveilleuse et vivifiante (cognacs à boire modérément en solitaire dans Saint-Germain, nouveaux endroits et visages français pour rompre avec la page blanche et, bien sûr, plein de recherches sur les origines familiales).

Jack a passé presque tout le printemps, avant son voyage en France, dans son jardin de St. Petersburg, des push-up et des sit-up et des figures d'équilibre sur la tête pour son corps, des bières froides dans la glacière qu'il gardait à côté de sa chaise de jardin et volume après volume de Voltaire, de Rabelais, de Chateaubriand pour son esprit, une sorte de sain humanisme, stabilisateur de nerfs. Rien ne guérit l'envie du *New York Times* et n'élimine les piqûres des mauvaises critiques de livres comme des gribouillis noirs vieux de deux siècles sur une page blanche, conseillant l'indifférence amusée envers tout sauf ce qui ne peut être ignoré : la vérité, la beauté, la bonté. Et qu'ils aillent chier s'ils peuvent pas comprendre une blague. Et qu'ils aillent chier surtout s'ils savent pas ce que c'est qu'une blague.

Mais les plans généalogiques les mieux élaborés des souris et des *Homo sapiens* auto-mythologisants...

Les bibliothécaires parisiens sentaient son haleine chargée d'alcool et voyaient sa barbe de quelques jours sur son menton et avaient du mal à reconnaître son accent donc ils étaient désolés, non, ce volume en particulier n'était pas disponible en ce moment.

« Mais la carte dit...

— Oui, bien sûr, mais je suis désolé, non, c'est impossible.

— Vous voyez, je suis le premier Kerouac à être ici en deux cent dix ans, et...

— Oui, comme vous l'avez dit, oui, mais encore une fois, non, c'est tout simplement impossible. »

Pire était le soir où il avait quitté la brume crépusculaire pour entrer dans l'église du même nom que celle où il avait été baptisé à Lowell, l'église Saint-Louis-de-France. Que les bibliothécaires pointilleux et leurs manuscrits poussiéreux aillent au diable, ses vraies racines étaient ici. Jack s'est affaissé sur un banc, chapeau à la main, émerveillé par ce qu'il y avait tout autour de lui : les innombrables cierges scintillants, le kaléidoscope des vitraux, la musique de l'orgue ancien, le simple mystère de n'avoir jamais été ici auparavant quand pourtant c'était ici que tout – sa vie – avait commencé. Il a baissé la tête et prié.

Et puis une femme d'âge mûr qui lui rappelait Mémère a jeté vingt centimes dans son chapeau posé à l'envers. Jack a remis son chapeau amoché sur sa tête et est retourné à la brume. Ce n'est que plus tard, après son quatrième cognac, qu'il a réalisé qu'il aurait dû mettre l'argent dans le tronc des pauvres.

Le calcul intégral est mort en premier. Une mort en douce, personne en a porté le deuil. Pourquoi je m'y étais inscrit, c'était un mystère. Je savais que la treizième année, c'était l'année qui comptait, l'année que les universités scrutaient, et pourtant, je m'étais inscrit non seulement en calcul intégral, mais aussi en physique. Les sciences : tu manques une classe ou tu la passes à regarder le cul de ta blonde, puis sans que tu saches trop ce qui s'est passé, au cours suivant, tout le monde parle dans une langue étrangère. Encore trois semaines et un petit – mais terrible – examen de mi-session, et je pourrais joyeusement oublier tout ce que je savais des fonctions, des dérivés et des quotients. C'était pas grand-chose, mais ça voulait dire plus de place pour toutes les choses qui étaient vraiment importantes. Stacey disait que le cerveau humain marchait pas comme ça – qu'en fait, plus on l'utilise, plus grandes sont ses capacités de mémoriser et d'agir –, mais même si elle avait raison, ça voulait pas dire que c'était vrai. Pas pour mon cerveau, en tout cas. Je le *sentais* vraiment mieux respirer.

M. Koch, le professeur de physique, passait la majorité des cours à parler en langue scientifique aussi, mais c'était pas grave parce que j'étais assis à côté de Don McClelland. Don travaillait après l'école et le week-end chez APW Electronics à réparer des radios d'auto et à reconstruire des amplis de guitare et il était tellement bon en science qu'il s'emmerdait. Il répondait parfois à une question quand on corrigeait les devoirs avec M. Koch, simplement pour montrer qu'il écoutait, mais la plupart du temps il faisait des dessins de sa guitare basse dans son cahier. Quand il disait quelque chose en classe, on comprenait qu'il voyait bien que M. Koch ne connaissait que ce qu'il y avait dans le manuel.

Le cours avait lieu dans le laboratoire de biologie, ce qui voulait dire qu'il n'y avait qu'un évier à robinet simple qui séparait ta feuille de celle du voisin. Chaque lundi et mercredi, M. Koch récitait toutes les recettes qu'il connaissait et qui avaient le travail, l'énergie et la puissance comme ingrédients principaux, et chaque vendredi, on avait un test. Don remplissait sa page avec des numéros et des lettres en dix minutes, maximum, puis la poussait doucement quelques centimètres vers moi, à droite, pour que je puisse copier. Ça semblait trop facile au début, mais M. Koch était également le coordonnateur défensif de l'équipe de football, alors je me disais qu'il fermait les yeux pour donner une chance à l'un de ses secondeurs en titre. Et je m'assurais toujours de mettre quelques mauvaises réponses pour que mon test ressemble pas trop à celui de Don. D'ailleurs, c'est jamais une bonne idée d'être avare, quand on est chanceux. Avant l'examen de Noël, j'avais une moyenne de 87 pour cent et je savais exactement où j'allais m'asseoir à l'examen.

Laisser Don se soucier d'identifier les vecteurs et de comment la lumière voyage à partir du point A jusqu'au point B voulait dire que j'avais plus de temps pour fouiller les vraies grandes questions. En changeant de poste sur la télé d'en bas, un soir, j'avais vu une annonce sur la chaîne éducative pour quelque chose qui s'appelait *La question philosophique*, une session de dix cours télé qui présentait chaque semaine en direct des philosophes discutant de différents dilemmes philosophiques. T'avais juste à écouter pour voir les feux d'artifice intellectuels éclater, mais si tu t'inscrivais officiellement, ils t'envoyaient un livre intitulé *Le guide du téléspectateur de* La question philosophique par la poste. Je voulais ce livre. J'avais déjà décidé que peu importe l'université, j'allais étudier en philosophie, et ce cours-là allait me donner la longueur d'avance dont j'avais besoin pour être au même niveau que tous les élèves de mon futur cours de philosophie 101 qui savaient depuis toujours que George Santayana était un philosophe américain, surtout connu pour son travail sur l'esthétique, et non pas le joueur de guitare à moustache tombante qui s'était fait connaître avec «Black Magic Woman». J'ai dit à ma mère que le cours était pour l'école et elle a envoyé un chèque de quinze dollars à la station. Le grand jour est enfin arrivé, un mercredi soir, à 9 heures (en rediffusion le dimanche soir à 10 heures), et j'étais prêt, deux stylos, un bloc-note neuf, et, bien sûr, le livret de *La question philosophique* ouvert à la première page, première question : «Qu'est-ce que la philosophie morale ?» J'avais averti mes parents à peu près dix fois durant la semaine de pas descendre pendant que mon émission pour l'école était en ondes – je devais me concentrer, je pouvais pas être dérangé –, donc le sous-sol était à moi. J'en avais pas parlé à Stacey ou à Alvin ou même à Jamie car je voulais que la philosophie soit toute à moi. Le nom de l'émission est apparu sur l'écran. Que la profondeur commence.

Les deux gars qui parlaient le plus souvent avaient l'air d'avocats et quand ils ouvraient la bouche, c'était pire. Tu pouvais attraper de temps à autre un mot ou une phrase que tu savais être du véritable jargon philosophique comme « truisme éthique » ou « les théories de l'action non conséquentialiste », mais le plus souvent, ils essayaient chacun leur tour d'être toujours plus poli l'un que l'autre tout en se frottant le menton et en se croisant les jambes et en se réajustant les lunettes sur le bout du nez. Qui aurait cru que la recherche du sens de la vie pouvait être si impitoyablement ennuyeuse? J'avais lu que Socrate avait bu du poison et choisi de mourir plutôt que de renoncer à sa quête de la Vérité, et je me demandais si ces gens-là avaient lu la même chose. Mais ça ne faisait aucun doute : ils étaient tous deux professeurs de philosophie.

Chaque mercredi soir, à 9 heures, je m'ennuyais loyalement devant la télé avec mon manuel. Je me disais que c'était probablement ma faute, comme quelqu'un qui trouve une personne stupide alors qu'il comprend même pas la langue qu'elle parle. J'avais dix-huit ans, j'étais de Chatham, j'étais stupide. Ferme-la et continue de continuer, je me suis dit, parce que, souviens-toi, Morrison l'a fait, Kerouac l'a fait, même Jamie le faisait, il étudiait le latin dans ses temps libres en cours par correspondance pour se préparer aux examens de langues anciennes, quand il étudierait la théologie. Comparé à ça, je l'avais facile, tout ce que j'avais à faire, c'était d'apprendre à avoir l'air intelligent alors que j'avais pas la moindre idée de ce qui se passait.

Quand je suis arrivé à l'école le matin des examens de Noël, il y avait un écriteau sur la porte de la classe qui indiquait que l'examen aurait lieu dans le gymnase. Arrivé au gym, j'ai vu plusieurs rangées de bureaux alignés sur le plancher du gymnase, avec des canyons d'espace séparant une rangée de l'autre. On avait le droit d'entrer cinq minutes avant l'examen, pas plus tôt, et tout le monde sauf Don était soit accroupi dans le couloir, le visage collé dans son manuel, soit debout à marcher en tenant fermement des feuilles mobiles de notes écrites à la main et en remuant les lèvres, récitant silencieusement formule après formule pour expliquer comment fonctionne vraiment l'univers invisible. Don a juste haussé les épaules quand il m'a vu.

J'ai dit : « L'examen compte pour combien ?

— Soixante pour cent.

— Crisse. »

Don a haussé les épaules de nouveau.

L'examen durait trois longues heures, mais t'avais le droit de t'en aller après une heure et demie. J'ai eu besoin de moins de la moitié de ce temps-là en faisant am stram gram pour répondre aux questions à choix multiples et de bluffer de mon mieux avec les problèmes de physique, ce qui m'a laissé beaucoup de temps pour envisager comment l'éducation supérieure allait pas se pointer à mon horizon. Le cours de calcul avait été mon plan B, celui où je pouvais me permettre d'avoir une mauvaise note, mais comme je l'avais abandonné, la physique était un des six crédits dont j'avais besoin pour obtenir mon diplôme. Je pourrais sans doute vivre chez mes parents pour le reste de mes jours et prendre d'autres cours à distance à la télé, je me disais. Peut-être que je pourrais devenir philosophe en résidence chez Sears.

Quand je suis rentré à la maison, ma mère m'a dit que Stacey avait appelé. J'étais censé passer la voir après l'école. Maintenant que tous ses examens étaient terminés, elle avait décidé qu'on pouvait recommencer à se tripoter. Je suis allé dans ma chambre et j'ai fermé la porte et je me suis couché sur mon lit.

Et on était mercredi, le thème de ce soir à la télé : «Stupeur et tremblements : pouvons-nous connaître Dieu ? » Peut-être que je connaissais rien à Dieu, mais après la journée que je venais de passer, j'aurais pu montrer une chose ou deux à ces deux profs à costume sur la stupeur et les tremblements. Ni l'un ni l'autre n'envisageait quarante ans à porter un badge en plastique et huit heures par jour à conclure tout dialogue avec «Merci de magasiner chez Sears.» Maintenant, j'étais juste en maudit. Qu'est-ce qu'un professeur de philosophie pouvait bien savoir sur la stupeur et les tremblements ?

Quelque part, Massachusetts, population approximative : c'est vraiment pas important. Ils avaient besoin d'essence, de caféine et d'un endroit autre que le bord de la route pour uriner, et c'était la sortie qu'ils pouvaient prendre donc c'est la sortie qu'ils ont pris. Joe estimait que Lowell était à trois heures de route, mais ça lui semblait comme encore trois jours. Ils étaient sur la route depuis un peu plus de soixante-douze heures, d'après sa montre, mais c'était pas ça l'histoire. C'est rarement ça. Acteur ou spectateur, le tragique est épuisant.

La rue principale – sans surprise nommée Main Street – et deux sur trois, à tout le moins : une station d'essence Mobil et la clé remise par le commis pour la toilette des hommes. Joe avait pensé laisser Jack aller aux toilettes en premier, pendant que lui ferait le plein de sa Chrysler et vérifierait l'huile, mais dix minutes après avoir annoncé qu'il aurait pas d'autre choix que de se pisser dessus si Joe trouvait pas quelque part où aller dans les deux prochaines minutes, Jack s'était endormi et ronflait. Joe aurait aimé le laisser dormir tout le reste du voyage, mais il savait que dès qu'ils reprendraient l'autoroute, Jack se réveillerait et insisterait pour qu'ils s'arrêtent, où qu'ils soient. Il s'occuperait de la voiture, puis de lui-même, et ensuite il secouerait Jack pour le réveiller. Dix minutes de paix additionnelle pour chacun d'eux.

Joe a nourri la voiture et payé le gaz et vidé sa vessie et paniqué en sortant des toilettes quand il a vu le siège du passager vide. Presque aussitôt, il a repéré Jack qui se promenait dans un petit cimetière, à l'arrière d'une très vieille église à deux pas de là, mais il n'a pas senti son cœur ralentir ou son visage refroidir avant de garer la voiture et d'être debout à côté de Jack qui regardait une pierre tombale.

Les gens sont là et puis les gens sont plus là, et c'est pas juste. Il se rappelait la dernière chose qu'il avait dite à Billy, le jour où il a disparu. « Joue avec la chasse d'eau des toilettes quand tu l'as tirée, je vais réparer ça ce soir quand je vais rentrer du boulot. » Comment ces mots pouvaient-ils être les derniers qu'un homme ait dits à son propre fils ? C'était pas juste.

À LA MÉMOIRE DE
MME ABIGAL ELIOTT
FEMME DU CAPT BENJAMIN ELIOTT
QUI A QUITTÉ CETTE VIE
LE 12 NOVEMBRE 1790
À L'ÂGE DE 69 ANS

Le village avait un port – on pouvait sentir la mer dans le vent chaud du mois d'août – et le cimetière était parsemé des pierres tombales croches et craquées et ébréchées de plusieurs capitaines de navire et leurs familles. Il y avait des plaques sur le mur de l'église et sur celui de l'immeuble à deux étages de la compagnie d'assurances de l'autre côté de la rue, témoignant de leur importance historique et de leur authenticité prérévolutionnaire. Voilà le pedigree de l'Amérique. La chair en décomposition de l'Histoire.

«Où est son mari? a dit Jack.

— Qui?»

Jack titubait parmi les pierres tombales. «Où est le capitaine?» disait-il.

Jack passait d'une pierre tombale à l'autre, chancelait comme un enfant de deux ans qui ne comprend pas vraiment comment on fait pour marcher debout. Il n'avait pas bu depuis deux ou trois heures, mais maintenant ça n'avait pas d'importance, son cerveau avait finalement cédé, lui avait donné ce qu'il voulait.

«Il est où, Joe?»

Joe suivait Jack qui courbait le dos et plissait les yeux devant chaque pierre tombale noircie de mousse. «Peut-être qu'il est mort en mer, a dit Joe.

— Il est peut-être ici. Il devrait être aux côtés de sa femme. Le capitaine devrait être enterré à côté de sa femme.»

Ils ont regardé ici, ils ont regardé là – ce n'était pas un grand cimetière, à peu près un quart de terrain de football, une clôture en bois blanche qui montait aux genoux séparant les morts des vivants – mais ce n'était pas ici que le capitaine Eliott passait l'éternité. Ils se sont retrouvés près d'où Joe avait stationné la voiture. Jack a fermé les yeux, debout, immobile, se balançant légèrement, comme poussé par la brise.

CI-GÎT LA DÉPOUILLE DE JOHN BLAVERS
MORT LE 13 JUILLET 1748
À L'ÂGE DE 16 ANS

Un enfant, s'est dit Joe. Même à l'époque, c'était juste un enfant. Seize ans. L'âge de Billy, l'an prochain.

Les yeux toujours fermés : « Je sais pas où il est », a dit Jack. Il l'a dit comme s'il confessait un péché.

« C'est correct, a dit Joe.

— Il devrait être là. Mais s'il est là, je peux pas le trouver.

— C'est correct, Jack, on a essayé. On devrait rentrer chez nous. »

Jack ne bougeait pas, n'ouvrait même pas les yeux. Joe l'a laissé se balancer. Soudain, il n'était plus pressé.

Jack a grimacé comme s'il était en furie ou sur le point de pleurer. « Enfant d'chienne.

— Qu'est-ce qu'il y a ? »

Jack ne parlait pas.

« Qu'est ce qu'il y a, Jack ?

— Je veux pas, Joe. Je veux pas, mais il faut.

— Il faut quoi ? »

Jack ne disait pas un mot.

« Il faut que tu fasses quoi, Jack ?

— J'ai envie de pisser. Il faut. Je sais que j'aurais dû y aller au garage, comme toi, mais je l'ai pas fait. Je suis désolé de pas y être allé. Je suis désolé.

— T'as juste à pisser, Jack. Vas-y, pisse.

— C'est un cimetière, Joe, c'est…

— C'est correct. Va en arrière de l'arbre, ça va être correct. Je vais surveiller pour toi.

— Tu vas surveiller ?

315

— Ben oui, vas-y, je vais surveiller pour toi. »

Jack a ouvert les yeux et a dézippé son pantalon de toile et pissé derrière le vieux chêne. Joe a fait un lent trois-cent-soixante. Il fallait que ce soit lent, pas seulement pour pas donner l'impression de craindre la police, mais aussi parce qu'on aurait dit que Jack n'allait jamais arrêter d'uriner.

« Je me sens mieux, Joe, a dit Jack.

— Bon.

— J'ai presque fini maintenant.

— Bon. » Le coup de corne d'un remorqueur dans le port a remplacé le bruit de l'urine éclaboussant l'arbre.

« C'est le temps de rentrer chez nous maintenant, a dit Jack.

— Ouais, c'est le temps.

— On rentre chez nous, Joe.

— O.K., on rentre.

— C'est le temps de rentrer chez nous maintenant. »

J'en avais eu six, maintenant j'en avais cinq, j'en avais besoin de six, donc fallait que j'en aie un de plus. Des mathématiques que même moi je pouvais comprendre.

Les examens de Noël étaient corrigés et remis lors du premier cours de la nouvelle année ; dans le cas de mon examen de physique : Meilleurs vœux, bonne année, meilleure chance la prochaine fois. M. Koch devait savoir depuis le début que je copiais les tests de Don, tout comme il devait savoir que tout s'annulerait à l'examen. J'ai même pensé le voir camoufler un sourire, quand il m'a remis ma copie. C'était couvert de tant d'encre rouge qu'on aurait dit qu'il s'était tranché une artère juste avant de le corriger.

Oh, franchement, je me suis dit. Dix-huit pour cent ? Même en devinant, les probabilités sont plus fortes que dix-huit pour cent. Tout le monde, sauf Don et moi, était occupé à tourner les pages, à vérifier leurs réponses, à examiner leurs bonnes et mauvaises réponses. Don dessinait un gros tas d'amplis Marshall sur le verso de son examen ; il avait la gentillesse de pas se vanter de sa note, fort probablement astronomique. J'ai fait de mon mieux pour imiter sa courtoisie en poussant mon examen à l'autre bout de la table d'un seul doigt. Je voulais pas risquer de contaminer tout le monde.

Deux jours plus tard, je disais : «J'ai seulement cinq crédits, j'en ai besoin d'un de plus si je veux obtenir mon diplôme. C'est pour ça que je veux prendre un cours par correspondance. C'est pour ça que j'ai besoin de prendre un cours par correspondance.

— Seulement si tu abandonnes la physique, a dit M. Harnett. Mais comme je te le dis depuis le début, je te suggère fortement de bien y réfléchir.

— La physique, c'est une cause perdue.»

Ça semblait une mauvaise idée de dire la vérité à M. Harnett, mais j'avais besoin de sa coopération pour obtenir ce que je voulais. Et ce que je voulais, c'était abandonner la physique et m'inscrire à un cours d'histoire américaine par correspondance dans le but d'avoir assez de crédits pour obtenir mon diplôme en juin et aller à l'université en septembre. C'est Jamie qui m'avait donné l'idée, il étudiait le latin par correspondance depuis deux ans. La seule différence c'était que pour moi, c'était pas une question de développement personnel. Pour moi, c'était une question de survie.

«Oh, je suis pas sûr, a dit M. Harnett, en prenant le dossier sur son bureau, se calant dans sa chaise, mettant ses bottes sur le bord de son bureau. À mon avis, t'as juste eu une bonne grosse crise de nervosité devant ton examen, c'est tout. Jusque-là, tes notes étaient pas si pires, j'en suis sûr (il a regardé le dossier, puis l'a regardé de nouveau, comme s'il pensait qu'il l'avait mal lu la première fois), étaient assez impressionnantes, en fait.»

J'avais envie de jouer franc jeu avec lui, de dire quelque chose comme : «Écoutez, la tricherie pouvait pas me mener plus loin que ça, j'ai pas d'autre choix maintenant que d'être honnête et de travailler fort.» Très fort. Les cours par correspondance étaient conçus pour s'étaler sur neuf mois, comme tout autre cours, mais il me restait un peu moins de cinq mois, maximum. Stacey m'avait déjà mis en garde.

«Si c'était moi, je le ferais pas, elle avait dit. C'est trop juste. Qu'est-ce que tu vas faire si tu manques de temps? Tu vas faire quoi après?

— Je vais être obligé de finir à temps. J'ai pas le choix.»

Stacey avait haussé les épaules. «Je le ferais pas.»

«Je vais le faire, j'ai dit à M. Harnett. Et j'ai besoin de le faire tout de suite. J'ai parlé à quelqu'un au ministère de l'Éducation et ils m'ont dit que dès qu'ils auraient reçu tous les formulaires que vous avez à envoyer, je pourrais commencer, donc dès la semaine prochaine.

— Tu as appelé au ministère?» Il l'a dit comme si j'étais un majordome insoumis qui avait appelé son employeur par son prénom.

«Ouais.» J'avais eu le numéro grâce à Jamie.

«T'aurais pas dû communiquer avec le ministère de l'Éducation avant de m'en avoir parlé.

— Ben, on en parle maintenant.

— Et avant d'avoir pris une décision finale.

— J'ai pris une décision finale. Et maintenant j'ai besoin que vous remplissiez les formulaires. Je veux commencer tout de suite. J'ai beaucoup de travail devant moi.»

Pour la petite histoire, il y a eu une autre escale. Sur le chemin du retour, Jack a insisté pour qu'ils s'arrêtent jouer une partie de pool à Boston puis boire une bière, juste une partie de pool puis une bière, «justeunepartiedepoolpisunebière».

«Pas question», a dit Joe. Impossible, qu'il s'est dit; faudrait que Jack prenne le volant et détourne la voiture. Toutes les harangues que Jack pourrait hurler pendant cette dernière partie de trajet en vaudraient la peine si ça voulait dire revoir Billy à la maison sain et sauf et le plus tôt possible. Mais moins d'un mille avant la sortie de Lowell : Et si Billy n'était pas là ? Billy n'était probablement pas là. Billy n'était pas là.

Mais s'ils passaient la soirée à Boston, Joe ne pourrait pas savoir qu'il n'était pas là. Pas tout de suite, en tout cas. Joe a enlevé le clignotant, raté le virage vers la maison, juste à temps. À défaut d'avoir, on peut espérer.

The Combat Zone, c'était le quartier chaud de Boston : de la bière verte, des pipes à cinq dollars, de la cocaïne de qualité médicinale si tu savais à qui parler. Joe ne savait pas à qui parler et Jack pouvait à peine parler. Ils ont joué en équipe contre deux marins au billard et perdu la table après une seule partie. Jack a cassé son bâton en deux sur la table de billard et traité la paire de marins de maudits menteurs de nègres bons à rien. Aucun des deux n'était noir. Joe s'est mis entre Jack et un homme au bar qui l'était, toutefois, et il a dit : « Inquiétez-vous pas, on s'en va », et l'homme a dit : « Est-ce que j'ai l'air de m'inquiéter, trou de cul ? » et « C'est moi qui vais vous dire quand vous allez partir, enculé », et Joe a sorti un billet de vingt dollars froissé et l'a donné à l'homme en lui disant : « S'il te plaît, mon ami est pas bien », et l'homme a pris l'argent et dit : « T'as bien raison, connard », et il les a regardés fixement jusqu'à ce qu'ils prennent la porte.

Toute histoire a besoin d'un dénouement. C'est comme ça que se termine celle-ci.

J'ai convaincu mes parents de me laisser déménager la vieille table de cuisine blanche en formica du soussol jusque dans un coin de la chambre d'amis. J'avais toujours fait mes devoirs à la table de la cuisine, mais les cours par correspondance, c'était différent – c'était une carte qu'il fallait puncher tous les soirs – et la radio de mes parents réglée à la fréquence de la police postée dans le salon qui rugissait à tout bout de champ des « Voiture huit, voiture huit, vous m'entendez ? Ici la voiture huit, on écoute, over. Voiture huit, violence domestique au 114, Wellington Est, over. On est en route, over » tandis que je tentais de décortiquer les complexités de l'achat de la Louisiane en 1803 m'aidait pas à atteindre mon objectif. Je voulais mettre la table dans ma chambre, comme Jamie et Stacey et Alvin qui avaient un bureau dans leur chambre où ils faisaient leurs devoirs, mais entre la commode et ma chaîne stéréo et mes disques et mes haltères, il y avait pas assez de place. Mais ça faisait rien. La chambre d'amis était pour les invités, et personne venait jamais nous visiter.

Je faisais ce que ma biographie de Jack disait que Jack faisait, j'allumais une chandelle avant de commencer à travailler chaque soir, l'éteignais seulement après avoir englouti autant d'Histoire américaine que je le pouvais. Plus tard, j'ai trouvé un bouddha de porcelaine peint à la main dans l'arrière-boutique humide de chez Clem, une brocante à quelques portes de l'Armée du Salut, et je faisais brûler mes chandelles parfumées de chaque côté, sous le regard indifférent du bouddha. J'en savais pas beaucoup sur le bouddhisme, mais j'aimais le sourire du gros bonhomme, un sourire qui disait : « Bien sûr que je sais tout ce qu'il y a à savoir, mais tu sais quoi ? On en a rien à foutre ! »

Après quelques semaines à trimballer ma radiocassette de ma chambre à la pièce où je passais la plupart de mes soirées maintenant, je l'avais finalement déménagée avec toutes mes cassettes dans la chambre d'amis de façon permanente. Il y avait une seule règle, les Doors interdits – je pouvais pas me permettre de prêter attention à la poésie de Jim quand j'étais censé étudier l'histoire de l'Amérique –, mais avec la musique, les pages se tournaient plus rapidement, les mots s'écrivaient plus facilement. Au cours d'une autre expédition inutile au centre d'achat, en route vers l'élusif *Sur la route*, j'étais tombé, chez Woolco, sur un bac rempli de cassettes à un 1,49 $, que des groupes dont j'avais jamais entendu parler. Certaines d'entre-elles, une fois ramenées chez moi, n'allaient plus jouer – synthétiseurs, coupes de cheveux bizarres, percussions robotiques, un tantinet mièvre – mais d'autres, sans être excellentes, étaient pas mauvaises, des guitares excitées, du New Wave que t'entendais pas à la radio, des groupes dont personne connaissait le nom. C'était peut-être pas grand-chose, mais c'était à moi.

Et parce que le thé orange pekoe et la peur étaient tout ce dont je disposais pour rester éveillé, et retourner cassette après cassette et persévérer question après question, à la fin de chaque leçon, j'avais apposé un panthéon confectionné à la main au-dessus de ma table de travail pour me garder motivé quand l'horloge et le bon sens me disaient tous deux d'arrêter. Les plus importantes, bien sûr, étaient des photos photocopiées de Jim et de Jack, ainsi qu'une plaque de plastique rouge piquée à la bibliothèque scolaire qui déclarait *PHILOSOPHIE 1843.75.*

Voler dans une bibliothèque, c'était pas bien, je le savais, mais il n'y avait qu'une dizaine de livres, maximum, dans toute la section *Philosophie,* et d'ailleurs, M. Brunt, le bibliothécaire, pouvait aider ceux qui étaient vraiment motivés à les trouver. Et moi, j'avais vraiment besoin de cette plaque.

Jack s'est «Jekyllisé» du mieux qu'il a pu : une mise en beauté aux toilettes d'une station-service, un très grand café noir pour la route, une bouteille encore à moitié pleine de cognac sacrifiée sur l'autel d'une poubelle débordante au nom de la semi-sobriété du retour au pays dans une station Esso en bordure de Boston. Avec environ soixante minutes jusqu'à leur destination finale, Lowell (Massachusetts), Jack a décidé de prononcer quelques phrases pour voir s'il était en mesure d'amener ses lèvres à produire des sons humains.

«Brumeux.

— En effet», a dit Joe.

Les essuie-glaces grinçaient à gauche puis à droite, à gauche puis à droite, à gauche puis à droite.

«On dirait… on dirait pas que ça va tourner en pluie, par contre.

— Non, Joe a dit, je pense qu'on va être corrects.»

Gauche, droite, gauche, droite, gauche, droite.

«Moi aussi, je pense qu'on va être corrects.»

Heureux d'avoir passé le test, Jack n'a pas dit autre chose du reste du trajet. Il a regardé les phares des voitures venant en sens inverse apparaître lentement puis disparaître rapidement, écouté le rythme des essuie-glaces jusqu'à ce qu'il ne puisse plus l'entendre.

Les lampes du salon illuminaient la maison quand ils sont arrivés dans l'entrée de Jack. Stella est apparue dans la porte-moustiquaire et a fait signe de la main mais elle est restée à l'intérieur. Ils l'ont entendue crier : « Non, non, c'est juste Jack, Gabrielle, c'est juste Jack.

— Jacky ?

— Oui, c'est juste Jack et Joe, ils sont revenus de leur voyage.

— Jacky ? Où ça, mon Jacky ? »

Joe a ouvert le coffre et Jack a saisi son sac. Joe a fermé le coffre bruyamment et un chien a répliqué d'un jappement. A jappé et jappé encore et encore, puis, n'obtenant aucune réponse, s'est arrêté. Des grillons et le bruissement des cimes d'arbres bercées par la brise chaude menaient une bataille perdue d'avance contre le bruit de la télévision provenant du salon. La musique de *Dragnet* filtrait par la porte-moustiquaire. Mémère ne ratait jamais un épisode.

Jack a gardé les yeux sur l'allée de gravier en serrant la main de Joe.

« Merci pour tout, Joe.

— Quand tu veux, Jack.

— Non, vraiment. Merci pour ton aide. Pour tout.

— Pas de quoi. »

Jack a levé les yeux. « Je pense que j'ai du bon matériel. Je pense que j'ai une couple d'affaires que je peux vraiment utiliser.

— Tant mieux, Jack. Je suis content que ça ait marché.

— Ouais.» Jack a ramassé son sac, mais ne bougeait pas. «Je pense qu'en général le voyage a été un succès.»

Joe a hoché la tête. Jack a aussi hoché la tête. Jack a serré l'épaule de Joe, puis s'est retourné et a foulé la rangée de tuiles de ciment menant à la maison.

«Bonne nuit, Joe», a dit Stella, saluant de la main de nouveau. Elle tenait la porte-moustiquaire ouverte pour Jack. «Je suis contente que vous soyez revenus sains et saufs!»

Joe a salué aussi. «Bonne nuit, Stella. Bonne nuit, Jack.

— Jacky? Il est où, mon Jacky?

— Je suis là, m'man, a dit Jack. Je suis là.»

Stella a salué encore une fois avant de fermer la porte-moustiquaire puis la porte en bois et d'éteindre la lumière de la véranda.

Joe a reculé la voiture dans l'allée, klaxonné deux fois.

Il a conduit quinze minutes avant de se rendre compte qu'il n'était pas en route vers chez lui. Ses vêtements étaient tellement sales qu'ils lui irritaient la peau, et la dernière fois qu'il avait appelé Mme Johnson pour avoir des nouvelles de Billy, il lui avait dit qu'il passerait prendre son courrier dès qu'il serait arrivé en ville. Il a pris une cigarette du paquet dans sa poche et l'a portée à sa bouche et a essayé de se rappeler où était la station d'essence la plus près. S'il était pour se rendre n'importe où sauf chez lui, il faudrait qu'il remette du gaz.

« C'est comme, je peux pas le croire. C'est comme, j'ai vraiment de la misère à le croire, tu sais ?

— Ouais », j'ai dit. Je gardais le téléphone sur mon oreille ; je m'étais étendu sur mon lit d'eau aussi loin que le cordon téléphonique le permettait, et je me berçais sur les vagues que je créais pendant que Stacey continuait de parler.

« Je veux dire, penses-y. Toute ma vie – je veux dire, pratiquement toute ma vie, autant que je me souvienne, en tout cas –, j'ai travaillé dans le but de devenir page à la Chambre des communes, et maintenant, juste avec une lettre reçue par la poste, ça y est. C'est tellement bizarre. Je veux dire, c'est comme si l'autre moi – celle qui a toujours voulu être page – est comme plus vrai que le moi qui l'est. Ou qui va l'être cet automne. C'est juste bizarre, tu sais ?

— Ouais, c'est bizarre. »

J'ai déboutonné mes jeans et baissé mes sous-vêtements et commencé à jouer avec mon corps. On avait déjà fait des duos collants au téléphone, donc qu'est-ce qui avait de mal à faire une performance solo, surtout que je pouvais voir que Stacey était trop sous le choc du rêve de sa vie devenu réalité pour avoir un quelconque intérêt à aider l'un de nous deux à prendre son pied. J'avais pas encore eu de nouvelles des universités où j'avais posé ma candidature. Seules les personnes qui recevaient des bourses avaient des nouvelles. Jamie, Alvin et Stacey avaient tous reçu des bourses d'études.

Elle a dit : « Tu sais ce qui est bizarre ?

— Quoi ? »

J'essayais d'imaginer la bouche de Stacey autour de ma queue, mais c'était pas facile. D'abord, le peu de fois qu'elle m'avait sucé, c'était soit avec les lumières éteintes, soit avec la tête enfouie sous une couverture, donc c'était à moi d'imaginer et de combiner l'image de ses lèvres avec la réalité de ma queue dans ma main, et chaque fois que j'y arrivais, des mots sortaient de sa bouche et ses lèvres arrêtaient pas de bouger assez longtemps pour que je rentre ma queue dedans. Et même si on n'était qu'à la fin mars et que ma fenêtre de chambre était bien fermée, mon père célébrait le fait que le thermostat frôlait les soixante degrés en sortant la tondeuse à gazon de son hibernation et en la mettant au travail lors du premier des nombreux joyeux voyages de la saison, de gauche à droite, d'ici au fond de notre arrière-cour. Si un jour j'ai ma propre maison, je me suis dit, je couperai jamais le gazon. Jamais. Je l'arroserai jamais, le désherberai jamais ni rien d'autre pour l'encourager.

« C'est comme si j'avais peur de sortir dehors et de me faire frapper par une voiture, genre. Comme, maintenant que cette chose merveilleuse m'est arrivée, il faut que je fasse vraiment attention de rien faire foirer en oubliant de regarder des deux côtés en traversant la rue. Tu vois ce que je veux dire ?

« — Ouais, ouais, je comprends », que j'ai dit en frôlant, caressant, cajolant – sur le point de me faire claquer une vertèbre et de finir le travail moi-même. Mais ça servait à rien, c'était comme faire de la tire Sainte-Catherine, mon esprit était vide, tout ce que je pouvais voir, c'est ce qu'il y avait : un téléphone dans une main et un pénis sans vie dans l'autre.

« C'est quoi ce bruit-là ? » a demandé Stacey.

La tondeuse à gazon faisait un tour dans le coin de la cour, très près de la fenêtre de ma chambre. C'était comme être coincé à l'intérieur d'un cargo, dans la coque d'un avion propulsé par une seule hélice.

« Rien. Juste mon père qui tond la pelouse.

— Il tond la pelouse ? Il est fou ? On gèle dehors.

— On gèle pas.

— Presque. Et c'est pas censé être mauvais pour le gazon si tu le coupes avant qu'il commence à repousser ?

— Qui est-ce qui t'a dit ça ? »

J'ai fini par replacer ma queue dans mes sous-vêtements, remonté mes jeans, me suis adossé contre la tête de lit. J'ai attendu que le lit arrête de rouler.

« Je sais pas… Mon père, j'imagine.

— Ouais, ben, je pense que mon père en sait un peu plus sur l'entretien des pelouses que ton père.

— J'en doute pas.

— Qu'est-ce que c'est censé vouloir dire ?

— Juste ce que j'ai dit. J'en doute pas.

— Tu sais, juste parce que mon père porte pas un câlice de complet-cravate pour aller travailler, ça veut pas dire qu'il connaît pas une affaire ou deux, tu sais.

— Sacre pas contre moi, Ray.

— Je sacre pas contre toi, je dis juste que…

— Si t'es pour être violent verbalement, je vais raccrocher.

— Crisse, j'étais juste…

— Bye, Ray.

— Attends…

— Bye, Ray.

Elle a raccroché. Y avait que dans les films que j'avais vu du monde se raccrocher au nez. J'ai mis le téléphone sur la table à côté et je me suis recouché, j'ai recommencé à me bercer lentement et j'ai attendu que ça s'arrête.

Presque immédiatement, le téléphone a sonné. «Je le prends!» que j'ai crié.

Bien sûr, elle allait rappeler tout de suite. C'était elle qui nous avait insultés, mon père et moi, ça pouvait pas être elle qui raccrochait. Ça marchait pas comme ça.

«Allô?» J'avais gazouillé, comme si je savais pas qui c'était.

«Man! À qui tu parlais? Ça fait genre quarante-cinq minutes que ta ligne est occupée.» C'était Jamie.

«Personne. Je parlais à personne. Ma mère était au téléphone.

— En tout cas, écoute, tu vas pas le croire.

— Quoi?

— Devine qui a écrit "End of the Night"?

— Ben là. Morrison.

— Non.»

Je suis resté silencieux un instant.

«O.K., je sais comment t'as pu te tromper, t'as regardé le dos de l'album, où c'est écrit "Paroles et musique des Doors". Mais Morrison a écrit toutes les paroles du premier album, toutes, sauf les premières strophes et le refrain de "Light My Fire" pis "Twentieth Century Fox". C'est Krieger qui a écrit ces bouts-là.» Peut-être que Jamie avait reçu des bourses d'études de Queen's et de U of T et qu'il attendait toujours de voir ce que McGill avait à lui offrir, mais de nous deux, c'était moi le spécialiste incontesté des Doors. «Krieger a écrit toutes les petites chansons pop.

— As-tu déjà entendu parler d'un gars qui s'appelle Céline?»

J'en avais entendu parler, peut-être, mais je savais plus où. «Peut-être, que j'ai dit. Pourquoi?

— Je cherchais une citation de Churchill pour ma dissertation d'histoire, dans un livre de citations de mon père, et je suis tombé sur lui. Toutes ses citations sont du même livre, un roman qui s'appelle *Voyage au bout de la nuit*.»

Je me suis souvenu d'où j'avais entendu parler de Céline. Dans *Personne ne sortira d'ici vivant*, la biographie de Morrison. Céline était un des écrivains préférés de Jim, ça disait.

«En fait, Céline était un des écrivains préférés de Morrison, donc j'imagine que c'était comme une sorte d'hommage.

— Ouais, et regarde bien ça.» Jamie m'écoutait pas. «La chanson "You're Lost Little Girl"? Sur le deuxième album?

— Ouais, je la connais, c'est moi qui t'ai enregistré ta copie.

— Ben, tu te souviens de William Blake, on l'a vu en classe, l'an dernier?

— Ouais.

— Eh bien, y a un poème qu'il a écrit et le premier vers, c'est "You're Lost Little Girl".»

Le lit d'eau avait cessé de bouger. J'ai bougé mon cul pour que ça recommence. «Pis? Peut-être que Morrison…

— C'est quoi la première ligne de "The Spy"?

— Quoi?

— C'est quoi la première ligne de "The Spy"? Sur *Morrison Hotel*.

— Je sais sur quel ostie d'album c'est.

— Alors, c'est quoi?

— Pourquoi?

— Tu le sais ou non?

— Ouais, je le sais.

— Ben c'est quoi?

— *"I'm a spy in the house of love"*.

— Comme dans *Une espionne dans la maison de l'amour*, par quelqu'un qui s'appelle Anaïs Nin.»

Il m'a fallu un moment pour trouver quelque chose à dire. «Juste parce que c'est la même chose ça veut pas nécessairement dire que c'est là qu'il l'a pris.

— Come on.»

Mon père était en train de passer une dernière fois sous ma fenêtre. Il en avait presque terminé avec la cour. Bientôt en route vers de nouveaux défis excitants devant la maison.

«Pis, c'est quoi le problème? j'ai dit.

— Y a pas de problème. J'ai pensé que tu voudrais le savoir.

— Qu'est-ce que tu veux dire?

— Capote pas avec ça, je suis pas en train de dire quoi que ce soit.

— Si t'as rien à dire, faut que j'y aille. Ma mère a besoin du téléphone.

— Pas de problème. À plus.

— Ouais, à plus.

Il était sur la cuvette quand il a entendu les tronçonneuses.

Ils n'avaient pas été capables d'éteindre l'air cli-
matisé avant la veille, et tout ça pour quoi ? Pour que
l'air enfin quasi respirable d'octobre, empoisonné
par cette idiotie rugissante et polluante, passe par
toutes les fenêtres ouvertes. Il a remonté son pantalon et couru jusqu'à la salle de séjour et crié devant
ce qu'il ne pouvait pas croire qu'il voyait.

« Hey ! »

Stella pensait qu'il l'appelait et elle est arrivée
de la cuisine à la course. Mémère, endormie, s'est
réveillée, a crié : « *Qu'est-ce qu'il y a ?** »

— Hey !

— Jack, a dit Stella, qu'est-ce… »

Jack pointait dehors par la fenêtre du salon,
vers le terrain avant du voisin, vers les deux hommes
qui faisaient un concours de bruits perçants avec
leurs tronçonneuses, coupant le grand pin de Géorgie du voisin. « Ils coupent mon arbre, Stella. Ces
sadiques, ils coupent mon arbre. »

Stella a posé la main sur le bras tremblant de
Jack. La veine bleue de son front ressemblait à un

tuyau d'arrosage bouché et prêt à éclater. «Jack, calme-toi, je suis sûre que…

— Stella? a crié Mémère. Stella?»

Jack n'a même pas pris la peine de refermer la porte derrière lui; a traversé sa propre pelouse jusqu'aux ouvriers à côté.

Stella a crié: «Jack, tes chaussures!», mais Jack ne l'entendait plus, dans le vacarme des tronçonneuses. Pas que ça aurait changé grand-chose s'il avait pu. Même la solitude a ses limites. Même la bonne sorte. Et la sienne n'était pas de la bonne sorte.

Pas la solitude du vieil homme qui retarde tout le monde à la banque parce qu'il peut pas s'empêcher de flirter avec la jeune et jolie caissière parce que sa femme est morte depuis quatorze ans, en juillet, et que déposer son chèque de sécurité sociale est l'occasion de mettre ses fausses dents et de s'asperger d'eau de Cologne pour se rappeler ce que c'est que de faire rire une femme. Pas la solitude de la vieille femme qui demande à ce gentil monsieur Untel, le pharmacien, de lui expliquer encore une fois comment prendre ses médicaments même si elle les prend depuis des années, que c'est en fait la seule chose qu'elle sait vraiment faire. Pas la solitude d'être jeune et en amour et de détester le facteur parce qu'il ne livre pas la lettre qui aurait dû arriver la semaine dernière.

Une solitude de prison à deux chambres et un bain dans un immeuble en béton, climatisation centrale, 5169, North 10th Avenue à St. Petersburg, Floride. Une solitude de relevé de droits d'auteur à 6,67 $. Une solitude d'appel téléphonique à 4 h 37, heure du Pacifique, «Super, Jack, écoute, je vais t'écrire une longue lettre en me levant demain, promis, mais faut que j'y aille maintenant, faut vraiment que j'y aille, je vais raccrocher maintenant, Jack, je vais raccrocher.»

Et maintenant, ils étaient en train d'abattre son arbre préféré. L'arbre dans les branches duquel le vent venait lui parler la nuit. Venait *jadis* lui parler la nuit.

«Pourquoi vous faites ça?» a crié Jack aux ouvriers. Même la solitude a ses limites.

Les hommes portaient des casques de sécurité jaunes et portaient des lunettes en plastique transparent. L'un d'eux a remarqué que Jack se tenait là. Sans éteindre sa tronçonneuse, il a crié: «Quoi?

— Pourquoi vous faites ça? Qui vous a dit de faire ça?»

L'homme a pointé son oreille et secoué la tête.

«Pourquoi vous tuez mon frère?»

L'homme a secoué la tête encore et pointé en direction de la camionnette blanche stationnée dans la rue en face de la maison, sur laquelle était écrit *Franklin Landscaping* et un numéro de téléphone sur la porte du passager.

«Alors c'est eux, les meurtriers, a dit Jack, le menton pointé vers les voisins. Mais vous êtes des mercenaires, vous avez les mains sales, vous aussi.»

L'homme a pointé son oreille encore et secoué la tête et enroulé ses deux mains autour de la tronçonneuse, enfoncé la machine hurlante dans les entrailles de l'arbre. Un blizzard de sciure a explosé dans les airs, une pluie de confettis de bois est retombée sur les chaussettes de Jack.

Jack sentait que Stella était à ses côtés.

«C'est des meurtriers!

— Je sais, Jack, mais on devrait rentrer chez nous.

— C'est des meurtriers et ils le savent même pas. »

Stella a tiré légèrement sur son bras. Il tremblait encore. « C'est les propriétaires qui le veulent, Jack. Y a personne qui peut rien faire. »

Jack s'est retourné, lui a fait face. La veine de son front battait comme un gros ver bleu dans le soleil joyeux de la Floride. « Pourquoi est-ce que quelqu'un voudrait faire ça ? Pourquoi quelqu'un voudrait tuer mon arbre préféré ? »

Si je pouvais pas être là pour recevoir la lettre de la main du facteur, je voulais la sortir moi-même de la boîte à lettres. C'est ce qui serait arrivé dans mon adaptation cinématographique avec, peut-être, des cordes émouvantes en arrière-plan tandis que je plongerais la main dans la boîte de métal noir, reconnaîtrais le logo de l'université dans le coin supérieur gauche de l'enveloppe, et la déchirerais et en dévorerais les mots, prenant conscience que ma vie serait plus jamais la même. Il pourrait même y avoir une petite larme brillante dans le coin de mon œil ou au moins un air de contentement bien mérité gravé sur mon visage. Fondu au noir, générique. Fin.

C'était un mardi, j'avais deux périodes libres, les périodes un et deux, j'avais pas à me lever avant 10 heures. Je suis entré dans la cuisine en bâillant. Ma mère avait posé une lettre contre mon bol de céréales avant d'aller chez le coiffeur. Quand elle savait qu'elle pourrait pas être là pour me préparer le déjeuner au réveil, elle sortait la boîte de céréales, un bol et une cuillère, et un verre pour mon jus d'orange. D'habitude, je tenais tout ça pour acquis, mais ce matin, ça me mettait en colère. C'est difficile de se prendre pour un héros quand ta mère veut s'assurer que tu rates pas le repas le plus important de la journée.

J'ai ouvert la lettre en déchirant l'enveloppe et j'ai lu le premier paragraphe à toute vitesse – ... *nous avons le plaisir de vous informer que...* – et j'ai pas eu besoin d'en lire plus. J'ai fait le tour de la maison deux ou trois fois en donnant des coups de poing en l'air, la lettre dans mon autre main, mais quelque chose manquait. De la musique, je me suis dit, et je suis entré dans ma chambre et j'ai soulevé le couvercle de plastique du tourne-disque. Sauf que j'avais pas été capable d'écouter les Doors depuis que Jamie m'avait mis au courant du plagiat poétique de Jim. Je savais que la musique était toujours bonne, mais je savais aussi que je serais plus capable de l'entendre, que ça ferait juste me rappeler que le chanteur était rien de plus qu'un chanteur. J'ai éteint le stéréo et suis revenu dans la cuisine où j'ai allumé la radio. C'était juste CFCO, comme d'habitude, mais la maison était pas plus silencieuse. Ça m'avait jamais traversé l'esprit avant que c'était sans doute la raison pour laquelle ma mère la laissait toujours allumée.

Peut-être que si j'appelais quelqu'un. J'ai pris le combiné et écouté la tonalité en attendant de décider qui j'allais appeler. Je pouvais pas appeler mon père, il était au travail. Après un an et demi à prendre tout ce qui lui tombait sous la main pour la moitié ou moins de ce qu'il faisait à la Ontario Steel – qui avait finalement déménagé au Mexique en emportant chacun des quatre cents emplois avec elle –, une nouvelle usine, propriété d'une société allemande, avait ouvert à Tilbury, et mon père était de retour sur la chaîne de production. Ma mère et lui avaient arrêté de se disputer. Ils parlaient de redécorer la salle de séjour et de mettre une salle de bain dans le sous-sol. Je pouvais pas appeler Jamie non plus, il était à l'école, au cours de français. Mais Stacey était à la maison, elle avait les mêmes périodes libres que moi.

Elle a dit : « C'est super », mais elle m'a prévenu qu'elle pouvait pas me parler longtemps. Sa mère et elle étaient en train de déjeuner avec le député fédéral, celui pour qui elle avait travaillé durant la campagne et qui lui avait écrit une lettre de recommandation pour son emploi de page. « C'est un bon monsieur, vraiment. Je me sens presque coupable de pas avoir voté pour lui.

— Je peux pas croire qu'à ce temps-ci, l'année prochaine, je vais vivre à Toronto », j'ai dit. J'avais besoin de l'entendre pour que ce soit réel.

« Mais tu sais que l'Université York est pas exactement à Toronto, hein ?

— Non, je sais, mais…

— Bien sûr, tu peux toujours changer. Dès que mon année comme page à Ottawa est terminée, je sors de là, je m'en vais à McGill.

— Je sais.

— J'ai déjà vérifié. T'as le droit de transférer jusqu'à cinq crédits à l'établissement où tu termines ton diplôme.

— Je sais, tu l'as déjà dit.

— Quand ?

— Avant.

— Vraiment ?

— Ouais.

— Oh. »

J'ai entendu la mère de Stacey chantonner son nom, lui dire qu'il était temps de raccrocher.

« Il faut que j'y aille.

— Moi aussi. » Il fallait vraiment que j'y aille, mais je l'aurais dit même si ç'avait pas été vrai.

« O.K., bye.

— Bye. »

On se dirait pas au revoir pour de bon avant la fin août, mais Stacey avait déjà dit, et j'étais d'accord, qu'on était pas pour ruiner nos vacances d'été avec de pénibles adieux émotifs et des discussions irréalistes sur notre couple alors qu'on allait être à des centaines de milles de distance. « C'est pas juste irréaliste, qu'elle avait dit, c'est malsain. » Elle avait pas tort. Elle avait rarement tort.

Si je voulais arriver à temps pour le cours de littérature canadienne, il fallait que je sois sorti de chez moi à attendre le bus dans vingt-cinq minutes, juste assez de temps pour prendre une douche et manger. J'ai laissé tomber mes sous-vêtements et mon t-shirt là où je me trouvais, mais j'ai pris ma copie des *Vies parallèles* sur la commode, en chemin vers la salle de bain. Je me suis assis sur le bord du lit d'eau.

Ça ne ressemblait plus au livre que j'avais rapporté du centre d'achat trois ans plus tôt. Le dos était fissuré et ridé comme le front d'un vieillard, et trois des quatre coins de la couverture étaient déchirés et élimés. C'est moi qui avais fait ça. C'était difficile de croire que tu pouvais faire quelque chose comme ça juste en lisant.

J'ai ouvert le livre au deuxième chapitre, « La ville », où Jack quitte Lowell pour aller étudier. J'ai posé ma paume sur le lit d'eau pour stopper le ballottement, j'ai lu. Jack avait aucune idée de ce qui allait lui arriver, bon, mauvais, tragique, rien du tout. J'aimais bien ça. J'aimais beaucoup ça.

Les livres sont de bons menteurs. Le mensonge voulant que la vie ne consiste qu'en une suite de révélations, une longue expérience d'apprentissage continu, aboutissant sans cesse à un tout nouveau soi toujours plus sage, à chacun des super-échelons-satori le long du chemin. Comme fraude, c'était pas mal – mieux, en fait, que la maladie répandue de vouloir comprendre la grande marche de la littérature moderne comme un ostie de mal de tête gigantesque et collectif consciencieusement cultivé et trouvant son expression esthétique ultime dans *Finnegans Wake,* le son de la littérature qui rentre dans son propre trou de cul ricanant. La naissance du lecteur en tant que crétin de deuxième classe. L'ingéniosité, assassin de l'esprit.

Les rêves ne se réalisent pas toujours mais parfois – faute de mieux – les clichés font l'affaire. Parfois, par exemple, la vie imite l'art. Au printemps 1951, par exemple, Jack a tapé les derniers mots de *Sur la route* sur un rouleau de dix feuilles de papier-calque longues de douze pieds scotchées les unes aux autres dans le but de ne pas devoir arrêter d'écrire pour changer les feuilles de sa dactylo, la même raison pour laquelle il n'avait pas daigné s'arrêter pour changer les vrais noms de ses personnages. C'était un seul paragraphe de cent vingt pieds de long, cent vingt mille mots versés directement sur cette page en trois petites semaines caféinées parce que le moteur était prêt et que la route était rapide. Sa deuxième épouse l'avait quitté et portait un enfant qu'il ne voulait pas, il avait un découvert de 12,38 $ à la banque, et rien de tout ça ne comptait parce que quelqu'un – lui – venait enfin de botter le cul fatigué de la littérature américaine pour la faire entrer dans le vingtième siècle.

Il s'est éloigné de sa machine à écrire et s'est allumé une cigarette sous les étoiles. C'était le printemps et tout essayait d'être vivant. Il a inspiré, expiré, il a exhalé un halo de fumée dans l'air chaud du soir. Il regardait la fumée monter, perdre sa forme parfaite, mais grimper, grimper, grimper jusqu'à se fondre dans le ciel. Un ciel plein des étoiles sous lesquelles Shakespeare s'était tenu tremblant, satisfait, après avoir terminé *Lear*, *Hamlet*, *Macbeth*. Il se sentait comme un personnage, dans un roman, qui comprend enfin quelque chose.

Il faisait partie de la chaîne.

Même s'il avait seulement écrit un livre et non pas *le* livre – même s'il avait seulement fait ce que des dizaines de milliers, des millions, avaient fait avant lui –, produit son petit bruit dans le grand silence pour se tenir compagnie –, il faisait partie de la chaîne.

Il a tiré une longue bouffée sur sa cigarette. Il a laissé les étoiles l'avaler.

La voiture était remplie et prête à partir, le réservoir d'essence plein, le niveau d'huile et de liquide lave-glace vérifié. Mon père l'avait lavée même si on était pas samedi et qu'elle en avait pas vraiment besoin. Tout ce qui restait c'était d'aller se coucher, de se lever et de partir. Le lendemain à la même heure, chez moi, ce serait ailleurs.

« T'as tes lunettes de rechange ? a demandé ma mère.

— Je les ai.

— Et ton nettoyant à lentilles de réserve, celui sous le lavabo de la salle de bain ?

— Je l'ai, maman. Je te l'ai dit, j'ai tout. »

On était assis sur les chaises de jardin, sur la terrasse, en arrière, mon père debout, appuyé contre la balustrade, en train de fumer. La lumière de la cuisine qui passait à travers la porte patio illuminait la terrasse mais laissait le reste de la cour dans l'obscurité. Mon père faisait des ronds de fumée dans la nuit.

« Eh bien, c'est le moment de vérifier comme il faut, pas demain matin. Une fois qu'on embarque sur l'autoroute, on revient pas pour chercher ce que t'as oublié. Le trafic vers Toronto, c'est l'enfer. »

J'ai regardé mon père, il m'a fait un clin d'œil. Ma mère non plus était jamais allée à Toronto. Je savais pas ce qui la tourmentait le plus : le fait que je parte de la maison pour aller à l'université ou avoir à passer les portes de Gomorrhe. Tout l'été, j'avais été obligé de l'écouter parler du moindre article qu'elle trouvait dans le *Chatham Daily News* détaillant la violence de Toronto, la pollution de Toronto ou la hausse du coût de la vie à Toronto. Mais chaque semaine, elle rapportait aussi quelque chose qui pourrait m'être utile : encore des stylos Bic en vente chez BiWay, plus que ce que je pourrais utiliser en une année, une veste de laine à carreaux rouge et noir « pour te promener sur le campus quand il fait froid » ; des nouveaux sous-vêtements, des nouveaux bas, des nouvelles camisoles. Si elle pouvait pas m'empêcher de m'habiller comme un Beatnik, elle pouvait au moins s'assurer que je sois bien propre et au chaud en dessous.

« On a tout vérifié trois fois, maman, relaxe. »

On a regardé mon père écraser sa cigarette dans l'un des cendriers bricolés qu'il avait fait après avoir construit la terrasse, un pot de margarine en plastique à demi rempli de sable. Il a fait claquer le couvercle en le remettant sur le pot. Le couvercle servait à le protéger de la rosée et de la pluie.

« Oh, je sais ce que j'ai oublié, a dit ma mère, bondissant de sa chaise. Ta bonne paire de jeans est encore dans la sécheuse. Je devrais aller les repasser.

— T'inquiète pas, maman, je vais les porter demain, on va juste être dans la voiture.

— Tu peux pas porter des vêtements qui sont pas repassés.

— C'est ce que je vais faire quand je vais m'occuper moi-même de mon lavage. » Mon père et moi, on s'est souri. Il était assis dans l'une des autres chaises de jardin, maintenant.

« Eh bien, tu devrais pas. » Elle a ouvert la porte-moustiquaire. « Pis d'ici là, tu vas porter du linge repassé. »

Mon père et moi, on a ri, puis on a regardé le jardin. Tu pouvais pas le voir, mais il était là, tu pouvais le sentir. Il avait coupé la pelouse cet après-midi-là. Les brins d'herbe coupés, la rosée fraîche, la nuit chaude. On était assis et on écoutait les criquets, quelqu'un faire claquer la porte-moustiquaire, le jappement d'un chien, les criquets.

« Elle est juste inquiète, c'est tout, a dit mon père.

— Je sais. C'est juste drôle.

— C'est peut-être drôle pour toi, mais elle, elle perd son petit gars.

— C'est pas comme si j'allais mourir. Je m'en vais juste à l'université. »

Mon père a pris son paquet de cigarettes dans sa poche de chemise. « Oh, je comprends, mais c'est dur, pour les mères, ces affaires-là.

— Pis pour les pères ? » que j'ai dit en riant.

Mon père a remis la cigarette qu'il avait sortie dans son paquet, refermé le couvercle et s'est levé. « Je pense que je ferais mieux de me raser. Comme ça, j'aurai pas à le faire demain matin. »

J'ai hoché la tête.

Il s'est retourné pour me faire dos, a parlé vers la pelouse : « Et ta mère a raison, tu peux jamais être trop prudent, ça te ferait pas de mal de faire le tour de la maison pour vérifier une dernière fois que t'as rien oublié, juste pour être sûr.

— O.K. » Et il m'a laissé tout seul sur la terrasse.

347

Je me suis levé et je suis allé près de la rampe, là où mon père fumait, d'habitude. J'avais jamais eu de peine pour mes parents, avant. J'allais devoir tenir ma promesse et les appeler aux deux semaines, et plus souvent, si je voyais qu'ils en avaient besoin. Il fallait que je m'assure de ne pas oublier.

Puis après qu'ils m'auront déposé, et après que je me serai installé dans ma chambre de résidence, la première chose que j'allais faire ce serait d'apprendre à me rendre en métro jusqu'à la rue Yonge. Parce que tout le monde savait que sur la rue Yonge, tu pouvais trouver tout ce que tu cherchais. J'allais trouver une librairie où je pourrais acheter *Sur la route*. Et j'allais le lire, j'allais enfin le lire.

Et c'est ce que j'ai fait.